# HELMAR JUNGHANS

# Wittenberg als Lutherstadt

UNION VERLAG BERLIN

2., verbesserte Auflage · 1982
© 1979 by Union Verlag (VOB) Berlin · Lizenz-Nr. 395/3109/82 · P 68/79 · LSV 0265
Printed in the German Democratic Republic
Klischees: Graphische Kunstanstalt H. F. Jütte (VOB), Leipzig,
und Druckkombinat Berlin
Gesetzt aus der Garamond-Antiqua und gedruckt
in der Druckerei Markneukirchen
Buchbinderische Verarbeitung: DMG Altenburg
Zeichnungen: Hans-Ulrich Herold · Buchgestaltung: Joachim Kölbel
699 765 1
DDR 22,– M

# Inhalt

*Anhang*

208

# Vorwort

Wie sah die Stadt Wittenberg aus, als D. Martin Luther und seine Gefährten in ihren Mauern dachten und schrieben, predigten und lehrten, berieten und entschieden, litten und stritten? Diese Frage wird jeden bewegen, der sich mit Wittenberg als Zentrum der lutherischen Reformation beschäftigt. Mancher wird den Wunsch haben, unter den Bauwerken unmittelbare Zeugen aufzuspüren, die ihn so umgeben, wie sie die Reformatoren und ihre Zeitgenossen umgeben haben. Aber die Geschichte bleibt nicht stehen, sondern sie bewegt sich fortwährend und hat daher auch diese steinernen Zeugen umgeformt.

So ist nur wenig im ursprünglichen Zustand erhalten geblieben. Die Reformation selbst hat Veränderungen an dieser Stadt und ihren Bauwerken vorgenommen. In ihrer heutigen Beschaffenheit sind sie nicht zuletzt Zeugen der Weiterwirkung Luthers. Darum soll der Gegenstand unserer Betrachtung die Entwicklung der Stadt Wittenberg von ihren Anfängen bis zur Gegenwart sein, nicht in ihrer ganzen Breite, sondern nur in ihrer Beziehung zu Luther. So stellt sich die Frage: Wie beeinflußten die Verhältnisse in Wittenberg Luther, und wie bestimmte Luther das Schicksal Wittenbergs? Die Antwort auf diese Frage wird uns treibende und damit formende Kräfte in dieser Stadt lebendig vor Augen stellen.

Zunächst muß erfaßt werden, wie die Verhältnisse entstanden, die Luther vorfand, als er nach Wittenberg kam. Daher behandeln die beiden ersten Kapitel das Entstehen der Stadt und ihre Umgestaltung unmittelbar vor Luthers Ankunft. Es ist die Zeit des Mittelalters, die drei heute noch erhaltene architektonische Schwerpunkte hervorbringt. Im Westen, wo einst das Schloßtor den Zugang zur Stadt schützte, stehen das Schloß und die Schloßkirche, an deren Schnittpunkt sich ein wuchtiger Turm erhebt. In der Stadtmitte schmückt das Rathaus den Markt und überragen die Türme der Stadtkirche die umliegenden Gebäude. Im Osten, wo früher die Straße durch das Elstertor aus der Stadt führte, bilden das Augusteum und das Lutherhaus eine geschlossene Anlage. Diese Bauwerke lenken die Gedanken zurück auf die gesellschaftlichen Kräfte, die sie erstehen ließen, nämlich – wie sie sich in ihrer Zeit bezeichneten – auf den fürstlichen, den bürgerlichen, den geistlichen und den akademischen Stand. Diese Kräfte schufen die Bedingungen, unter denen sich die Reformation in Wittenberg vollziehen konnte und mußte.

In die Mitte der Betrachtung wird Luthers Wirken als Reformator gerückt. Nach seiner eigenen Meinung bestand es vor allem in der von Jesus Christus geschenkten Wiederentdeckung des reinen Evangeliums. Diese Beurteilung darf nicht übersehen lassen, wie eng sein Denken, Lehren, Schreiben und Handeln mit geschichtlichen Verhältnissen, besonders denen in Wittenberg, verknüpft war. Zugleich gilt es zu beachten, wie die Stadt an der Elbe in ihren Bauwerken, ihren Ständen und ihren Einrichtungen unter den Folgen von Luthers Wirken umgestaltet wurde. Da dies alles nicht ohne Einfluß von außen geschah und auch nicht ohne Auswirkungen nach außen blieb, muß hin und wieder auch ein kurzer Blick über die Mauern der Lutherstadt geworfen werden.

In den beiden Schlußkapiteln wird dargelegt, wie Luthers Nachfolger sein Erbe in der Zeit der protestantischen Orthodoxie zur Geltung brachten und es neben Aufklärung und Pietismus bis zur Verlegung der Universität verwalteten und wie schließlich die

Pflege der Erinnerung in den Vordergrund trat. Auch diese Nachwirkungen Luthers verdienen unsere Aufmerksamkeit, weil sie Wittenberg noch wesentlich beeinflußt und den Zustand mitgestaltet haben, den der Besucher heute vorfindet. Dabei wird sichtbar werden, wie es gerade die lebendige Verbindung mit Luther war, die sich als formende Kraft erwies. Wird der Blick in dieser Weise auf das Werden Wittenbergs gerichtet, so wird deutlich, wie zutreffend es sich als Lutherstadt bezeichnet und wie wenig Grund zur Klage vorhanden ist, daß Wittenberg nicht im 16. Jahrhundert erstarrte.

*Für die Unterstützung der vorliegenden Arbeit danke ich Herrn Superintendenten Gerhard Böhm, Frau Eugenie Neuhaus, Herrn Herbert Riechert und Herrn Professor Dr. Bernhard Forssman; für wissenschaftliche Auskünfte Herrn Dr. Fritz Bellmann, Herrn Dr. Peter Findeisen, Herrn Heinrich Kühne, Herrn Pfarrer Gottfried Müller und Herrn Roland Werner; besonders aber Frau Elfriede Starke, Direktorin der Lutherhalle, für ihre bereitwillige Hilfe bei der Beschaffung von Informationen und Bildmaterial. Sachdienliche Hinweise gaben Professor Dr. Siegfried Hoyer, Professor Dr. Gert Wendelborn, Herr Dr. Karlheinz Blaschke und Herr Günter Göricke. Meiner Frau Thekla Junghans danke ich für vielfältige Hilfe.*

*Helmar Junghans*

*Die an den inneren Rand der Spalten gestellten Ziffern verweisen auf die Tafelabbildungen, mit Sternchen versehene Ziffern auf die im Text auf den Seiten 10, 11, 40, 46, 49, 81, 103, 105, 135, 137, 139, 147, 158, 159, 178, 185 stehenden Abbildungen sowie auf die beiden Ausschlagtafeln.*

# Das Werden der mittelalterlichen Stadt

## 1. Der Aufstieg zur kurfürstlichen Residenz

1134 wird Albrecht der Bär von dem deutschen König Lothar von Supplinburg als Markgraf der Nordmark (Altmark) eingesetzt. Er gehört zu dem Geschlecht der Askanier, die sich nach der Burg Askanien an der Eine am Ostrand des Harzes nennen. Auf seinen Heereszügen gegen Slawen erobert er 1157 Brandenburg, weshalb er sich den Titel «Markgraf von Brandenburg» zulegt, und dehnt seine Herrschaft bis südlich der Elbe (Wörlitz und Pratau) aus. Aber das vorher nicht sehr dicht bewohnte und nun unterworfene Gebiet ist verwüstet und von manchen Slawen auch verlassen. Andererseits haben Bauern und Bürger im Rheinland, in Flandern, Sachsen und Franken begonnen, sich der steigenden Lasten zu entziehen und neue Siedlungsgebiete aufzusuchen. Einen Teil dieses Stromes lenkt Albrecht in sein Gebiet. 1159/60 läßt er unter den Rheinländern werben, vor allem aber unter den Flamen, Seeländern und Holländern (etwa zwischen Somme und Zuidersee), die von Überschwemmungen heimgesucht werden, wobei er günstige Lebensbedingungen verspricht. Seine Zusagen finden Gehör, die Siedler kommen ins Land. Im Süden des Markgrafentums Brandenburg lassen sich vor allem Flamen nieder, so daß der Höhenrücken, den die Eiszeit abgelagert hat, nach ihnen der Fläming genannt wird. Die Einwanderer beziehen aber auch noch südlich davon Dörfer, sogar links der Elbe. Von der Mündung der Saale in die Elbe bis über den Zusammenfluß von Schwarzer Elster und Elbe hinaus wird auf beiden Seiten der Elbe für «Heu wenden» der auch im Niederländischen übliche Ausdruck «schütten» benutzt. Das läßt den Schluß zu, daß mindestens ein Teil der Siedler aus Nordbrabant und Nordholland gekommen ist. Oft übernehmen sie die Namen der vorhandenen, meist slawischen Siedlungen. Manchmal geben sie ihnen einen neuen Namen; ebenso benennen sie die von ihnen gegründeten Orte.[1] Von ihnen erhält Wittenberg seinen Namen, vermutlich nach einem weißen Sandberg. Was finden die Ankommenden dort vor, wo sie Wittenberg gründen?

Die deutschen Eroberer haben im 10. Jahrhundert das unterworfene Gebiet zunächst in Marken aufgeteilt. In ihnen entstehen befestigte Plätze als Fluchtburgen, von denen aus die umliegende Landschaft beherrscht und verwaltet wird. Diese Verwaltungsbezirke werden Burgwarde genannt und stimmen mit den Pfarrsprengeln überein. In der Burg befindet sich in der Regel eine Kapelle, von der aus die im Bereich des Burgwards lebenden Christen geistlich versorgt und die Heiden missioniert werden. Bereits im 10. Jahrhundert entstehen Burgwarde östlich der Mulde. Aber keiner der uns zwischen dem Zusammenfluß von Mulde und Elbe und dem von Schwarzer Elster und Elbe bekannt gewordenen hat seine Burg auf dem rechten Ufer der Elbe. Dagegen ist sicher, daß dort, wo heute Pratau liegt (3 km südlich von Wittenberg), im 10. Jahrhundert ein Burgward seinen Sitz hat. Der Burgward Wittenberg wird 1180 zum erstenmal erwähnt.[2] Er ist wahrscheinlich im 12. Jahrhundert von den Askaniern wieder erneuert oder gar erst begründet worden. Die Burg selbst liegt an der Kreuzung zweier Handelsstraßen. Die eine kommt vom Westen über Magdeburg und verläuft rechts der Elbe und der Schwarzen Elster nach Osten. Die andere verbindet über Leipzig den süddeutschen Raum mit der Odermündung. Hier haben sich Einwanderer neben Slawen niedergelassen und dem ganzen Burgward den Namen gegeben. Diese Verkehrslage, es kommt noch die Elbschiff-

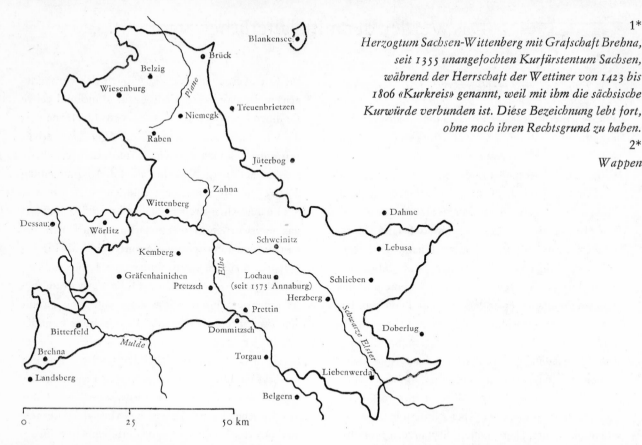

Herzogtum Sachsen-Wittenberg mit Grafschaft Brehna,
seit 1355 unangefochten Kurfürstentum Sachsen,
während der Herrschaft der Wettiner von 1423 bis
1806 «Kurkreis» genannt, weil mit ihm die sächsische
Kurwürde verbunden ist. Diese Bezeichnung lebt fort,
ohne noch ihren Rechtsgrund zu haben.

Wappen

fahrt hinzu, ist eine günstige Voraussetzung für die weitere Entwicklung, ohne daß Wittenberg eine große Handelsstadt wird. Die Bewohner sind Bauern, Handwerker und Kaufleute, die vor allem Wittenberg und die umliegenden Dörfer versorgen.

Die Politik der Askanier hat Wittenberg entstehen lassen. Das Schicksal dieser Familie bleibt ungefähr 150 Jahre lang von entscheidender Bedeutung für seine Geschichte. Als Albrecht der Bär 1170 seine Herrschaft unter seinen fünf Söhnen aufteilt, erhält der jüngste, Bernhard, die Stammburg Anhalt sowie die Grafschaft Aschersleben. Von zweien seiner Brüder erbt er bald Ballenstedt und 1183 die Gebiete um Werben und Wittenberg. Als 1180 Heinrich der Löwe das Herzogtum Sachsen verliert, wird der östliche Teil davon Bernhard zu Lehen gegeben. 1212

teilt er sein Erbe unter seinen beiden Söhnen Heinrich und Albrecht. Der ältere – Heinrich – erhält die gesicherten Stammlande und wird zum Begründer der anhaltinischen Landesherrschaft, die bis 1918 in den Händen der Askanier bleibt. Albrecht I. werden die noch angefochtene sächsische Herzogswürde mit den askanischen Teilen des ehemaligen Herzogtums Sachsen, Gebiete um Aken und Wittenberg sowie noch einige andere Besitzungen übertragen. Als er 1260 Johann elbabwärts das Herzogtum Sachsen-Lauenburg und Albrecht II. das Herzogtum Sachsen-Wittenberg zuteilt, steigt Wittenberg zur alleinigen Residenzstadt des neuen Herzogs auf. 1290 wird dieses Herzogtum um die Grafschaft Brehna erweitert. Im Streit zwischen Ludwig dem Bayern und dem Luxemburger Karl um die deutsche Königs-

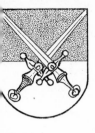

| *Kurfürstentum* | *Herzogtum* | *Grafschaft* | *Pfalz* | *Landgrafschaft* | *Markgrafschaft* |
| *Sachsen* | *Sachsen* | *Brehna* | *Sachsen* | *Thüringen* | *Meißen* |

würde schlägt sich Rudolf I. auf die Seite Karls, wofür er 1355 mit der sächsischen Kurwürde belohnt wird, die mit Sachsen-Wittenberg bis zum Aufheben der Kurfürsten im Jahr 1806 verbunden bleibt.[3] Wittenberg ist dadurch zum Mittelpunkt in einem der sieben deutschen Kurfürstentümer aufgestiegen. Als die Wittenberger Askanier mit Albrecht III. 1422 aussterben, überträgt Kaiser Sigismund am 6. Januar 1423 dem Wettiner Friedrich dem Streitbaren für seinen Kampf gegen die Hussiten das Kurfürstentum Sachsen. Indem dieser Markgraf von Meißen noch Herzog und Kurfürst von Sachsen wird, wandert die Bezeichnung «Sachsen» weiter elbaufwärts.

Diese Entwicklung wirkt sich auch auf die Wappen aus, die in Wittenberg geführt werden und denen der Besucher noch heute begegnet. Als Bernhard 1180 die Herzogswürde erhält, nimmt er das neun-

geteilte schwarz-goldene Wappen der Grafschaft Ballenstedt mit dem grünen Rautenkranz an, der auf einen Teil der herzoglichen Kleidung weist (Herzogskrone?). 1290 übernimmt Albrecht II. mit der Grafschaft Brehna auch ihr Wappen. Rudolf I. bringt das Wappen des Erzmarschalls des Deutschen Reiches nach Wittenberg, das mit der sächsischen Kurwürde verbunden bleibt. Die Wettiner fügen dann Wappen ihrer Herrschaftsgebiete hinzu.[4]

In dem Maße, in dem Wittenberg für die Askanier Residenzstadt eines aufsteigenden Zweiges ihrer Familie wird, prägen diese auch seine Architektur. Die alte, sicher sehr bescheidene Burg wird zur Askanierburg ausgebaut. Über ihren Umfang und ihre Gestalt wissen wir nichts, weil sie bei einem späteren Umbau abgetragen wird. Gewiß ist aber, daß sie im Mittelalter einen architektonischen Schwerpunkt am Westausgang der Stadt bildet.

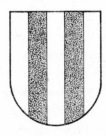

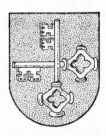

| *Burggrafschaft* | *Burggrafschaft* | *Markgrafschaft* | *Grafschaft* | *Stadt* | *Bistum* |
| *Magdeburg* | *Altenburg* | *Landsberg* | *Orlamünde* | *Wittenberg* | *Brandenburg* |

## 2. Die kirchlichen Stiftungen der Askanier

Die Askanier verändern Wittenberg aber nicht nur durch ihre Politik und ihre Profanbauten, sondern sie nehmen auch Einfluß auf das kirchliche Leben und die Kirchenbauten. Das beginnt bereits unter Albrecht dem Bären. Als er 1157 Brandenburg erobert hat, baut er das 948 gegründete Bistum Brandenburg neu auf und übergibt ihm den Südteil seines Herrschaftsgebietes bis an die Elbe. Dadurch kommt Wittenberg zum Bistum Brandenburg, bei dem es bis zur Reformation bleibt.

Ein Wandel in der Frömmigkeit läßt im Mittelalter die kirchlichen Stiftungen anwachsen. Es bildet sich die Vorstellung heraus, aufgrund von Ersatzleistungen könnten Bußleistungen erlassen werden, die im Zusammenhang mit der Beichte auferlegt worden sind. Durch Bußleistungen will man die göttlichen Strafen verringern oder möglichst ganz abwenden. Zu diesen Strafen zählt man – ohne dafür eine biblische Begründung zu haben – das Fegefeuer. Man nimmt an, daß in ihm die Christen, denen um Christi willen die Schuld vergeben ist, noch eine Zeitlang geläutert werden, ehe sie in die ewige Gemeinschaft mit Christus aufgenommen werden. Daneben befürchtet man zeitliche Strafen wie Krankheit, Not, Unglück und ähnliches mehr. Diese mittelalterliche Frömmigkeit versucht nun, die vermeintlichen Verdienste von Heiligen zu erlangen, um dadurch die eigenen Bußleistungen zu ersetzen, zeitliche Strafen fernzuhalten und den Aufenthalt im Fegefeuer zu verkürzen.

Im 13. Jahrhundert entsteht der Franziskanerorden als eine Frucht der Armutsbewegung, die sich von einer Hierarchie und einem Mönchtum abwendet, die durch ihren Besitz als herrschende Schicht statt als dienende Helfer auftreten. Die Franziskaner wollen in rigoroser Armut entsprechend den Evangelien das Leben der Apostel nachahmen. Sie wollen vom Betteln leben, predigen und Seelsorge treiben. Obgleich sie bald nach dem Tod ihres Gründers Franz von Assisi zum Teil selbst in den Stand hineinwachsen, den die Armutsbewegung bekämpft hat, gelten die von ihnen geleisteten Gebete und vollzogenen Messen zumindest anfangs als besonders wirkungskräftige Hilfe, um Strafe tilgende Verdienste zu erwerben.

Von solchen Erwartungen geleitet und zum Ruhm der Askanier gründet die dritte Frau des Herzogs Albrecht I., die Herzogin Helene, nach dem Tod ihres Mannes im Jahre 1261 in Wittenberg ein Franziskanerkloster. Es wird hinter dem Markt an der Nordecke der Siedlung errichtet. Da die Franziskaner im Mittelalter ein graues Ordensgewand tragen, wird es das «Graue Kloster» genannt. Es soll der fürstlichen Familie als Begräbnisstätte dienen, damit die Gebete der grauen Mönche, vor allem aber die von ihnen gefeierten Gedächtnismessen den Verstorbenen die Fegefeuerstrafen verkürzen. Als Helene 1273 stirbt, kann sie bereits in der Klosterkirche beigesetzt werden. Die Franziskanerkirche bleibt die Begräbniskirche der Wittenberger Askanier bis zu ihrem Aussterben. Als letzte wird dort 1435 die Kurfürstin Barbara, Witwe des 1422 verunglückten Albrecht III., begraben.

Diese fürstliche Stiftung nutzen auch Wittenberger Bürger für ihre Bestattungen und Gedächtnismessen. Daher kommt es bald – wie in vielen anderen Städten – zum Streit zwischen den Franziskanern, die nur ihrem Orden unterstehen, und den Pfarrern der Stadt, die eine von ihnen nicht kontrollierte Seelsorge in ihrem Bereich dulden müssen. Nicht zuletzt geht es dabei um Einkünfte. Der Weltklerus – also die Kleriker, die keinem Orden angehören – versucht, einen Teil der Almosen und Stiftungen, die den Franziskanern zufließen, zu erhalten. Manchmal hintertreiben sie Schenkungen. Darum wird 1371 denen Kirchenstrafe angedroht, die Schenkungen an die Franziskaner behindern. Manchmal entzündet sich der Gegensatz an der Frage, wer einen Verstorbenen beerdigen darf, das heißt, wer die damit verbundenen Gebühren oder Schenkungen erhält. In Wittenberg wissen wir von solchen Begräbnisstreitigkeiten in den Jahren 1368 und 1375. Der Stadtpfarrer begräbt 1368 die Frau des Klaus Wynman entgegen ihrem Wunsch bei der Stadtkirche. 1375 läßt der Bürger Heinrich von Ostborg seine Frau ebenfalls gegen ihren Wunsch nicht auf dem Klosterfriedhof beerdigen. Herzog Rudolf II. entscheidet im ersten Fall, keine Partei soll hinfort die andere bei ihren Beerdigungen behindern. Ostborg aber muß dem Grauen Kloster eine Strafe zahlen, um vom Bann gelöst zu werden. So bringt das Kloster auch Spannungen in die Stadt.

Dem Kloster gegenüber besitzen die Franziskaner ein Freihaus. Sie können es vermieten und brauchen dafür keine Abgaben zu leisten. Die Kleriker und die Ordensleute versuchen, solche Befreiung von Steuern für alle Besitzungen der Kirche beziehungsweise Klöster zu erlangen. Da die Stadt aber nicht zusehen kann, wie ihr in steigendem Maße Einnahmen entgehen, muß sie verhindern, daß der geistliche Besitz zunimmt. Es wird daher 1504 festgesetzt, daß der Grundbesitz, der durch eine geistliche Stiftung erlangt wird, verkauft werden muß. Dadurch erhält der Empfänger der Stiftung die Kaufsumme, der Grundbesitz aber kommt in steuerpflichtige Hände. In Kemberg und Jüterbog haben die Wittenberger Franziskaner je ein Terminierhaus, in dem sie Unterkunft finden, wenn sie in diesen Orten betteln. Als Jüterbog 1480 ein eigenes Franziskanerkloster erhält, müssen sie das dortige Terminierhaus aufgeben.[5]

Ebenfalls einer Herzogin, nämlich Kunigunde, verdankt das Allerheiligenstift seine Entstehung. Ihr Wunsch entspricht ganz dem Bestreben ihres Gemahls, des Herzogs Rudolf I., der seine Herrschaft ausbaut und in den Mauern seiner Burg ein angemessenes geistliches Zentrum wünschen muß. Nach dem Tode seiner Gemahlin erwirbt er 1338 eine Kapelle in Pratau, läßt sie abreißen und im Burghof wieder aufrichten. Sehr groß ist diese Kapelle freilich nicht. Sie soll etwa die gleichen Maße gehabt haben wie die Fronleichnamskapelle, die noch heute neben der Stadtkirche steht.

Mit dieser Kapelle wird zugleich ein Stift errichtet. Es erhält ein Stiftskapitel, das aus sechs Stiftsherren besteht und von einem Propst geleitet wird. Besetzt wird das Kapitel vom Herzog, so daß die Wahl des Propstes, wenn sie vom Kapitel überhaupt vorgenommen wird, höchstens eine formale Bedeutung hat, um dem kanonischen Recht zu genügen. 1353 ordnet Rudolf I. Aufgaben und Einkünfte dieses Kapitels. Die Stiftsherren haben gottesdienstliche Verpflichtungen. Vor allem haben sie zum Jahresgedächtnis verstorbener Askanier für diese Messen zu lesen.

Diese zweite fürstliche Stiftung in Wittenberg wird folgerichtig ausgebaut. In dem Kampf zwischen Ludwig dem Bayern und Karl IV. versteht es Rudolf I. nicht nur, sich die Kurwürde zu verschaffen, sondern er läßt sich seinen Dienst auch von dem gegen Ludwig IV. kämpfenden Papst honorieren, indem er für sein Allerheiligenstift Privilegien erwirbt. 1346 unterstellt Klemens VI. das Allerheiligenstift direkt dem Papst. Damit ist es der Aufsicht des Bischofs von Brandenburg entzogen und praktisch in die Hände des Herzogs gelangt. Die Opfergaben, die dem neuentstandenen Stift zufließen, schmälern die Einkünfte der Stadtkirche und berühren deren ältere Rechte. Den ausbrechenden Streit schlichtet Rudolf II., indem er seine Patronatsrechte – zu denen die Mitwirkung bei Stellenbesetzungen zählt – über die Stadtkirche dem Allerheiligenstift überträgt, so daß diese dem Stift unterstellt, 1400 in aller Form von Bonifatius IX. ihm inkorporiert wird. Dadurch ist auch die Stadtkirche der bischöflichen Aufsicht entzogen, so daß der Landesherr den stärksten Einfluß auf die Verwaltung der Kirche in seiner Residenzstadt erlangt. Die Askanier teilen damit die im Spätmittelalter verstärkten Bestrebungen der Fürsten, in ihrem Gebiet die Kirche in ihre Abhängigkeit zu bringen. Da kein Bischof in ihrem Land residiert, auf den sie einwirken könnten, versuchen sie, wenigstens ein eigenes Kapitel zu haben und Teile der kirchlichen Verwaltung aus dem Einfluß des Brandenburger Bischofs zu lösen. Das Allerheiligenstift wird reichlich beschenkt, vor allem von den Askaniern. Es besitzt Dörfer, Bauern sind ihm hörig, von manchen Orten erhält es die Abgaben oder Teile davon. Die Zahl der Orte, von denen es Einnahmen erhält, steigt bis 1507 auf 48. So wird das Allerheiligenstift zum Lehnsherren innerhalb der Feudalgesellschaft.

Das Allerheiligenstift ist zugleich von Anfang an dafür bestimmt, ein Zentrum der Frömmigkeit zu werden und darin die Nachfolge des Franziskanerklosters anzutreten. Bereits 1346 bestätigt Klemens VI., daß die Kapelle zur Aufbewahrung einer wertvollen Reliquie dienen soll. Rudolf I. hat von einer diplomatischen Mission in Frankreich einen Dorn mitgebracht, von dem behauptet wird, er stamme aus der Dornenkrone Christi. Bereits 1342 werden der Kapelle Ablässe verliehen. Danach kann ein Besucher dieser Kapelle unter bestimmten Bedingungen erreichen, daß ihm Buß- und damit auch Fegefeuerstrafen erlassen werden. Ihren Höhepunkt erreichen diese Bestrebungen 1398. Kurfürst Rudolf III. erlangt für das Allerheiligenstift den Portiunculaablaß. Er ist nach dem Kirchlein Portiuncula bei Assisi benannt. Dort soll Franz von Assisi einen vollkommenen Ablaß erbeten haben, den jeder erhält, der diese Kapelle zwischen dem Mittag des 1. und dem Abend des 2. August besucht, in ihr betet und seine Sünden wahrhaft bereut. Ihm wird der vollständige Erlaß der

Schuld und der Strafen im Leben und im Fegefeuer zugesagt. Ende des 14. Jahrhunderts wird er zunächst einzelnen Franziskanerkirchen verliehen. Rudolf III. erbittet diesen Ablaß aber nicht für seine Begräbniskirche, das Franziskanerkloster, sondern für das Allerheiligenstift, wo er nun vom Vorabend bis zum Abend des Allerheiligentages (1. November) von den Herbeiströmenden erworben werden kann.

Die Art, in der das Allerheiligenstift seine Privilegien und seine Ablässe erhält, offenbart den engen Zusammenhang von Politik und Mißbrauch der Frömmigkeit. Die Askanier wollen ihrer Stiftung zu Ansehen verhelfen. Dazu nutzen sie die politischen Verhältnisse. Der Wechsel von der Partei Ludwigs des Bayern zu dem Luxemburger Karl IV. bringt die ersten Privilegien. Während des großen abendländischen Schismas, als es seit 1378 einen Papst in Rom und einen in Avignon, seit 1409 noch einen dritten gibt, lassen sie sich für ihre Parteinahme weitere Vorrechte erteilen, unter ihnen den Portiunculaablaß. In diesen Streitigkeiten, die von den Askaniern ausgenutzt werden, geht es um politische beziehungsweise kirchenpolitische Fragen, um die Erhaltung der eigenen Macht. Um Unterstützung zu finden, durchlöchern die Päpste die bischöfliche Gewalt und lassen kirchliche Rechte in die Hände der Landesherren gelangen. So beginnt das Landeskirchentum bereits im Spätmittelalter, und zwar mit Unterstützung der Römischen Kurie. Im 15. Jahrhundert ist der Papst zu weiteren Zugeständnissen bereit, als es für ihn gilt, die Macht der Reformkonzilien aufzusplittern und die Kurie der Reform zu entziehen. Zugleich wird dabei ein Irrweg der Frömmigkeit gefördert. Die Verehrung von Reliquien und das Verlangen nach Ablässen wird gesteigert, weil die Päpste Geld für ihre – zum Teil mit militärischen Mitteln betriebene – Politik brauchen und sie sich Machtzuwachs davon versprechen. Tatsächlich werden aber auf diese Weise erst recht Verhältnisse geschaffen, die zum Kampf gegen solch ein Papsttum herausfordern. Und es ist für die weitere Entwicklung nicht unwesentlich, daß gerade in Wittenberg im Allerheiligenstift die Folgen von Entscheidungen, die nicht nach dem Auftrag Christi fragen, für die Frömmigkeit in so großem Ausmaß sichtbar werden.[6]

### 3. Das Aufblühen des Bürgertums

Über das Leben in Wittenberg während der ersten hundert Jahre hören wir kaum etwas. Wir müssen vermuten, daß die Entwicklung so verläuft wie in vergleichbaren Orten: Die Einwanderer lassen sich auf der Terrasse nördlich der Elbaue nieder. Die Bauern erhalten ihre Hufe, das mögen etwa 60 Morgen (15 Hektar) Land sein. Sie werden als Hufner bezeichnet. Daneben gibt es Kossäten, auch Gärtner genannt. Sie besitzen Haus und Hof sowie Feldgarten. Da dieser geringe Landbesitz nicht ausreicht, die Familie zu ernähren, müssen sie als Hilfskräfte bei anderen arbeiten. Manche erhalten Land zur Bewirtschaftung, das dem Landesherrn gehört. Sie haben mehr Frondienste zu leisten als die Hufner. In die Rolle der Kossäten werden die wirtschaftlich Schwachen gedrängt. Das sind vor allem die verbliebenen Slawen, aber auch Einwanderer. Später tauchen noch Häusler auf. Sie besitzen zwar ein Haus, aber weder Hof noch Land. Sie sind meist Handwerker oder Tagelöhner.[7]

Die fortschreitende Verbesserung der landwirtschaftlichen Produktion führt zur verstärkten Arbeitsteilung, zur wachsenden Trennung von Bauern und Handwerkern. Gewerbe und Handel schaffen sich eigene Zentren, die sich in West- und Mitteleuropa im 11. und 12. Jahrhundert zu Städten entwickeln. Ihre Bewohner bilden das Bürgertum, das eine neue gesellschaftliche Kraft innerhalb der Feudalgesellschaft darstellt. In dem eroberten Gebiet zwischen Elbe und Oder beginnen die Stadtgründungen noch im 12. Jahrhundert, bevorzugt dort, wo die Slawen frühstädtische Siedlungszentren haben. Im 13. Jahrhundert vermehrt sich die Zahl der Stadtgründungen.[8]

Von dieser Entwicklung wird schließlich auch die Siedlung ergriffen, die sich in östlicher Richtung an die Burg Wittenberg anlehnt. Sie wird planmäßig angelegt, wie der Vergleich mit anderen Stadtgrundrissen zeigt. Die Grundstücke orientieren sich nach der Verkehrsstraße, die von Westen nach Osten führt (Schloßstraße – Lange Straße [Collegienstraße]), wobei zwischen den Häuserreihen ein breiter Streifen frei bleibt. Eine andere Straße (Coswiger Straße [Dr.-Richard-Sorge-Straße] – Jüdenstraße [Rosa-Luxemburg-Straße]) biegt gleich an der Burg nach Nordost ab. Das Ergebnis ist ein nierenförmiger Grundriß mit einer Länge von 1200 m vom Coswiger bis zum Elstertor. Die flache Seite ist der Elbe zugekehrt und bleibt die Schauseite der Stadt. Die Coswiger Straße lenkt vielleicht zu einer Handelsstraße, die in nördlicher Richtung aus Wittenberg hinausführt. Doch diese Nordsüdverbindung gewinnt im Mittelalter keine Bedeutung, so daß es später nicht einmal ein Nordtor gibt und auch das Tor zur Elbe keinen großen Ausbau erfährt. Auf der höchsten Stelle der Terrasse bleibt Raum für das Zentrum: Marktplatz und Kirchplatz. Auf letzterem werden um die Kirche herum Tote bestattet. Verwaltet wird diese Siedlung, die mehr als ein Dorf ist, von einem herzoglichen Vogt. Vielleicht wohnte er dort, wo jetzt am Markt das Cranachhaus steht. Daneben zieht der herzogliche Hof Adlige in den Ort.[9]

Am 27. Juni 1293 erteilt Albrecht II. den Wittenbergern das Stadtrecht.[10] Dadurch erhalten sie eine eigene Verwaltung. Der Vogt verbleibt zwar noch eine Zeitlang im städtischen Gericht, jedoch ohne Stimme. Die Einwohner zahlen ihre Grundsteuern nicht mehr an den Herzog, sondern als Bürger an die Stadt. Diese muß dafür jährlich 50 Mark (das sind etwa 12 kg Silber) am Michaelistag (29. September) an den Herzog abführen. Später wird die Summe verdoppelt. Außerdem müssen Abgaben an die herzogliche Küche geliefert werden, das Küchengeld. Diese Zahlungen verdeutlichen, daß Wittenberg weder eine von einem deutschen König gegründete Reichsstadt ist noch eine Freie Stadt, die sich ganz von der Bevormundung ihres Landesherrn – in der Regel eines Bischofs – löst, sondern eine Landesstadt ist und bleibt. Ihre Selbständigkeit ist stets nur eine vom Landesherrn gewährte oder geduldete. Grundsätzliche Entscheidungen bedürfen seiner Zustimmung, zum Teil ergehen sie in seinem Namen. In der Rechtsprechung übernehmen die Wittenberger das Magdeburger Stadtrecht, das in der von ihnen abgewandelten Form als Wittenberger Stadtrecht anderen Städten dieses askanischen Gebietes zum Vorbild gegeben wird.

Mit dem Stadtrecht erhalten die Wittenberger die Erlaubnis, ihre Stadt mit einer Befestigung zu umgeben, wovon sich der Landesherr zugleich eine Verbesserung der Landesverteidigung verspricht. Diese Befestigung besteht zunächst aus einer einfachen Mauer. 1332 sind 72 Mann eingeteilt, sie zu bewachen. Die Bürger müssen angeleitet werden, ihre Waffen zu gebrauchen, damit sie die Stadt verteidigen können. Daraus entsteht eine Bruderschaft der Schützen, die 1412 erwähnt wird, als sie in der Stadtkirche einen neuen Altar stiftet. Daran wird deutlich, daß ihre Gemeinschaft über Schießübungen hinausreicht.

1372 hat die Mauer elf Türme und drei Tortürme. Das Elbtor liegt im Süden und gibt den Weg für die Reise in Richtung Pratau frei. Die Elbe wird mit einer Fähre überquert, bis 1428 eine Brücke errichtet wird. Im Westen befindet sich das Coswiger Tor, auch Schloßtor genannt. Den Ostausgang schützt das Elstertor, das auch als Kreuztor bezeichnet wird,

weil die Heilig-Kreuz-Kapelle in der Nähe liegt. Ab 1409 wird die Stadtbefestigung durch einen Wall verstärkt. Nachdem 1429 die Stadt der Belagerung durch die Hussiten widerstanden hat, wird von 1430 bis 1450 eine Zwingerbefestigung mit großen Rondellen an der West- und Nordecke sowie im Süden am Elbtor angelegt. Geschützt wird diese Verteidigungsanlage durch einen Wassergraben. Danach werden an der Ostflanke noch mehreckige Bastionen errichtet. So haben die Wittenberger fortwährend durch Bauen der sich verändernden Angriffstechnik ihrer möglichen Gegner Rechnung zu tragen, wodurch sich der Anblick der Stadt beständig verändert. [11]

Die Selbstverwaltung der Stadt liegt in den Händen des Rates. In den erhaltenen Urkunden wird er 1317 zum erstenmal genannt. Meist besteht er aus 18 Ratsmannen (auch Ratsfreunde oder Ratsverwandte genannt). Diese sind in drei Räte zu je sechs aufgeteilt. Einer dieser sechs Ratsmannen leitet den Rat als primus inter pares unter dem Titel eines Bürgermeisters. Der Rat, der die Amtsgeschäfte führt, heißt der «sitzende» oder «regierende» Rat. Der Rat, der die Geschäfte im vorhergehenden Jahr geführt hat, wird der «alte» oder «abgehende» genannt. Der Rat für das folgende Jahr heißt der «neue» Rat. Mit den drei Räten hat Wittenberg auch drei Bürgermeister. Bis 1504 kann nur in den Rat gewählt werden, wer in Wittenberg Grund und Boden besitzt. Danach kann das Bürgerrecht auch gekauft werden. Mitglieder des Rates werden vorwiegend Angehörige der «Viergewerke», das heißt der ursprünglich vorhandenen Handwerke: Bäcker, Fleischer, Tuchmacher und Schuster. Sie erhalten außerdem insofern eine Vorzugsstellung, als sie beauftragt werden, die Rechtsstreitigkeiten der Zünfte auch in den anderen Städten des Herzogtums Sachsen zu entscheiden. 1504 wird die Zahl der Ratsmitglieder eines Rates von sechs auf acht erhöht. Ist ein neuer Rat gewählt, muß die Bestätigung des Landesherrn eingeholt werden, der dafür eine Gebühr verlangt (1530 sind es 60 Groschen).[12]

Der Rat ist darauf aus, systematisch das Eingreifen des Landesherrn zurückzudrängen und seine eigenen Befugnisse zu erweitern. Die aufblühende Wirtschaft erlaubt es ihm, dem Landesherrn Rechte abzukaufen oder Vorteile zu erlangen, wenn er von der Stadt Geld leiht. 1354 erwirbt Wittenberg das Marktrecht, so daß die Gebühren für die Verkaufsstände in die Stadtkasse fließen. 1380 gelingt es den Wittenbergern, Vergünstigungen bei den Abgaben für die Benutzung von Brücken und Fähren im sächsischen Kurfürstentum zu erlangen, ebenso für den Kornhandel auf der Elbe. 1455 erhalten sie, weil sie dem Kurfürsten 732 Gulden gegen 7 Prozent Zinsen geliehen haben, volle Freiheit vom Brückenzoll, bis der Kurfürst die Summe zurückgezahlt hat. 1330 kauft die Stadt das Recht, eigene Münzen zu schlagen, wofür sie jährlich 14 Mark (etwa 3,5 kg Silber) zahlt. Die Stadt nimmt dieses Recht wahr und prägt nachweislich in den Jahren 1330 und 1355 Münzen. Rudolf III. verpfändet schließlich dieses Recht, das niemand wieder einlöst. 1332 gelingt es, den herzoglichen Vogt durch einen Stadtrichter zu ersetzen, der in den Fällen der niederen Gerichtsbarkeit (zum Beispiel Besitzstreitigkeiten, Beleidigungen, Schlägereien) Urteil spricht. Als Wittenberg in die Hände der Wettiner kommt, läßt die Stadt sich von Friedrich dem Streitbaren alle erworbenen Privilegien 1424 bestätigen und noch einige strittige Punkte zu ihren Gunsten entscheiden. 1441 erwirbt Wittenberg für 1000 rheinische Gulden die hohe Gerichtsbarkeit innerhalb seiner Mauern. Davon zeugen noch vier weiße Pflastersteine vor dem Rathausportal. Sie markieren die Stellen, an denen die Pfosten für die Hinrichtungsstätte eingelassen wurden.

Die Stadt Wittenberg müht sich aber nicht nur um Befreiung von Lasten gegenüber den Fürsten und Selbständigkeit im eigenen Gebiet, sondern sie versucht zugleich, in der feudalistischen Rangordnung gegenüber anderen eine Vorzugsstellung zu erlangen. Kaum hat die Stadt das Bürgerrecht erhalten, erwirbt sie bereits 1301 das Vorwerk Bruderannendorf mit allen Äckern, Wiesen und Weiden. Andere Dörfer, Güter oder Wälder folgen. In einigen Dörfern bringt die Stadt das Besetzungsrecht geistlicher Stellen an sich. Daneben erwerben einzelne Bürger Grundbesitz außerhalb der Stadt. 1415 bekommen die Wittenberger das Stapelrecht. Nun muß jeder durchziehende Kaufmann seine Ware öffentlich zum Kauf anbieten, ehe er weiterziehen darf. Dadurch wird es für die Wittenberger leicht, den Zwischenhandel an sich zu bringen. Als sie bemerken, daß die Fuhrleute ihre Rast bei dem Gastwirt vor dem Coswiger Tor einlegen, erreichen sie 1425 vom Kurfürsten, daß er den Fuhrleuten dies verbietet, so daß die Wittenberger an der Rast der Fuhrleute verdienen können.[13]

Alle diese angeführten Vorgänge verdeutlichen, wie Wittenberg an der allgemeinen Stadtentwicklung im Mittelalter teilnimmt. Es baut seine Selbständigkeit aus und übernimmt immer mehr Aufgaben. Der Rat sorgt für Ordnung, überwacht Güte, Maß und Gewicht der Lebensmittel und der Produkte des Handwerks und kontrolliert den Markt. Er beaufsichtigt das Bauen in der Stadt, sorgt für Verbesserung der Straßen und errichtet selbst Gebäude. Er muß die Befestigung schaffen und erhalten, das Bewachen der Stadt organisieren, sich um Feuerschutz kümmern, für Bewaffnung sorgen und für Notzeiten Vorräte anlegen. Er erläßt Stadtordnungen, die schließlich auch die Zahl der Gäste bei Festen begrenzen. Die Stadt übt in wachsendem Umfang die Gerichtsbarkeit aus. Die Anordnungen des Rates (zum Beispiel Pfändungen, Verhaftungen) müssen die jungen Bürger in dem ersten Jahr, nachdem sie den Bürgereid geleistet haben, ausführen.

Da diese ihren Aufgaben zum Teil nur unwillig nachkommen, wird seit der Mitte des 14. Jahrhunderts ein Stadtknecht (Büttel, Ratsdiener) dafür angestellt.[14]

In der Entwicklung der deutschen Städte kommt es auch zu sozialen Kämpfen. In der Regel richten sie sich in der ersten Phase gegen den Herrn, von dem die Stadt Freiheiten erlangen will. Hat der Rat der Stadt aber eine gewisse Selbständigkeit erreicht, so besteht die Gefahr, daß einige wenige Familien seine Macht in ihren Händen halten und sie gegenüber den Mitbürgern mißbrauchen, was zu innerstädtischen Auseinandersetzungen führt. Auch in Wittenberg kommt es zu Erhebungen in beide Richtungen. Allerdings sind die sozialen Unterschiede nicht so groß wie in den Städten mit einer mächtigen Kaufmannschaft. Darum sind auch die Kämpfe nicht sehr heftig.

Nachdem die Wittenberger 1354 das Marktrecht an sich gebracht haben, ziehen sie – wie die anderen Städte – auch die Abgaben für Verkaufsstände an sich, die nicht auf dem Markt anfallen. Als Herzog Albrecht der Arme vor leerer Kasse steht und versucht, zu Geld zu kommen, fordert er 1421 diese Einnahmen für sich. Aber die Stadt weigert sich auf das entschiedenste. Friedrich von Hohenzollern, der benachbarte Kurfürst von Brandenburg, wird als Schiedsrichter von beiden Parteien angerufen. Er bestätigt die Ansprüche der Stadt, hält ihr aber ungebührliches Verhalten vor, wofür sie sich bei Albrecht entschuldigen muß. Dadurch wird die Niederlage des sächsischen Kurfürsten ein wenig verschleiert. Albrecht bestätigt aber auch noch den Verzicht auf das Küchengeld, das schon längere Zeit nicht mehr gezahlt worden ist.

Zum Streit innerhalb der Stadt kommt es 1447. Der neue Bürgermeister Peter Wymann sieht sich gezwungen – vor allem wegen der Ausgaben für den Befestigungsbau –, die Steuern zu erhöhen. Das erregt den Unwillen der Bürgerschaft. Es kommt zum Streit über Steuern, Braurecht und Teilnahme an Heeresaufgeboten. Die Bürger wollen daher einen Stadtschreiber ihres Vertrauens wählen. Der Stadtschreiber ist einer der wichtigsten Männer in der Verwaltung der Stadt. Er kennt die Urkunden und damit die Rechte der Stadt. Er führt auch Verhandlungen für sie und versieht entsprechend den Beschlüssen des Rates Verwaltungsaufgaben. In Wittenberg ist ein Stadtschreiber seit 1371 verbürgt. Der Rat beansprucht für sich das Recht, den Stadtschreiber einzusetzen, und wendet sich an den Kurfürsten. Dieser läßt die Rechte der Stadt gründlich untersuchen und im Jahre 1449 auch aufzeichnen. Es werden die Abgaben der Bürger an die Stadt festgelegt. Das Einsetzen des Stadtschreibers wird dem Rat zugesprochen. Aber auch die Anliegen der Bürger kommen zur Geltung. So wird der Billigkeitsgrundsatz eingeschärft: Bei der Verteilung der Lasten – besonders auch beim Heeresaufgebot – soll jeder entsprechend seinem Besitz herangezogen werden, damit die Ärmeren nicht einen relativ hohen Anteil tragen müssen.[15]

Nachdem die Städte ihre Selbständigkeit innerhalb der Feudalgesellschaft erkämpft haben, schließen sie sich zu Städtebünden zusammen. Auch Wittenberg geht solche Schutzbündnisse ein, um Raubritter und Räuberbanden zu bekämpfen. 1306 verbindet es sich mit Aken und Herzberg, 1323 mit Zerbst, Köthen und Dessau. Seit der Mitte des 14. Jahrhunderts sind die Fürsten darauf bedacht, solche Städteverbindungen nicht größer werden zu lassen. Daher tritt der sächsische Kurfürst in das 1358 zwischen Wittenberg, Aken, Herzberg, Prettin, Jessen, Kemberg und Schmiedeberg geschlossene Bündnis mit ein. Der Weg zu einer selbständigen Außenpolitik ist Wittenberg dadurch verlegt.

Das 15. Jahrhundert bringt die Entstehung eines sächsischen Landtages. Der Kurfürst ruft die verschiedenen Stände seines Landes, zu denen auch die

Städte gehören, zusammen. Er läßt sie an Beratungen teilnehmen, damit sie zusätzlichen Abgaben zustimmen. Wittenberg beschickt den Landtag seit 1428 und erhält in der Vertretung der Städte als der Ort, mit dem die sächsische Kurwürde verbunden ist, den Vorsitz.[16]

Das Leben innerhalb der Stadtmauern wird vor allem von den Handwerkern und Kaufleuten geprägt. Sie schließen sich in Zünften zusammen. Diesen kommt eine doppelte Aufgabe zu. Einerseits haben sie die Qualität der Erzeugnisse zu überwachen, andererseits sind sie Zusammenschlüsse zur gegenseitigen Hilfe.

In Wittenberg hören wir zuerst 1317 etwas von Handwerkern, und zwar von den Bäckern. Nach Verhandlungen zwischen Rat und Herzog werden der Markttag festgelegt, die Brotsorten und ihre Güte. Es wird aber auch verlangt, daß die Bäcker genügend Brot auf den Markt bringen und daß Brot sowie Semmeln groß genug sein müssen. Hier steht also das Verlangen im Vordergrund, die Stadt ausreichend, gut und preiswert zu versorgen. Und diese Aufgabe überwacht der Rat im ganzen Mittelalter. Die Einwohner müssen davor geschützt werden, daß die in einer Zunft zusammengeschlossenen Handwerker zum Nachteil der Verbraucher untereinander Absprachen treffen. 1402 erhält die Stadt vom Kurfürsten die Vollmacht, Maßnahmen gegen alle Betrügereien beim Verkauf zu treffen.

1350 kommen andere Gesichtspunkte hinzu. Der Rat erläßt eine Handwerkerordnung. Wer ein Handwerk ausüben will, muß das Bürgerrecht besitzen oder erwerben und bestimmte Abgaben leisten. Ebenso wird über die Vererbung der Berufsausübung entschieden. Zunächst setzt der Rat fünf Handwerke fest: Bäcker, Fleischer, Tuchmacher, Schuhmacher und Gerber. Nachträglich werden Schneider, Kürschner und Händler ihnen gleichgestellt. Schließlich kommt noch ein Handwerk hinzu, in dem die zusammengefaßt sind, die hartes Material bearbeiten, wobei die Messerschmiede und die Böttcher eigens genannt werden. Somit erkennt der Rat 1350 neun Zünfte an, die er durch Gesetzgebung schützt. Die Gewandschneider, das sind die Tuchhändler, lassen sich 1356 vom Kurfürsten ein Privileg ausstellen, durch das sie den Tuchhandel ganz in ihre Hände bekommen. Sie bilden so die zehnte Zunft. Und da der Handel im Mittelalter mehr als die Produktion einbringt, entwickeln sie sich zur reichsten Zunft.

Als 1422 die Rechte der Fleischer und 1424 die der Fleischer und Schuhmacher bestätigt werden, tritt eine neue Aufgabe in den Vordergrund. Jede Zunft muß jährlich zwei Meister wählen, die für Ordnung und Frieden zu sorgen haben und Unruhestifter, deren sie nicht Herr werden, beim Rat anzeigen sollen. So übernimmt die Zunft einen Teil der Polizeiaufsicht.

Die Zünfte bilden in der Stadt in sich geschlossene Gemeinschaften. Sie helfen ihren Mitgliedern, stellen aber auch Ansprüche an sie. Die Zunft versteht sich auch als eine religiöse Gemeinschaft. Jede Zunft verehrt ihren Heiligen. Oft stiften Zünfte Altäre, an denen die Messen für die Zunftmitglieder, besonders auch für die verstorbenen, gelesen werden. Bei Beerdigungen besteht die Pflicht, den Verstorbenen mit zur letzten Ruhe zu betten. In den Prozessionen treten die Zünfte als geschlossene Gruppen auf, wobei die Reihenfolge genau festgelegt ist. Ebenso bilden sie bei der Verteidigung eine Gemeinschaft. Jeder Zunft ist ein bestimmter Mauerabschnitt zugeteilt.[17]

In den wirtschaftlichen Veränderungen des 14. Jahrhunderts tritt ein Merkmal besonders hervor. Die technische Entwicklung schreitet in den Städten voran, nicht im gleichen Maße auf dem Lande. Die Stadt gewinnt eine wirtschaftliche Vormachtstellung. Sie zahlt wenig für agrarische Erzeugnisse und fordert viel für die eigenen Produkte. Diese «Preis-schere» macht einen Teil der bäuerlichen Betriebe unwirtschaftlich. Manche Bauern verlassen ihre Scholle, Dörfer werden zu Wüstungen, das heißt, sie veröden. Wer in die Stadt geht, hofft auf Freiheit von seinem Grundherrn und will schließlich das Bürgerrecht erlangen. Von diesem Prozeß zeugen zahlreiche Wüstungen um Wittenberg.[18] Doch die Zünfte vermögen nicht mehr so viele Arbeitskräfte aufzunehmen. Es gibt Absatzschwierigkeiten, so daß die Produktion eher eingeschränkt werden muß. Die Zahl der Lehrlinge und Gesellen wird begrenzt. Vor allem aber versucht man, Fremde von der Zunft fernzuhalten. Das ist übrigens ein allgemeiner Zug im Spätmittelalter. Die Stände, die eine höhere Stellung in der gesellschaftlichen Pyramide erreicht haben, sind bestrebt, das Erreichte ihren Familien vorzubehalten. Die Abstammung gilt mehr als die persönliche Leistung.

Die Entwicklung unter den Wittenberger Handwerkern verdeutlichen die Bestätigungen von 1424. Den Fleischern wird versichert, daß die Zahl der Verkaufsstände konstant bleibt. Für den Eintritt in die Zunft werden von Fremden Führungszeugnisse verlangt, die den Nachweis ehelicher Geburt und unbescholtener Lebensführung einschließen. Von diesem Willen, den Zugang zu den Zünften zu erschweren, werden zwei Bevölkerungsgruppen besonders getroffen: die Slawen und die Juden.

Die Juden finden sich in Wittenberg wahrscheinlich erst in der zweiten Hälfte des 13. Jahrhunderts ein. Da die Handwerker sie nicht in ihre Zünfte aufnehmen, widmen sie sich vor allem dem Handel und dem Geldverleih. Sie ziehen – wenn vielleicht auch nicht alle – in die Straße, die hinter dem Rathaus nach Osten verläuft. Daher wird sie Jüdenstraße genannt. Von einer eigenen Judengemeinde, einem eigenen Kultraum oder einem Judenfriedhof ist nichts bekannt. Als sich seit 1297 im Deutschen Reich eine Verfolgungswelle gegen die Juden erhebt, werden sie – wahrscheinlich 1304 – auch aus Wittenberg vertrieben. Sie kehren bald zurück, werden aber 1440 auf Betreiben der Kurfürstin Margareta «auf ewige Zeiten» ausgewiesen.[19]

Die Slawen scheinen anfangs in der Stadt mit gewohnt zu haben oder zugezogen zu sein, ohne daß Schwierigkeiten entstanden. Doch im 14. Jahrhundert taucht an verschiedenen Orten der «Wendenparagraph» auf, so 1323 in Braunschweig. In Wittenberg wird in der Bestätigung der Schuhmacher von 1424 hinter dem Datum die Forderung nachgetragen, daß jeder, der in dieses Handwerk eintreten will, vier Großeltern deutscher Zunge haben muß. Die Slawen sehen sich genötigt, ihre Sprache und damit eine eigenständige Kultur aufzugeben.

Diese Sprachassimilation erfaßt aber nicht nur die Slawen. Auch die verschiedenen deutschen Stämme, die sich im Zuge der Einwanderung gemischt haben, formen ihre verschiedenen Dialekte zu einer gemeinschaftlichen Sprache um. So schränken die Zunftbestätigungen von 1424 in Wittenberg die Verwendung der Bauernsprache ein. In die neue überregionale Gemeinsprache gehen auch slawische Wörter ein. Im Norden bildet sich eine mittelniederdeutsche Sprache heraus. Weiter im Süden wachsen die Dialekte, unter dem starken Einfluß süddeutscher Einwanderer, zu einer ostmitteldeutschen Sprache zusammen. Auf ihr fußen die Kanzleisprachen in Thüringen und Obersachsen. Wittenberg liegt in einer Grenzzone dieser beiden Sprachgebiete. Als das Ostmitteldeutsche im 15. Jahrhundert nach dem Norden vordringt, wird auch Wittenberg davon erfaßt, das durch den Wechsel des Kurfürstenhauses unter den Einfluß der meißnischen Kanzleisprache gekommen ist. Am Ende des 15. Jahrhunderts ist es mindestens für die geistige Oberschicht in Wittenberg selbstverständlich, sich des Ostmitteldeutschen zu bedienen.[20]

1

*Grabplatte für Kurfürst*
*Rudolf II. († 1370)*
*und seine Gemahlin*
*Elisabeth († 1373)*
*aus Sandstein, 14. Jh.*
*(1537/1538 aus der*
*Franziskanerkirche in die*
*Schloßkirche gebracht)*

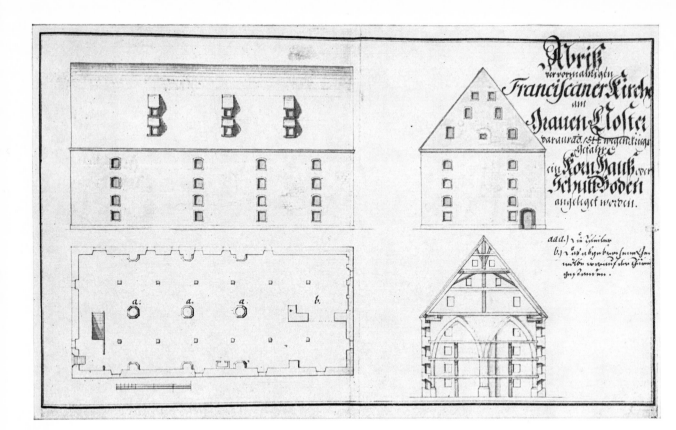

2
*Franziskanerkirche nach der Umwandlung in ein Getreidelager (Stadtarchiv: Urbarium)*

*Antoniterkapelle nach dem Umbau in ein Gefängnis, Zeichnung von 1753 (Stadtarchiv: Urbarium)*

4
*Stadtkirche
von Südosten:
Mittelhaus
1439 geweiht,
Türme im 14. Jh.
und Turmhauben
von 1556 bis 1558
errichtet*

5
*Ostwand
der Stadtkirche:
Schaugiebel
des Chores mit
Türmchen vom
Ende des 13. Jh.,
Ordinandenstube –
über der Sakristei
von um 1300 –
und hohes Dach
von 1569 bis 1571
(vgl. Seite 144 f.)*

6
(folgende Seite)
*Mittelschiff
der Stadtkirche,
1439 geweiht:
Blick aus dem Chor
auf die Orgel*

7
(übernächste Seite)
*Mittelschiff
der Stadtkirche,
1439 geweiht,
und Chor vom Ende
des 13. Jh.*

8
*Christus als Lamm Gottes,*
*Schlußstein des östlichen*
*Nebenschiffjochs im Chor der*
*Stadtkirche vom Ende des 13. Jh.*
9
*Teufel als fliehender Drachen,*
*Schlußstein des westlichen*
*Nebenschiffjochs im Chor der*
*Stadtkirche vom Ende des 13. Jh.*
*(vgl. Seite 38)*

10

*«Judensau», Sandsteinrelief außen am Chor der Stadtkirche, um 1304:*
*Sie ist die früheste, Ende des 13. Jh. aufkommende und verbreitetste Karikatur auf*
*die Juden im Deutschen Reich und stellt die Juden in intimster Beziehung zu dem*
*von ihnen verschmähten Schwein (3. Mose 11, 4–8) dar. Die erst 1570 hinzu-*
*gefügte Überschrift leitet den Spott auf die Auslegung von 2. Mose 14, 19–21 durch*
*die jüdischen Kabbalisten. Da jeder dieser drei Verse 72 hebräische Buchstaben hat,*
*schreiben sie diese in drei Zeilen untereinander und bilden aus den untereinander-*
*stehenden Buchstaben 72 Engelnamen und 72 Aussagen über Gott, denen sie*
*72 Psalmenverse zuordnen. Das Ergebnis gilt bei den kabbalistischen Rabbinern als*
*ausgelegter Name Gottes, d. h. SchemHaMphoras, und dient als Zauberformel.*[174]

11
*Segnender Christus, Schlußstein des östlichen Hauptschiffjochs im Chor der Stadtkirche vom Ende des 13. Jh.*

12
*Christus als Weltenrichter,*
*Sandsteinrelief um 1400*
*(ursprünglich*
*auf dem Friedhof,*
*jetzt in der Sakristei*
*der Stadtkirche –*
*vgl. Seite 39)*

15
*Westanlage der Stadtkirche bis 1361?*
*mit Madonnenstatue, um 1370*

16
*Tympanon im Hauptportal der Stadtkirche, Sandsteinrelief*
*aus der Mitte des 14. Jh. (vgl. Seite 38)*

Die fortschreitende gesellschaftliche Differenzierung führt im 15. Jahrhundert zur Trennung von Meistern und Gesellen. Die letzteren schließen sich zu Bruderschaften zusammen, um ihre Interessen zu vertreten, aber auch um eine Gemeinschaft im Lebensvollzug ähnlich den Zünften zu bilden. 1449 werden in Wittenberg die Bruderschaften der Mühlknappen sowie der Bäcker-, Schneider-, Schuhmacher- und Leinewebergesellen genannt, wobei damit gerechnet wird, daß auch noch andere Handwerke solche Bruderschaften haben oder bilden.[21]

So entsteht im Mittelalter aus der Einwandrersiedlung Wittenberg eine Stadt, in der viele Kräfte zusammenwirken. Sie wird im steigenden Maße selbständig gegenüber den sächsischen Herzögen und Kurfürsten und bleibt doch abhängig. Sie ist abgabepflichtig und bringt wiederum ihrerseits Bauern in ihre Abhängigkeit. Der Aufbau der Stadt, ihre Handwerke und ihr Handel führen Menschen verschiedener Herkunft zusammen, fördern das Entstehen einer gemeinsamen Sprache. Die Aufgabe, die Stadt zu verteidigen, läßt eine die Wehrfähigen zusammenführende Schützenbruderschaft entstehen. Daneben differenziert sich die Einwohnerschaft in sich voneinander abgrenzende Zünfte und Bruderschaften, die über das Erhalten ihrer Privilegien wachen. Während das 14. Jahrhundert Wittenberg das Aufblühen und die Entfaltung bringt, ist die Stadt im 15. Jahrhundert mehr darauf bedacht, das Erreichte zu erhalten.

## 4. Die Kirchen der Bürger

Seinen architektonischen Ausdruck findet die Entwicklung des Bürgertums ganz der Zeit entsprechend im Bau der Stadtkirche.[22]

Als der Bischof Baldram von Brandenburg 1187 den Archidiakonatssprengel von Leitzkau umreißt, zählt er Wittenberg mit auf und unterstellt dem Propst von Leitzkau alle Kirchen dieses Gebietes. Ist somit auch das Vorhandensein einer Kirche spätestens seit dieser Zeit belegt, fehlt von ihr doch zunächst jede weitere Kunde. Erst 1293, im Jahre der Stadtgründung, wird ein plebanus erwähnt, das heißt, daß in Wittenberg ein Priester eine Pfarrkirche leitet und die Gemeinde geistlich versorgt. Diese Kirche ist dem Schutz der Maria unterstellt, die im Mittelalter unter allen Heiligen am meisten verehrt wird und daher am häufigsten das Kirchenpatrozinium erhält.[23] Die Wittenberger Stadtkirche ist somit eine St.-Marien-Kirche.

Das gottesdienstliche Gebäude erweist sich als verbesserungsbedürftig. Daher wird für die Jahre 1281 bis 1285 ein Ablaß ausgeschrieben. Dieser verheißt jedem, der in dieser Zeit zur Wittenberger Stadtkirche kommt, seine Sünden wahrhaft bereut und ein Opfer bringt, einen Erlaß seiner Bußstrafen und damit zugleich der zeitlichen Strafen. Nachweislich haben 1035 in Südfrankreich vier Bischöfe damit begonnen, einen solchen Ablaß anzubieten. Er verbreitet sich sehr schnell, weil er sowohl denen, die ihn gewähren, als auch denen, die ihn erwerben, vorteilhaft erscheint. Einerseits erleichtert er das Ableisten der Bußstrafen, andererseits bringt er Mittel für den Kirchenbau ein. Die Wittenberger bedienen sich also ganz der in ihrer Zeit üblichen Art, Kirchenbauten zu finanzieren.

Mit Hilfe der Ablaßgelder entsteht am Ende des 13. Jahrhunderts vor der Ostseite der älteren Basilika eine zweischiffige Kirche, wobei das südliche Schiff nur halb so breit wie das nördliche, also ein Nebenschiff ist. Die Ausführung trägt den Anliegen der Armutsbewegung des 12. und 13. Jahrhunderts Rechnung, die besonders in den Bauten der Bettelmönche ihren Ausdruck finden. Die Kirche wird aus Feldsteinen, also Findlingen, die Gletscher der Eiszeit ringsum abgelagert haben, errichtet. Außerdem werden Backsteine (Ziegel) verwendet, um einen zwar schlichten, in seiner Einfachheit aber doch schönen Schaugiebel mit gotischen Formen aufzumauern. Bekrönt wird er von einem bescheidenen Glockentürmchen. Auch das gehört zum Programm der Armutsbewegung, denn sie lehnt die aufwendigen Turmbauten als den Glauben veräußerlichende Prunksucht ab. Im Inneren überspannen Kreuzrippengewölbe den Raum, die mit Schlußsteinen und Kapitellen verziert werden. Diese gelten als Werke aus der Nachfolge des Naumburger Meisters. In dem Schlußstein des ersten Hauptschiffjoches ist Christus in segnender 11 Haltung abgebildet. Die Wörter «ALFA ET O» in der aufgeschlagenen Bibel, die er in der linken Hand hält, weisen auf Offb. 21,6: «Ich bin das A und das O, der Anfang und das Ende. Ich will den Durstigen geben von dem Trunk des lebendigen Wassers umsonst.» Im Nebenschiff wird in einem Schlußstein Christus nach Joh. 1,29 als das Lamm Gottes darge- 8 stellt, das die Sünden der Welt trägt und sich opfert, um die Welt mit Gott zu versöhnen. Diese beiden Schlußsteine verkörpern eine Christusvorstellung, in der Christus der sich Opfernde, der Gebende, ja der umsonst Schenkende ist. Von ihm geht Hilfe und Trost aus. Der Bau selbst ist nach Osten ausgerichtet. Das ist im Mittelalter die Regel, daß die Längsachse einer Kirche zur aufgehenden Sonne hinzeigt, die Symbol für das Licht und das Leben ist, die Christus bringt. Diese Orientierung ist der architektonische Ausdruck für die auf Christus wartende Gemeinde. Dieses Licht Christus vertreibt alle Finsternis, die ein Symbol für alles Böse einschließlich des Todes ist und oft als Drachen dargestellt wird. In Wittenberg verkörpert diesen Gedanken der dritte Schlußstein im Nebenschiff. Er zeigt einen Drachen, der nach Westen flieht, das heißt mit der vor der auf- 9 gehenden Sonne entweichenden Nacht verschwindet. Erhalten ist dieser Bau vom Ende des 13. Jahrhunderts im heutigen Altarraum der Stadtkirche.

Der schlichte Bau aus der Zeit der Stadtgründung und die westlich sich anschließende ältere Basilika sind auf die Dauer nicht nach dem Sinn des aufsteigenden, reicher werdenden Bürgertums. Daher wird im 14. Jahrhundert, vermutlich in der Mitte des Jahrhunderts, während Rudolf I. regiert und für das zunehmende Ansehen seiner Herrschaft sorgt, aus Feldsteinen eine mächtige Westanlage mit zwei Türmen aufgeführt.

Geschmückt wird dieses gotische Bauwerk mit einem Portal, einer Rosette und einem Madonnenbild 15 darüber. In dem Portal befindet sich über dem 16 Eingangstor ein zweigeteiltes Bogenfeld, ein Tympanon. In der Mitte des oberen Teiles thront Maria mit dem Christuskind. Ihr zur Seite stehen der Apostel Paulus mit dem Schwert, weil er nach der Legende enthauptet wurde, und der Apostel Petrus mit dem Schlüssel in Anlehnung an die Worte Christi in Matth. 16,19: «Ich will dir des Himmelreichs Schlüssel geben, und alles, was du auf Erden binden wirst, soll auch im Himmel gebunden sein, und alles, was du auf Erden lösen wirst, soll auch im Himmel los sein.» Darunter stehen fünf Heilige; von links nach rechts sind es Dorothea, Johannes der Apostel, Sigismund, Nikolaus, Katharina. Die heilige Dorothea hat ein Körbchen voll Rosen, weil nach der Legende der Schreiber Theophilos vor ihrer Hinrichtung spottete: «Schicke mir doch aus deinem Paradies Blumen und Äpfel.» Der Apostel Johannes trägt einen Kelch in seiner Hand. Nach der Legende hat er in Ephesos einen Giftbecher ausgetrunken, den ihm der heidnische Priester Aristodemos gereicht hatte, ohne daß ihm das schadete.[24] Der heilige Sigismund hält als König von Burgund die Insignien des Herrschers, Reichsapfel und ein Zepter, in seiner Rechten. Nicht zufällig steht er in der Mitte, denn er erfreut sich im Spätmittelalter einer besonderen Verehrung durch das Volk. Der heilige Nikolaus, Bischof von Myra, ist an seinem Bischofsstab zu erkennen. Die heilige

Katharina schließlich hat ihre Märtyrerwerkzeuge bei sich, Rad und Schwert.

Daß bei der Gestaltung der Westanlage Maria eine bevorzugte Stelle erhält, ja sogar zweimal dargestellt wird, ist nicht verwunderlich. Sie ist ja die Schutzheilige der Stadtkirche. Aber im Verhältnis zu dem im 13. Jahrhundert entstandenen Kirchenraum fällt eine Akzentverschiebung auf. An die Stelle der Christusdarstellungen sind die der Heiligen getreten. Das deutet auf eine verstärkte Hinwendung zu den Heiligen, die als Helfer in allen Nöten angerufen werden. Dabei wird von den einzelnen Heiligen für bestimmte Nöte eine besonders wirksame Hilfe erwartet. So erhofft man zum Beispiel von Sigismund Schutz gegen Sumpffieber. Diese gesteigerte Heiligenverehrung hängt mit einer Verschiebung in der Christusvorstellung zusammen. Christus ist nicht mehr der, von dem alles Gute erwartet wird, sondern bei vielen vor allem derjenige, der richtet. Um 1400 entsteht für den Friedhof an der Stadtkirche ein großes Sandsteinrelief mit Christus als Weltenrichter, das sich seit 1955 in der im 14. Jahrhundert angebauten Sakristei befindet. Christus sitzt in einem mandelförmigen Heiligenschein, einer Mandorla, die ihn als den Erhöhten erkennen läßt. Aus seinem Mund gehen – von Christus aus gesehen – nach rechts eine Lilie und nach links ein Schwert aus. Christus mit einem vom Mund ausgehenden Schwert darzustellen geht auf die Worte des Gottesknechtes in Jes. 49, 2 zurück: «Er hat meinen Mund wie ein scharfes Schwert gemacht.» Offb. 1, 16 berichtet Johannes von Christus: «...und aus seinem Mund ging ein scharfes, zweischneidiges Schwert...» Das Mittelalter lernt allmählich, die Machtausübung Christi zu differenzieren. Anlaß dazu gibt der Streit zwischen Papst und Kaiser im 11. Jahrhundert, wem das Recht zustehe, die Bischöfe einzusetzen. Der theoretische Ertrag dieses Investiturstreites ist die Einteilung der göttlichen Macht in eine geistliche und in eine weltliche Herrschaft. Als Papst Bonifatius VIII. am Ende des 13. Jahrhunderts versucht, beide Gewalten in sich zu vereinigen, löst er eine Entwicklung aus, die jene Unterscheidung der beiden Gewalten und vor allem die Unabhängigkeit der weltlichen Gewalt von der päpstlichen sowie ihre unmittelbare Verbindung zu Gott betont. Dadurch wird eine Form der Zweireichelehre ausgeprägt, die das Streben der weltlichen Herrscher nach Selbständigkeit rechtfertigen soll.[25] Die darstellende Kunst aber stattet den Weltenrichter seit dem Investiturstreit mit einer Lilie und einem Schwert aus, um zu veranschaulichen, daß Christus am Jüngsten Tag sowohl in geistlichen Dingen (Gottesbeziehung, Nächstenliebe) – im Reich zur Rechten – als auch in weltlichen Dingen (Gebot vier bis zehn der Zehn Gebote) – im Reich zur Linken – Urteil sprechen wird. In Wittenberg werden also bereits seit dem 14. Jahrhundert Grundgedanken der Zweireichelehre veranschaulicht, wobei Christus vor allem als Richter hervortritt. Wo das geschieht, wendet sich die Frömmigkeit Fürsprechern und Helfern zu, um im Jüngsten Gericht bestehen zu können. Die Folge sind gesteigerte Heiligenverehrung, Meßstiftungen, Wallfahrten und Ablaßerwerbungen.[26]

Das Gebäude zwischen dem jetzigen Altarraum und den Türmen, über dessen Entstehen und Aussehen nichts bekannt ist, muß wegen seiner Baufälligkeit am Anfang des 15. Jahrhunderts erneuert werden. Am 21. Februar 1412 wird ein 49tägiger Ablaß auf sechs Jahre für einen Neubau ausgeschrieben, der im selben Jahr begonnen und mit der Weihe am 31. Mai 1439 durch den Bischof von Brandenburg abgeschlossen wird. So entsteht die noch heute vorhandene dreischiffige Hallenkirche, die den alten Bau an Breite und Höhe weit übertrifft. Die Gewölbe der beiden westlichen Joche im Mittelschiff, die sich von den anderen unterscheiden, und die zwischen 1420 und 1430 entstandenen Konsolbüsten las-

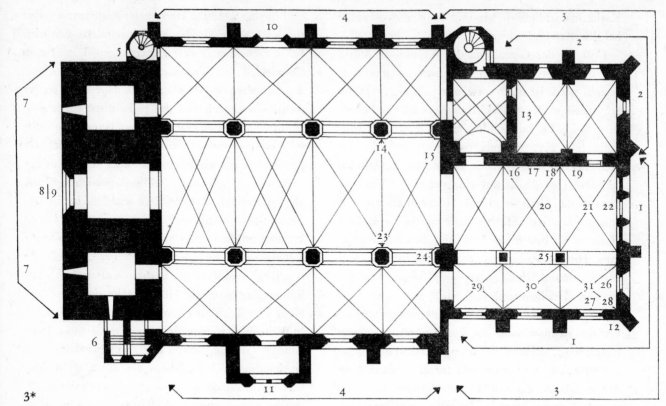

**3\***

*Grundriß der Stadtkirche*

sen Nachwirkungen von Peter Parlers Arbeiten im Prager Veitsdom erkennen. Das Nordportal wird mit den beiden Aposteln Petrus und Paulus ge-

schmückt. An der Südseite werden die Apostel Jakobus d. Ä. (mit Pilgerstab und Muschel, den Wahrzeichen der mittelalterlichen Pilger zum angeblichen

Grab dieses Heiligen in Santiago de Compostela in Nordwestspanien) und Andreas (mit einem Kreuz aus schrägen Balken – Andreaskreuz –, an dem er hingerichtet worden sein soll) als «gedrungen anmutende Standbilder» *(Ingrid Schulze)* angebracht. 1432 bewilligt der Rat die finanziellen Mittel für den Mittelbau aus Backsteinen zwischen den Türmen. Diese werden mit den in der Gotik üblichen spitz auslaufenden Pyramiden bekrönt. 1483 oder 1484 bringt der Maler Klaus (Huling) auf dem Putzgrund zwischen den Türmen noch ein Marienbild an. So entsteht ein zwar nicht prunkvolles, aber doch mächtiges und geschmücktes Bauwerk, das sich neben den niedrigen, aus Lehm gebauten und mit Stroh gedeckten Bürgerhäusern des 15. Jahrhunderts groß ausnimmt und selbst das vom kurfürstlichen Hof verlassene Schloß überragt. So wird die Stadtkirche zum architektonischen Schwerpunkt Wittenbergs, als die Askanierherrschaft über diese Stadt zu Ende geht und das mittelalterliche Bürgertum seinen Höhepunkt erreicht hat.

Im Inneren der Kirche werden neben dem Hauptaltar weitere Altäre gestiftet, das heißt errichtet und mit Grundbesitz oder anderen Einkünften ausgestattet. Der Ertrag fällt dem zu, der die damit verbundenen Pflichten leistet. Er muß die festgesetzten Messen für die Gemeinde halten und die für den Stifter und seine Familie ausbedungenen Fürbitten und Gedächtnismessen vollbringen. Die Überlieferung in bezug auf diese Altäre ist unvollständig. Soweit zu erkennen ist, beginnt der Stadtpfarrer Friedrich von Kühnau 1295 mit solch einer Stiftung. 1323 folgt ihm der Herzog Rudolf I., so daß für die Askanier auch in der Stadtkirche Messen gelesen werden und andere Askanier, die nicht im Herzogtum Sachsen-Wittenberg wohnen, die Stiftung vermehren. Danach folgen Adlige und Wittenberger Bürger. Für jede Stiftung wird festgesetzt, wer das Recht hat, die Stelle zu vergeben. Zum Teil hat es der Herzog, zum Teil der Rat der Stadt, zum Teil aber auch die stiftende Familie. Auf diese Weise haben die Stifter die Möglichkeit, einige ihrer Nachkommen zu versorgen. Neben die Familien treten in der zweiten Hälfte des 14. Jahrhunderts Körperschaften. Zunächst ist es die Kalandsbruderschaft, in der vorwiegend Geistliche zusammengeschlossen sind. 1412 ist eine Stiftung der Schützenbruderschaft nachweisbar. Die Tuchmacher, die Priesterbruderschaft, die Fuhrleute und die Schuster folgen. Daneben gibt es weitere Stiftungen, an denen sich Zünfte und Bruderschaften beteiligen, wodurch sich die Einkünfte erhöhen und die liturgischen Dienste vermehren. Stiftungen werden von 1295 bis 1504 gemacht und füllen die Stadtkirche mit mindestens 13 Nebenaltären. Am Altar der Schützen sind neben den Gedächtnismessen wöchentlich fünf Messen zu lesen, an anderen Altären mögen es weniger sein. Dennoch sind es so viele, daß täglich mehrere Messen gelesen werden, so daß die Stadtkirche täglich genutzt und von Wittenbergern besucht wird.

Die Stiftungen bedenken aber nicht nur die Geistlichen, sondern auch Schulmeister und Schüler, die liturgische Aufgaben in den gestifteten Messen und Einkünfte erhalten. Durch solche Stiftungen erfahren wir, daß es mindestens seit 1423 eine Schule in Wittenberg gibt. 1442 gehören zur Priesterbruderschaft Unserer Lieben Frauen (Maria) auch die Lehrer und die Schüler, was auf die enge Verbindung von Schule und Stadtkirche hinweist. Doch auch die Franziskaner scheinen sich um die Erziehung der Jugend gekümmert zu haben. 1309 wird der Franziskaner Magister Ludolf als Lehrer der Kinder in Wittenberg genannt.[27]

Die Priester der Stadtkirche sind nicht in der Lage, alle diese gestifteten Messen zu lesen. Sie überlassen sie weitgehend Altaristen. Diese halten sich an ihre Stiftungen und nehmen nicht immer Rücksicht auf die Messen am Hauptaltar oder an anderen

Nebenaltären. Da bei den gestifteten Messen zum Teil Chöre mitwirken, kommt es zu gegenseitigen Störungen. Nach dem Neubau des Hauptschiffes gelingt es dem Stadtpfarrer Johannes Moer 1442, eine solche Verteilung der Dienste zu erreichen, daß die gegenseitigen Behinderungen aufhören.

Das kostbarste erhaltene mittelalterliche Ausstattungsstück der Stadtkirche ist ohne Zweifel die Taufe. Sie wird 1457 von Hermann Vischer d. Ä. in Nürnberg aus Messing gegossen. Am Fuß des «kunstreich konstruierten Ständers» befinden sich zweimal vier Löwen, die Wappenschilder halten. Auf diesen Schildern sind die Wappen der in Wittenberg herrschenden gesellschaftlichen Kräfte dargestellt. Im Mittelalter setzt sich die Herrschaft eines Landesherrn in der Regel aus mehreren Gebieten und Rechtstiteln zusammen, infolgedessen führen sie auch mehrere Wappen. Außen befinden sich – unter Petrus beginnend – die Wappen für das Kurfürstentum Sachsen (Kurschwerter), das Herzogtum Sachsen (Rautenkranz), die Landgrafschaft Thüringen (ein geteilter, steigender Löwe) und die Markgrafschaft Meißen (ein ungeteilter, steigender Löwe). Innen angebracht sind – hinter Paulus beginnend – die auch kleineren Wappen für die Grafschaft Brehna (drei Schröterhörner) und für die Pfalz Sachsen (ein Adler). Alle diese sechs Wappen weisen auf den wettinischen Landesherrn. Das Bürgertum ist mit dem Stadtwappen hinter dem Apostel Andreas vertreten. An den Bischof erinnert – vielleicht nicht zufällig hinter Petrus – das Wappen für das Bistum Brandenburg.[28] Diese Zusammenstellung veranschaulicht ein für das Spätmittelalter charakteristisches Verhalten. Während sich die sozialen Kräfte einerseits differenzieren und gegeneinander handeln, wirken sie andererseits beim Bau von Kirchen und bei deren Ausstattung mehr zusammen, als oft vermutet wird. – An den vier Stützen der Taufe sind die Apostel Petrus, Paulus, Johannes und Andreas als voll

ausgebildete Plastiken angebracht. Das Becken hat die Form eines achteckigen Prismas, in dessen Feldern die übrigen acht Apostel als Hochrelief ausgebildet sind. Leider sind ihre Attribute so zerstört, daß sie nicht mehr alle bestimmt werden können. Ihre Reihenfolge ist – links über Petrus beginnend –: Jakobus d. Ä. (Muschel), ?, Jakobus d. J. (Walkerstange, mit der er erschlagen worden sein soll), ?, zwei Apostel, die in den Napoleonischen Kriegen abhanden gekommen und 1864 von Friedrich Drake neu in Bronze gegossen worden sind (angeblich Matthäus – Lanze – und Bartholomäus), Thaddäus (Keule, mit der er nach der Legende erschlagen wurde) und Philippus (Kreuzstab, weil er nach der Legende in Hierapolis in Phrygien gekreuzigt wurde). Dieses Kunstwerk enthält nach Überzeugung mancher Kunsthistoriker bereits Züge der Renaissance und wäre dann ihr erster Bote in Wittenberg, wo diese geistige Richtung ihre umgestaltende Kraft ein halbes Jahrhundert später erweist.

Vermutlich um 1368 stiftet der Ratsherr Konrad Wynman nicht nur einen Altar, sondern eine ganze Kapelle. Die mittelalterliche Frömmigkeit versteht den Vollzug der Messe immer stärker als eine Darstellung der Leidensgeschichte Christi. Die Hostie erhält eine zentrale Bedeutung als Verkörperung des lebendigen Leibes des Herrn, der durch eine Verwandlung gegenwärtig geworden ist. Ein *lebendiger* Leib wird «lîchnam» genannt, während «frôn» auf den Herrn weist. Im 13. Jahrhundert wird ein Fronleichnamsfest gestiftet, das sich aber erst im 14. Jahrhundert ausbreitet und schließlich allgemein am Donnerstag nach Trinitatis gefeiert wird. Die Hostie wird als lebendiger Leib Christi verehrt und in Prozessionen umhergetragen. Ein Teil der Frömmigkeit konzentriert sich damit auf den «sichtbaren» Leib Christi und erhofft von seiner Verehrung Segensgaben. Diese Frömmigkeitsbewegung findet offensichtlich auch in Wittenberg Anklang, denn die von Wynman errichtete Kapelle erhält den Namen «Fronleichnamskapelle». Sie birgt einen Altar, der Maria, den Aposteln Johannes und Matthäus sowie dem Täufer Johannes geweiht ist. Hier können die gestifteten Messen unbehelligt von anderen liturgischen Handlungen gefeiert werden. 1377 und 1384 fügt Kurfürst Wenzel weitere Stiftungen hinzu, so daß auch hier der Askanier gedacht wird. Nach den Begräbnisstreitigkeiten von 1368 und 1375 zwischen der Stadtkirche und den Franziskanern wird die Fronleichnamskapelle auch für Begräbnisfeiern bestimmt. Sie eignet sich gut dafür, weil sie neben der Südseite der Stadtkirche und damit auf einem der Friedhöfe steht.[29]

## 5. Die Ansiedlung neuer Orden

Die reicher werdende Stadt lockt weitere Gaben heischende Mönche an.

Der Antoniterorden, der sich nach dem Mönchsvater Antonius nennt, entsteht am Ende des 11. Jahrhunderts in Frankreich. Er widmet sich der Krankenpflege. 1297 wird er von Bonifatius VIII. als ein Orden von Chorherren bestätigt. Der liturgische Dienst tritt in den Vordergrund, der Hospitaldienst zurück. Hin und wieder bessern die Antoniter ihre Einkünfte durch Betteln auf, wobei sie zum Teil in den Kirchen sammeln. Sie tragen ein schwarzes Gewand, auf das über der rechten Brust ein himmelblaues Kreuz in der Form eines T genäht ist. An die mittlere Elbe kommen sie, als sie vor 1273 auf der Lichtenburg bei Prettin ein Kloster gründen, das seine Wirksamkeit auf das ganze Erzbistum Magdeburg erstreckt. So muß angenommen werden, daß die Antoniter spätestens im 14. Jahrhundert in Wittenberg auftauchen. Von einer Niederlassung erfahren wir allerdings erst im 15. Jahrhundert. Am 27. Juni 1457 erwerben die Antoniter von der Lichtenburg aus dem Besitz der Stadt Wittenberg Haus und Hof (jetzt Jahnstraße

27), wo sie um 1460 die Antoniterkapelle errichten. Neben Maria wird in ihr auch Antonius verehrt. 1462 können sie ihren Besitz durch den Kauf eines angrenzenden unbebauten Grundstückes erweitern. Sie legen einen Garten an, in dem sie ihre Ordensbrüder beerdigen. Groß ist die Zahl der Brüder in dieser Wittenberger Filiale nicht.

Der spätmittelalterliche Geist der Zünfte, der darüber wacht, daß die erworbenen Privilegien von niemandem geschmälert werden, beherrscht auch die geistlichen Körperschaften. Kaum wird der Kapellenbau begonnen, erhebt sogleich das Kapitel des Allerheiligenstiftes Einspruch, da es für die Stadt- und die Schloßkirche eine Verminderung des Besuches und der Einkünfte befürchtet. Schließlich wird am 31. März 1463 entschieden: Die Antoniterkapelle darf keine Sonderablässe erwerben, Messen dürfen nur am Tag der Kapellenweihe und des Ordensheiligen (17. Januar) gefeiert werden. Die Antoniter dürfen keine Sakramente reichen und auf ihrem Friedhof nur Ordensangehörige beerdigen.[30] Durch diese Einschränkungen bleibt der kirchliche Frieden gewahrt, damit ist aber auch zugleich das Wirken für die Gemeinde beschnitten.

Am 4. Mai 1256 fügt Papst Alexander IV. verschiedene Eremitenverbände zu einem Orden zusammen, der sich auf den Kirchenvater Augustin zurückführt und sich daher Orden der Augustinereremiten nennt. Er ist nach den Franziskanern, Dominikanern und Karmelitern der vierte Bettelorden. Noch im 13. Jahrhundert breitet er sich von Italien so rasch aus, daß es 1299 etwa 80 deutsche Klöster gibt, die auf fünf Ordensprovinzen aufgeteilt werden. Eine von ihnen ist die sächsisch-thüringische. In ihr entsteht vor 1359 das Kloster Herzberg. Von hier kommen die Augustinereremiten auch nach Wittenberg betteln, das heißt terminieren. Allmählich richten sie sich ein Terminierhaus ein, das ab 1414 nachweisbar ist.[31]

So bringt die Entwicklung des Mönchwesens drei Orden nach Wittenberg. Mit ihren unterschiedlichen Ordensgewändern beleben sie das Stadtbild. Zum Teil werden ihre Dienste dankbar angenommen, zum Teil werden sie beargwöhnt. Sie bereichern die geistliche Versorgung, aber sie belasten sie auch. Von einem Nonnenkloster hören wir nichts in Wittenberg.

# Das Ausbauen zu einem kursächsischen Zentrum

So wie Wittenberg als Folge der Aufteilung des Herzogtums Sachsen im Jahre 1180 zur Residenzstadt einer askanischen Linie wird, fällt ihm durch die Leipziger Teilung von 1485 eine neue Bedeutung zu. Die Wettiner beherrschen im ausgehenden Mittelalter ein Gebiet, das von Eisenach bis jenseits der Elbe sowie von Coburg und dem Erzgebirge bis etwa 15 km südlich von Brandenburg reicht. Dieses Territorium wird unter den Brüdern Ernst und Albrecht geteilt. Dabei werden die neuen Herrschaftsgebiete ineinander verschränkt, damit sie voneinander abhängig bleiben und nicht in Gegensaz geraten sollen. Albrecht erhält einen Streifen im nördlichen Thüringen, der sich bis Leipzig hinzieht, und das Gebiet an der oberen Elbe. Ernst wird die Kurfürstenwürde, der südliche Teil in Thüringen und ein Streifen zugeteilt, zu dem im Norden der Kurkreis – das ehemalige Herzogtum Sachsen-Wittenberg – gehört und der sich bis in das Vogtland hinunterzieht.[32] Ernst hat zwar das Kurfürstentum Sachsen erhalten, aber auf die Universitätsstadt Leipzig und auf die erst erneuerte Albrechtsburg in Meißen verzichtet. Es müssen daher neue Zentren geschaffen beziehungsweise ausgebaut werden. In dem nordöstlichen Teil des ernestinischen Landes bietet sich dafür neben Torgau aufgrund seiner Lage Wittenberg an.

Als nach dem Tod des Kurfürsten Ernst sein Sohn Friedrich III., später der Weise genannt, 1486 die Regierung übernimmt, ist Wittenberg eine Stadt mit etwa 2 000 Einwohnern. Das Askanierschloß ist vernachlässigt, das bescheidene Rathaus beherbergt die Fleischerläden. Die Kapelle des Allerheiligenstiftes ist nur wenig größer als die Fronleichnamskapelle. Außer dem Franziskanerkloster mit einer dazugehörigen Barbarakapelle, die 1513 der Schusterbruderschaft überlassen wird, und der Antoniterkapelle sind noch zwei Hospitalkapellen vorhanden, deren Existenz bereits für 1301 beziehungsweise 1330 bezeugt ist. Die Kapelle zum Heiligen Geist befindet sich innerhalb der Stadtmauer vor dem Elstertor südlich der späteren Collegienstraße. Sie ist für die Bewohner des Armenhospitals bestimmt und ein bescheidener Fachwerkbau von etwa 9 m Länge und 6 m Breite. Hinter dem Elstertor außerhalb der Stadtmauer liegt die Kapelle zum Heiligen Kreuz für die Kranken des danebenliegenden Siechen- und Leprosenhospitals.[33] Die Häuser sind zum großen Teil stroh- oder schindelgedeckte Fachwerkbauten. Der Stadt fehlt viel, um am Ausgang des 15. Jahrhunderts als ein Mittelpunkt von Kursachsen gelten zu können.

Friedrich der Weise ist gewillt, aus Wittenberg eine kurfürstliche Stadt zu machen, die neben Meißen mit der von 1471 bis 1485 erbauten Albrechtsburg bestehen kann. Dazu verfügt er über dieselben Mittel wie die Erbauer der Meißner Burg, nämlich die um diese Zeit reichlich fließenden Erträge der erzgebirgischen Silberbergwerke.

18

Zuerst verbessert er den Zugang nach Wittenberg von Süden her, indem er von 1487 bis 1490 über die Elbe eine eichene Brücke schlagen läßt. Die einfachere Brücke aus Kiefernholz vom Jahre 1428 hat etwa 30 Jahre nach ihrer Errichtung ein starker Eisgang mitgenommen, so daß wieder der Fährbetrieb aufgenommen werden mußte.[34]

## 1. Der Bau des Schlosses

Ein Umbau des Askanierschlosses scheint sich nicht zu lohnen.[35] Daher wird es 1489 abgebrochen. An seine Stelle soll eine Schloßanlage in der Form eines länglichen Vierecks treten, deren vier Flügel einen Hof umschließen. Dabei wird der zur Elbe gekehrte Flügel wegen der Bodenbeschaffenheit eingewinkelt. In dieser Gesamtanlage drückt sich der planende Geist der Renaissance aus. Die Ausführenden aber kommen aus der spätmittelalterlichen Tradition, so daß weder die verwendeten Elemente, Zellengewölbe und Vorhangbogen, noch die architektonische Gliederung den Eindruck eines Renaissanceschlosses entstehen lassen.

Unter der Leitung des in Kursachsen bereits bekannten Klaus Roder beginnt der Bau sich an den Abbruch anzuschließen. Baumaterial muß herbeigeschafft werden. Bauholz wird in der nahe gelegenen Dübener Heide geschlagen, aber auch von weiter elbaufwärts – bis Tetschen (Děčín) – besorgt. Bausteine werden verwendet, die beim Abbruch der alten Burg Torgau anfallen. Der Sandstein kommt aus Pirna, der Kalkstein wird über Magdeburg bezogen. Im Rechnungsjahr 1491/92 baut man besonders intensiv. Rasch wächst der Elbflügel mit der südlichen Wendeltreppe und dem südwestlichen Rundturm empor. Danach wird der Mittelflügel errichtet, der die Anlage nach dem Westen abschließt. 1494/95 übernimmt Hans Meltwitz die Bauleitung. 1496 stehen die beiden Schloßflügel. Der innere Ausbau beginnt 1492/93 im Elbflügel. 1525 werden noch nach einer Vorlage von Lucas Cranach d. Ä. über den Wendeltreppen zwei Renaissancegiebel aufgeführt, die das Äußere schmücken sollen.

Mit dem Rechnungsjahr 1496/97 beginnt der Bau des nördlichen Flügels, der an der Schloßstraße verläuft: die Schloßkirche.[36] Zunächst wird die alte Kapelle abgebrochen. Vom Brandenburger Bischof wird die Erlaubnis eingeholt, inzwischen die Messe in der Hofstube zu halten. Sie befindet sich im ersten Geschoß des neuerbauten Elbflügels. Der Bau der Schloßkirche erfordert hohes Können wegen des weitgespannten Gewölbes. Daher wird die Bauleitung einem Mann übertragen, der seine Befähigung schon als Nachfolger des Arnold von Westfalen bei der Vollendung der Albrechtsburg in Meißen gezeigt hat und dem die Wölbung der Peter-Pauls-Kirche in Bautzen und der Thomaskirche in Leipzig anvertraut wird: Konrad Pflüger. Vermutlich hat er bereits bei der Planung des Gesamtschlosses mitgewirkt. Sicher ist er der Erbauer der Schloßkirche, deren Ausführung er bis 1505 leitet. Rasch werden die Außenmauern emporgeführt und das Dach aufgesetzt. Bereits in diesem Zustand wird die Schloßkirche am 17. Januar 1503 von dem Kardinallegaten Raimundo Peraudi geweiht. Der Kurfürst nutzt Peraudis Anwesenheit, da er den gottesdienstlichen Raum des direkt dem Papst unterstellten Stiftes nicht von einem Bischof weihen lassen will. Erst nach der Weihe, von 1503 bis 1505, wird das spätgotische Gewölbe eingebracht. Es setzt über den Emporen auf Konsolen der Außenwände an und überspannt in einem Bogen den ganzen Raum. 1510 bis 1512 wird im Westen noch ein kleiner Chor angebaut.

Der nordwestliche Schloßturm, oft als Schloßkirchturm bezeichnet, wird gleichzeitig mit der Kirche errichtet. Er erhält einen Raum für den Kurfürsten, von dem aus er die Empore betreten kann. 1509 wird der Turm vollendet. Er nimmt zunächst ein

19, 20

21

45

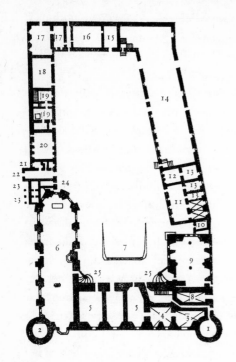
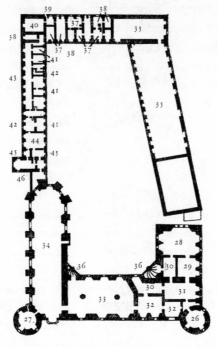
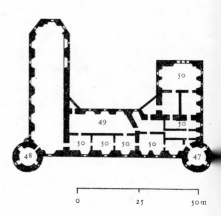

4*

*Grundrisse des Schlosses vor der Zerstörung von 1760*

| ERDGESCHOSS | | I. OBERGESCHOSS | 39 Vorsäle |
|---|---|---|---|

ERDGESCHOSS

1 Gefängnis
2 Gewölbe
3 Silberkammer, später Marter-
kammer
4 Wohnung der Silberdiener,
später Richterstube
5 Holzkammern
6 Schloßkirche
7 Erhabener Platz am Schloß
8 Salzgewölbe
9 Große Stube für die kurfürstlichen Diener
10 Amtsgefängnis
11 Kurfürstliche Küche

12 Küchenstube
13 Küchenkammern
14 Unteres Zeughaus
15 Wagenschuppen
16 Kurfürstliche Stallung
17 Amtsstuben
18 Stallung
19 Küchen
20 Expeditionsstube des Amtsverwalters
21 Stube des Schloßtorwärters
22 Schloßeinfahrt
23 Hauptwachen
24 Gefängnisse
25 Haupttreppen des Schlosses

I. OBERGESCHOSS

26 Kurfürstliches Zimmer im
Schloßturm
27 Reichsarchiv
28 Hofgerichtsstube
29 Versetzstube
30 Korridore
31 Stube für die Hofgerichts-
advokaten
32 Vorzimmer
33 Saal, in dem den Kurfürsten
gehuldigt wurde
34 Schloßkirche
35 Oberes Zeughaus
36 Haupttreppen des Schlosses
37 Stuben des Amtmanns
38 Kammern des Amtmanns

39 Vorsäle
40 Bibliothek des Amtmanns
41 Stuben und Kammern des Amtsverwalters
42 Alkoven des Amtsverwalters
43 Korridor
44 Große Tafelstube
45 Vorsäle des Kreishauptmanns
46 Stuben und Kammern des Kreishauptmanns

II. OBERGESCHOSS

47 Kurfürstliche Zimmer im Schloßturm
48 Amtsarchiv
49 Großer Saal
50 Kurfürstliche Zimmer

Urkundenarchiv, nach 1554 das gemeinschaftliche wettinische Archiv auf, das bis 1802 darin bleibt und alle Gefährdungen übersteht, ehe es auf Dresden, Weimar und Gotha verteilt wird. Auch das Amtsarchiv findet darin seinen Platz, nach 1760 auch noch das Universitätsarchiv. Die vier Glocken aus dem 15. Jahrhundert nimmt ein Dachreiter auf.

1509 gilt der Bau als abgeschlossen, und es wird der Schlußstrich unter die Baurechnungen von 1490 bis 1509 gezogen. Das Ergebnis lautet 32 466 Gulden, 13 Groschen und 9 Pfennige.

Es ist heute schwer, von diesem stattlichen Schloß und seiner wertvollen Ausstattung noch eine Vorstellung zu gewinnen. Es wird zwar als ein Wohnschloß

46

für den Kurfürsten gebaut, aber es ist zugleich die Befestigung der Stadt Wittenberg an der Südwestecke. Daher wird es, wie wir noch sehen werden, von den Kriegen besonders hart betroffen. Als das Schloß entsteht, werden die Fenster in Blei gefaßt. Besondere Räume und die Schloßkirche erhalten venezianische Scheiben, zum Teil mit Glasmalerei. Ein Teil der Räume wird getäfelt oder mit Schnitzereien versehen. Andere Räume werden ausgemalt, selbst die Treppenaufgänge. Es werden Geschichten aus dem Alten Testament dargestellt. Allegorien der Gerechtigkeit und des Glückes schmücken die Wände. Andere Bilder verherrlichen die eheliche Liebe und die eheliche Treue. In der Stammstube befinden sich 24 Bildnisse sächsischer Herrscher von Heinrich I. über die Askanier bis zu Friedrich dem Weisen. In anderen Räumen finden Szenen aus der griechischen und römischen Sage und Geschichte Platz. Diese Zusammenstellung bezeugt dasselbe wie der Gesamtbau: In die spätmittelalterliche Tradition werden Anregungen der Renaissance hineingenommen. Ausgeführt wird die Inneneinrichtung von dem Wittenberger Bildhauer Klaus Heffner. Von 1491/92 bis 1504/05 fertigt er einen Wappenfries für die südliche Schloßtreppe und einen mit 16 Wappen für die Nordempore der Schloßkirche an, ebenso das Gestühl in ihr. Unter der Leitung des Bildschnitzers Hans von Amberg schmücken 1493 bis 1495 Leipziger Bildschnitzer die «geschnitzte Stube» im zweiten Geschoß des Elbflügels. Häufig wird ein Maler Albrecht genannt, der das Geschnitzte vergoldet oder Räume ausmalt. Er wird zu Unrecht mit Albrecht Dürer gleichgesetzt.[37]

22    Die Schloßkirche hat auf der Westseite drei Emporen. Die unterste ist jedoch so tief, daß sie nur ein Stück in das Schiff fortgesetzt wird, während die mittlere ganz umläuft, nun aber unverhältnismäßig hoch. Der Fußboden wird mit buntem Marmor aus Rochlitz bedeckt. Außer dem Hauptaltar werden noch weitere 19 Nebenaltäre errichtet, die zum Teil auf den Emporen und in der Sakristei untergebracht werden müssen. Die Kirche wird mit kunstvollen Altartafeln, Statuetten, Reliefs, Kruzifixen, Altargeräten und Teppichen ausgeschmückt, die von bedeutenden deutschen, niederländischen, italienischen und französischen Meistern stammen. Nachgewiesen sind Werke von Lucas Cranach d. Ä., Michael Wohlgemut, Albrecht Dürer und Hans Burgkmair, von dem Bildhauer Konrad Meit und dem Bildschnitzer Tilman Riemenschneider sowie von den Goldschmieden Paul Möller aus Nürnberg und Meister Peter aus Wittenberg. An Gold- und Silbergeräten gibt es unter anderem 21 Kelche und Patenen, 6 Ampullen, in denen geweihtes Öl aufbewahrt wird, 16 Pacificale (Tafeln, auf die der Friedenskuß gedrückt wird), 4 Leuchter, 2 Räucherfässer, 1 Weihwasserkessel, außerdem 46 Messingleuchter. 150 gold- und silberbestickte Antependien dienen je nach der liturgischen Zeit zum Schmuck der Altäre. Die Meßgewänder sind mit Gold und Silber bestickt, zum Teil mit Perlen und Edelsteinen besetzt: 93 Kaseln für Priester und 33 Levitröcke für Diakone. Eine große und eine kleine Orgel sorgen für die Kirchenmusik.

22    Der Hauptaltar ist von Lucas Cranach d. Ä. gemalt. Im Mittelfeld wird die Dreieinigkeit von Engeln umgeben. Die Außenseiten der Altarflügel zeigen Christus mit seinen Jüngern und Maria mit zehn Jungfrauen. Die Innenseiten bilden die beiden Stifter kniend und anbetend mit ihren Schutzheiligen ab. Friedrich der Weise erwählt sich den Apostel Bartholomäus, sein Bruder Johann den Apostel Jakobus d. Ä. Im Rechnungsjahr 1519/20 werden, dem Altar zugewandt, zwei Marmorplastiken aufgestellt. Sie

34    geben die beiden Brüder in anbetender Haltung kniend wieder. Sie befinden sich noch heute in der Schloßkirche.[38] Einige der 17 bekannten Gemälde sind erhalten, so daß wir von der Pracht der Ausstattung noch einen Eindruck gewinnen können.

47

Von Cranach ist die Darstellung des Martyriums der heiligen Katharina erhalten. Die Seitenflügel zeigen sechs heilige Frauen, unter den Zuschauern steht das fürstliche Brüderpaar. Wahrscheinlich in dem später angebauten Westchor stand der Altar mit der Madonna in der Mitte, den Stiftern mit ihren Schutzheiligen auf den Flügeln (wie der Hauptaltar beschrieben wird). Er ist heute als «Dessauer Fürstenaltar» bekannt.

Von Dürer sind noch vier Werke aus der Wittenberger Schloßkirche erhalten. Ein dreiteiliges Altargemälde zeigt in der Mitte Maria mit dem Kind, auf dem linken Flügel den heiligen Antonius und auf dem rechten den heiligen Sebastian. Friedrich der Weise hat 1496 dazu den Auftrag gegeben und schließlich den Altar in der Schloßkirche aufgestellt. 1687 wird dieses Werk in die kurfürstliche Kunstkammer nach Dresden gebracht. Zwei Tafeln, «Die Sieben Freuden und die Sieben Schmerzen Mariä» darstellend, malt Dürer 1495. Auch sie gelangen wahrscheinlich in die Schloßkirche. Später werden sie zerlegt. Die Teiltafeln mit den Sieben Schmerzen gelangen nach Dresden, die Darstellung der Maria in die Alte Pinakothek in München. Die «Anbetung der Heiligen Drei Könige» entsteht 1504. Sie wird 1603 mit Zustimmung der Universität dem Kaiser Rudolf II. geschenkt. «Die Marter der zehntausend Christen» – 1508 vollendet – veranschaulicht die Hinrichtung der Christen unter dem persischen König Sapor II.; Christoph Scheurl hat dieses Werk wegen seiner Schönheit besonders gelobt.

Das Triptychon von Hans Burgkmair aus dem Jahre 1505 stellt Nothelfer und Krankheitspatrone dar. Auf den Außenseiten der Flügel werden die Pestheiligen Rochus und Cyprian dargestellt. Auf der Innenseite segnet Valentin neben Eustachius einen Fallsüchtigen. In der Mitte stehen sich Sigismund und Sebastian gegenüber. Die Säulenhalle wurde später hineingemalt. Ursprünglich war der

27–29

30–32

25

23, 24

26

35

Hintergrund ähnlich den inzwischen freigelegten Seitenflügeln. Auf dem rechten Flügel sind Christophorus und Vitus zu sehen.[39]

1515 wird der Bau des Vorschlosses beraten, durch das der Schloßhof ganz umbaut werden soll. Die Durchführung leitet im wesentlichen Hans Zinkeisen. Zunächst verlängert er in östlicher Richtung, anschließend an die Schloßkirche, den Nordflügel. Direkt an die Schloßkirche wird das Schloßtor angefügt. Danach folgen Räume für die Verwaltung des Amtes Wittenberg und Wohnungen für die kurfürstlichen Beamten. Der Nord- und der Südflügel nehmen das kurfürstliche Zeughaus und Wirtschaftsräume auf. Das Vorschloß wird niedriger, schmaler und schlichter als das Hauptschloß ausgeführt. Abschließend wird 1525 der Schloßhof gepflastert.

Die mit viel Aufwand errichtete und ausgestattete Schloßkirche soll auch angemessene Funktionen erhalten, wobei sich Friedrich der Weise zunächst von spätmittelalterlicher Frömmigkeit bestimmen läßt.

Zuerst ist die Schloßkirche ein würdiger Raum für einen wertvollen Reliquienschatz[40], den der Kurfürst ständig zu vergrößern strebte. Dafür kann er 1507 ein päpstliches Breve an alle Erzbischöfe, Bischöfe, Äbte und geistliche Prälaten des Heiligen Römischen Reiches erwirken, in dem diese aufgefordert werden, ihm Teile ihrer Reliquien zu überlassen. Damit hat er eine Grundlage für seine gesteigerte Sammeltätigkeit. Als 1509 die Schloßkirche vollendet ist, erscheint das «Wittenberger Heiltumsbuch», um für den Besuch der Ausstellung dieser Reliquien zu werben. Die Vorrede beginnt mit der Stiftung durch Rudolf I. und knüpft damit ganz

5*

*Lucas Cranach d. Ä.: Schloßkirche, Holzschnitt aus «Dye zaigung des hochlobwirdigen hailigthums der Stifftkirchen aller hailigen zu wittenburg. Wittenbergk 1509», genannt «Wittenberger Heil(ig)tumsbuch» (Titelbild). Der gebirgige Hintergrund, von Cranach oft verwendet, ist Erfindung des Künstlers; die Brücken sind vermutlich zu lang geraten (Lutherhalle)*

bewußt an die von den Askaniern geschaffenen Voraussetzungen für Reliquienkult und Ablaßwesen in der Wittenberger Schloßkirche an. Gedruckt wird das Werk von Symphorian Reinhart im Schloß. Lucas Cranach d. Ä. entwirft die Holzschnitte. 1510 erscheint bereits die zweite Auflage. Sie erhält ein Titelbild, das Friedrich den Weisen mit seinem Bruder zeigt. In diesem Heiligtumsbuch werden 116 der 117 vorhandenen Gefäße abgebildet und ihr Reliquieninhalt mitgeteilt. Es handelt sich um Plastiken, Monstranzen, gefaßte Straußeneier, kelchähnliche Gefäße, Bildtafeln und Hörner, die aus edlen Metallen gearbeitet und zum Teil mit Glas oder Edelsteinen verziert sind. Sie enthalten angeblich von Heiligen, Märtyrern, Aposteln, Patriarchen, Maria und Christus Knochenpartikel, Zähne, Haare, Teile der Kleidungsstücke oder der Gegenstände, die sie berührt haben. Im ganzen werden 5005 Reliquien gezählt. Darunter befinden sich auch Merkwürdigkeiten: Ruß aus dem glühenden Ofen, in den Nebukadnezar drei Männer sperren ließ (Dan. 3, 21 bis 27); Milch der Jungfrau Maria; Teile sowohl von der Krippe als auch von der Wiege, in der Christus lag; etwas von der Myrrhe der Heiligen Drei Könige; ein Teil von dem brennenden Busch Mose (2. Mose 3, 2). Mehrere Gefäße enthalten Dornen aus der Dornenkrone beziehungsweise Teile vom Kreuz Christi. Selbst einen Nagel zeigt man vor, mit dem Christus ans Kreuz geschlagen worden sei. Jedes Jahr am Montag nach Misericordias Domini stellt das Allerheiligenstift diese Reliquien in acht Gängen aus. Dabei wird verlesen, was sie enthalten. Die Ausstellung ist so aufgebaut, daß sie mit den Reliquien der Heiligen beginnt und mit denen des Kreuzestodes Christi und seiner Himmelfahrt endet. Wer an dieser Zeremonie teilnimmt, erwirbt von jedem Partikel 100 Tage Ablaß, außerdem noch von jedem Gang 100 Tage Ablaß. Darüber hinaus verheißt das Heiligtumsbuch jedem, der vor den Altären betet, einen

spürbaren Ablaß. Es lohnt sich also zu jeder Zeit, in die Schloßkirche zu kommen. Dabei wird erwartet, daß die Ablaßsuchenden sich durch Spenden für das Allerheiligenstift dankbar erweisen. In den Jahren nach 1509 wächst diese Reliquiensammlung rasch an. 1518 sind es 17 443 und 1520 endlich 19 013 Partikel.

Friedrich der Weise will aber nicht nur die Zahl der Reliquien vermehren, sondern auch die Ablaßprivilegien. Am 1. Februar 1503 erhält er von Raimundo Peraudi einen Ablaß von 100 Tagen gewährt, der an fünf Tagen im Jahr erworben werden kann. Am Tage der Reliquienausstellung kann durch jedes Partikel 100 Tage und eine Quadragene – entspricht einer Bußstrafe von 40 Tagen – Ablaß erlangt werden. Damit begnügt sich der Kurfürst jedoch nicht. Im Zusammenhang mit dem Portiunculaablaß erreicht er, daß aufgrund der Bulle vom 8. April 1510 die Begrenzung der Beichte Hörenden und Absolution Erteilenden auf den Propst und acht Priester aufgehoben und die Beichtdauer von zwei Tagen vor und zwei Tagen nach dem Allerheiligentag auf acht Tage verlängert wird. Am selben Tage erwirbt er ein Ablaßprivileg für Messen und Prozessionen zu Marien- und Fronleichnamsfesten. Der Ablaß für die Reliquienausstellung am Montag nach Misericordias Domini wird auf sieben Jahre und sieben Quadragenen erhöht. Am 15. und 16. April 1513 werden für Besuch des Hauptaltars, Gottesdienstteilnahme und Spenden an neun bestimmten Tagen des Jahres 100 Tage Ablaß gewährt. Von 1512 bis 1516 werden Verhandlungen mit dem Ziel geführt, noch mehr Ablaß zu erlangen. Als der Text ausgehandelt ist, scheut der Kurfürst die Kosten.

Rom ist es nicht zu verdenken, daß es Geld für eine Ablaßgewährung haben will, die der Schloßkirche viel einzubringen verspricht. Wie von Anfang an die Politik den Reliquienkult und das Ablaßwesen des Allerheiligenstiftes gesteigert hat, so auch jetzt. Als Papst Leo X. den Kurfürsten für seine politischen Pläne zu gewinnen sucht, läßt er ihm 1519 den 1516 ausgehandelten Ablaß gegen relativ geringe Gebühren aushändigen, wobei er den gewährten Ablaß je Reliquienpartikel auf 100 Jahre, 100 Tage und 101 Quadragenen erhöht. Folglich wird der Gesamtablaß für die Ausstellung von 1520 auf 1 902 202 Jahre 270 Tage und 1 915 983 Quadragenen berechnet. Das ist eine ganz stattliche Zeit. Sie reicht aber noch nicht an die der Reliquiensammlung des Erzbischofs Albrecht von Mainz heran, der – ebenfalls 1520 – den Besuchern seiner Sammlung im Dom zu Halle 39 245 120 Jahre, 220 Tage und 6 540 000 Quadragenen Ablaß anbietet.

Friedrich der Weise sorgt zugleich dafür, daß sich die neuerbaute Schloßkirche mit Leben füllt. Die vor ihm gestifteten Messen werden weitergeführt.

30 -32 1506 stiftet er einen Marien- und Annenkult, der schließlich in dem 1510 bis 1512 angebauten kleinen Chor gefeiert wird. Täglich wird eine Marienmesse, dienstags außerdem eine Annenmesse gelesen. Weitere Stiftungen kommen hinzu, durch die auch die Zahl der Gedächtnismessen für die verstorbenen Fürsten wächst. Die größte Stiftung geschieht 1518. Für Mittwoch, Donnerstag, Sonnabend und Sonntag werden täglich vier neue Messen für acht verschiedene Altäre gestiftet. 1519 erfolgt die letzte Stiftung. Das Ergebnis ist eine kaum vorstellbare Vielfalt liturgischen Handelns. In der Schloßkirche finden jährlich 1 138 gesungene und 7 856 gelesene – zusammen also 8 994 – Messen statt. Außerdem werden die Stundengebete, und zwar die Mette, die Prim, die Sext, die Non, die Vesper und die Komplet täglich doppelt begangen. Dafür werden im Jahr 40 932 Kerzen aufgesteckt, das heißt 66 Zentner Wachs verbrannt, was 1 112 Gulden kostet. Mit den Stiftungen wächst notwendigerweise die Zahl der Mitglieder des Allerheiligenstiftes. 1520 sind es schließlich von den Stiftsherrn über die Vikare und Kapläne bis zu den Chorknaben 81 Personen, die von den Einkünften

des Stiftes leben und für die Durchführung der gestifteten Messen sorgen, außerdem aber zum Teil auch noch andere Aufgaben haben. Eine Kirche, in der so viele Messen gefeiert werden, ist für die mittelalterliche Frömmigkeit ein Heil versprechender Begräbnisort. Daher bestimmen die beiden Brüder die 33, 34, 17* Schloßkirche in Wittenberg zu ihrer Begräbniskirche.

Friedrich der Weise ist offensichtlich tief in der mittelalterlichen Frömmigkeit verwurzelt. Sie bewegt ihn dazu, 1493 die Mühen und die Unkosten einer Wallfahrt nach Jerusalem auf sich zu nehmen. Die Anschauung, die er dadurch vom Heiligen Land gewinnt, lenkt sein Interesse noch stärker auf Reliquien und die damit zusammenhängende Frömmigkeit. Sein Wille, in der Schloßkirche zu Wittenberg dieser ins Maßlose gesteigerten spätmittelalterlichen Frömmigkeit ein Zentrum zu errichten, treibt aus dem von den Askaniern vorbereiteten Boden in verhältnismäßig kurzer Zeit eine üppige Blüte dieser Art religiösen Lebens hervor.

## 2. *Die Gründung der Leucorea*

Neben diesem Zentrum der Frömmigkeit gründet Friedrich der Weise in Wittenberg ein Zentrum der Bildung, die Landesuniversität für das ernestinische Sachsen. Dabei vermischen sich spätmittelalterliche Elemente und die neuerwachenden humanistischen Anliegen ähnlich wie bei der Bauausführung und Ausstattung des Schlosses.

Im 12. Jahrhundert fangen Theologen an, ihr Überlieferungsgut bewußter mit Hilfe aristotelischer Wissenschaftsmethoden durchzuarbeiten. Neben ihnen greifen die Juristen auf das römische Recht zurück und bringen ihre Wissenschaft zur Blüte. Das führt am Anfang des 13. Jahrhunderts zur Bildung von Universitäten, deren Oberaufsicht dem Papst obliegt. Fortschreitend treten weltliche Mächte (Könige, Landesfürsten, Städte) als Gründer von Universitäten in den Vordergrund, die sich aber für ihre Gründungen die päpstliche Genehmigung und Bestätigung besorgen. Die außertheologischen Fächer gewinnen an Selbständigkeit und an Bedeutung. Friedrich der Weise führt diese Entwicklung weiter. Ihm liegt vor allem daran, für den Ausbau seiner Landesverwaltung fähige Juristen auszubilden. Er baut daher seine Universität nicht auf ein päpstliches, sondern auf ein kaiserliches Privileg auf. Am 6. Juli 1502 stellt Kaiser Maximilian I. die Gründungsurkunde für die Universität in Wittenberg aus. Am 18. Oktober desselben Jahres wird sie eröffnet. Da Wittenberg soviel wie Weißenberg bedeutet, erhält sie unter Verwendung der griechischen Wörter für «weiß» (leukós) und «Berg» (óros) den Namen «Leucorea».[41] Die päpstliche Bestätigung holt der Kurfürst noch nachträglich ein, damit das Studium in Wittenberg auch von den kirchlichen Stellen allgemein anerkannt wird.

Mittelalterlich ist es, daß die Leucorea einen Schutzheiligen, den heiligen Augustin, und daß außerdem noch jede Fakultät ihren eigenen Schutzheiligen erhält. Ganz der spätmittelalterlichen Gewohnheit entspricht es, die Rangordnung – und damit die Sitzordnung bei Zusammenkünften – genau festzulegen. An der Spitze steht die Theologische Fakultät, ihr folgen die Juristische und die Medizinische. Den Schluß bildet die Artistische Fakultät. Sie gilt als die niedere und unterrichtet in den Sieben Freien Künsten (Grammatik, Arithmetik, Geometrie, Musik, Astronomie, Dialektik und Rhetorik). Wer in einer der drei oberen Fakultäten studieren will, muß erst die Artistische Fakultät durchlaufen, da diese das Grundwissen vermittelt. Auf den Geist der neuen Zeit weist hingegen eine andere Bestimmung: Die poetae laureati, die gekrönten Dichter, werden den Graduierten der Artistischen Fakultät gleichgestellt. Außerdem sind für humanistische Lehrfächer Stellen vorgesehen. Die Dichter verkörpern den aufkommenden deutschen Humanismus, der sich auf neue Art mit der lateinischen Sprache beschäftigt, das Studium der griechischen und hebräischen Sprache in Gang bringt, sich besonders der Rhetorik, der Lehre von der richtigen Rede, widmet und mit Fleiß Gedichte verfaßt. Dabei müht er sich, die Menschen mit heidnischen und christlichen Schriften der Antike und der geistesverwandten Zeitgenossen bekanntzumachen. Die Bereitschaft des Kurfürsten, in der Bildungspolitik auf die Humanisten einzugehen, ist schon an der Wahl der beiden Männer sichtbar geworden, denen er die Vorbereitungen zur Eröffnung der Leucorea anvertraut hat. Sowohl der Leipziger Medizinprofessor Martin Pollich von Mellerstadt als auch der Prior des Münchener Augustinereremitenklosters Johannes von Staupitz sind Freunde der Humanisten. Tatsächlich werden Humanisten von den für sie günstigen Bedingungen angezogen. Kein Geringerer als Hermann von dem Busche hält die Eröffnungsrede. Er ist als Professor für Rhetorik gewonnen worden. Weitere Humanisten kommen herbei, selbst aus Italien. Trotzdem finden sie keine Wirkungsstätte auf die Dauer. Die Lehrpläne sind weitgehend noch die mittelalterlichen. So werden in der Theologischen Fakultät die drei großen Hauptrichtungen der Scholastik gelehrt: Thomismus, Scotismus und Ockhamismus. Dafür bedarf es keiner humanistischen Vorbildung. Die humanistischen Studien sind zwar ein Angebot für Interessenten, sie sind aber für das Gesamtstudium nicht notwendig.[42]

Das Entstehen der Universität lockt Drucker herbei,[43] die den Bedarf für den Studienbetrieb, vor allem für die humanistischen Studien, decken wollen. Noch im Gründungsjahr der Leucorea erscheint der erste Wittenberger Druck, bis 1517 werden es 113. Fünf Drucker sind in dieser Zeit in Wittenberg tätig. Hermann Trebelius bringt 1505 eine Einleitung in die griechische Grammatik, «Eisagōn prōs tōn grammatōn ’ellēnōn», heraus.

3*

CHRISTO · SACRVM ·
ILLe · DEI · VERBO · MAGNA · PIETATE · FAVEBAT ·
· PERPETVA · DIGNVS · POSTERITATE · COLI ·

D · FRIDR · DVCI · SAXON · S · R · IMP ·
ARCHIM · ELECTORI ·
· ALBERTVS · DVRER · NVR · FACIEBAT ·
B · M · F · V · V ·
· M · D · XXIIII ·

18
*Albrecht Dürer:*
*Kurfürst*
*Friedrich der Weise,*
*Kupferstich von 1524*
*mit dem Urteil:*
*«Er hat das*
*Wort Gottes mit*
*großer Frömmigkeit*
*gefördert,*
*so daß er würdig ist,*
*von der fortdauernden*
*Nachwelt verehrt*
*zu werden.»*
*(Dresden,*
*Kupferstich-Kabinett;*
*auch Lutherhalle)*

19
*Schloß vom Südwesten, erbaut von 1491 bis 1496,*
*seit 1819 zu einer Zitadelle umgebaut*

20
*Südliche Wendeltreppe des Schlosses*
*vom Ende des 15. Jh.*

A. Altar. B. Rudolphus als Fundator dieser Kirche. C. Ioannes Constans. Churfürst. D. Friderie. Sapiens
Churfürst beyde Statuen von Metall. E. wieder Ioannes Const. F. und Fridericus beyde in Kriegs Habit.
G. hier liegen beyde Churfürsten begraben. H. Catheder. I. das Bildnuß Lutheri. K. das Bildnuß Melanchl.
L. Cantzel. M. des Gouverneurs und Officierer Chor. N. die Bildnuß derer von der Reformation an
gewesenen Prediger. O. die große Kirch Thür. P. die Sacristey. Q. beyde Orgeln. R. Fürsten Chor.

Abbildung der Kirchen zu Wittenberg

In ihr fordert der Humanist die Theologen auf, Griechisch zu lernen, weil das Neue Testament griechisch geschrieben ist. Damit wird die Abkehr von der scholastischen Auslegungsmethode und die Hinwendung zu den biblischen Ursprachen vorbereitet. Die Frage ist nur, wer sie zu vollziehen vermag.

Den Anfang für eine Schloßbibliothek[44] legten bereits die Askanier. Friedrich der Weise vergrößert sie, ab 1512 läßt er sie systematisch zu einer Universitätsbibliothek ausbauen, um den Lehrenden und Lernenden die notwendigen Bücher zugänglich zu machen. Erster Bibliothekar wird sein Sekretär 37 Georg Spalatin. Er ist ein Schüler des Erfurter Humanisten Nikolaus Marschalk. Spalatin beschafft vor allem Werke, für die sich die Humanisten interessieren: philologische Arbeiten über die hebräische, griechische und lateinische Sprache, Werke antiker und humanistischer Schriftsteller sowie der Kirchenväter. Besonders müht er sich um die hervorragenden Drucke des Aldus Manutius in Venedig. So zeugt auch die Bibliothek der Leucorea von dem Willen, aus den humanistischen Strömungen zu schöpfen.

Es ist für den Kurfürsten keine geringe Aufgabe, den Lehrkörper für seine neue Universität zusammenzubringen und die Einkünfte für ihn zu sichern.[45] Er beschreitet den im Mittelalter üblichen Weg, indem er Klöster und kirchliche Einrichtungen heranzieht.

Die Franziskaner bekommen einen Lehrstuhl an der Theologischen Fakultät, den sie besetzen müssen. Friedrich der Weise hat sich um diese Bettelmönche von Anfang an gekümmert. Da ihre Lebensführung nicht mehr der Ordensregel entspricht, zwingt er sie 1489, die Gelübde strenger zu beachten. Er nötigt sie aber nicht nur zur Reform, sondern sorgt auch für die Erhaltung der Klostergebäude, die von 1492 bis 1499 instand gesetzt werden, wodurch auch die

Nordecke Wittenbergs verschönert wird. 1515 stiftet er der Klosterkirche ein Glasfenster.[46]

Die Augustinereremiten erhalten eine Professur für Bibelauslegung an der Theologischen und das Lektorat für Moralphilosophie an der Artistischen Fakultät. Johannes von Staupitz sichert als Mitbegründer der Leucorea ihren Besuch, indem er in Wittenberg ein Generalstudium der Augustinereremiten errichtet. Bereits im Sommer 1502 kommen 13 Angehörige dieses Ordens nach Wittenberg, wo sie erst einmal provisorisch untergebracht werden müssen. Daher wird die Gründung eines Augustinereremitenklosters ins Auge gefaßt. Der Orden erhält zu seinem Terminierhaus das Gelände des Armenhospitals am Elstertor, wofür er zusagen muß, das Hospital an anderer Stelle neu aufzubauen. Tatsächlich hat er schließlich 150 Gulden für das neue Gebäude gezahlt, das am Elbtor errichtet wird und 1516 bezogen werden kann. Der Orden übernimmt die Heilig-Geist-Kapelle mit den auf ihr liegenden liturgischen Verpflichtungen. Außerdem liest er zum Dank für das überlassene Gelände Gedächtnismessen für die Mitglieder der kurfürstlichen Familie. 1504 beginnt der Bau des Südflügels einer geschlossenen Klosteranlage. Doch bereits 1507/08 wird diese Konzeption umgestoßen und der angefangene Bau zu einem Konventshaus erweitert, in dessen erstem 9* Stock sich Hörsäle für die Universität befinden und darüber annähernd 40 Mönchszellen. In dem genannten Jahr unterstützt der Kurfürst diesen Bau mit 400 Gulden, was naheliegt, da die Universität Hörsäle gewinnt. Um die Heilig-Geist-Kapelle wird das Fundament für die Klosterkirche gelegt, die jedoch nicht zur Ausführung gelangt. Diese bescheidene Kapelle bleibt der gottesdienstliche Raum für die Wittenberger Augustinereremiten. Weil ihre Ordenstracht schwarz ist, wird das neu entstehende Kloster das «Schwarze Kloster» genannt.[47]

An Vorhandenes knüpft Friedrich der Weise an,

21
*Inneres der Schloßkirche vom Altar aus gesehen, Zeichnung um 1730 von Michael Adolf Siebenhaar (Lutherhalle)*

als er das Allerheiligenstift mit der Universität zusammenlegt,[48] wofür er mit der Bulle vom 20. Juni 1507 die päpstliche Bestätigung erlangt. Die Zahl der Stiftsherren wird von sieben auf zwölf erhöht. Sie alle erhalten Lehrverpflichtungen an der Leucorea. Außerdem hat der Archidiakonus in der Stiftskirche und der Kantor in der Stadtkirche zu predigen. Ursprünglich muß sich der Kantor um das liturgische und musikalische Geschehen in dem Gebiet seines Kapitels kümmern; inzwischen ist zwar der Titel geblieben, weil er mit bestimmten Einkünften verbunden ist, die Aufgaben aber haben sich verlagert. Da diese zwölf neben ihrer akademischen Tätigkeit nicht alle Verpflichtungen erfüllen können, die ihnen aus den Stiftungen erwachsen, erhält das Stift zunächst noch vier Vikare, einen Subkantor, sieben Kapläne und acht Chorschüler. Durch diese Zusammenlegung ist die Besoldung eines Teils der Lehrkräfte der Leucorea gesichert, da die Stiftsherren ihre Einkünfte aus dem Besitz des Allerheiligenstiftes erhalten. Der andere Teil – abgesehen von den Mönchen – muß aus der kurfürstlichen Kasse bezahlt werden. Die Schloßkirche aber erhält eine neue Aufgabe. Sie ist zugleich Universitätskirche. Aber nicht nur das. In ihrer Sakristei finden Wahlen für Ämter der Universität statt. Die Schloßkirche dient gleichfalls als Festsaal der Leucorea. Hier werden wichtige Disputationen abgehalten, so auch die Promotionsdisputationen der höheren Fakultäten. Am 16. September 1511 nimmt Johannes von Staupitz den Abschluß der feierlichen Doktorpromotion von drei Augustinereremiten in der Schloßkirche vor. Es ist anzunehmen, daß auch Luther am 19. Oktober 1512 hier promoviert wird. Für die Universitätsveranstaltungen werden zwei Katheder eingebaut. Da es üblich ist, Mitteilungen an die Kirchentür anzuschlagen, wird die Nordtür dieser Kirche zum Schwarzen Brett der Leucorea.[49]

Neben dem «Festsaal» muß der Kurfürst auch für Hörsäle und Studentenunterkünfte seiner Universität sorgen.[50] Kein Geringerer als Konrad Pflüger wird 1503 mit dem Entwurf eines Bauplanes für das erste, das Alte Kollegium beauftragt. Bald ist eine Erweiterung notwendig. Auf demselben Grundstück direkt an der Straße, die nach diesen Bauten die Bezeichnung «Collegienstraße» erhält, wird von 1509 bis 1511 das Neue Kollegium erbaut, nach seinem Bauherrn auch Fridericianum genannt. Im unteren Teil der Kollegien befinden sich die Hörsäle, in den Obergeschossen Kammern für die Studenten, die hier verpflegt und bei ihren Studien beaufsichtigt werden. Im Hof zwischen den beiden Kollegien liegt ein Brunnen. Außerdem entsteht gleich anfangs die Merkuriusburse in der Nähe eines Brunnens auf dem heutigen Holzmarkt, wo jetzt das «Hamlethaus» steht (Collegienstraße 12-13). Es wird auch eine Brunnenburse genannt. Da die hier erwähnten Studentenunterkünfte alle einen Brunnen in der Nähe haben, ist es nicht sicher, welche gemeint ist. Herzog Johann errichtet gegenüber der Stelle, wo jetzt die Dr.-Wilhelm-Külz-Straße auf die Mittelstraße stößt, zur Erinnerung an seine 1503 verstorbene Gemahlin die Sophienburse. In ihr wohnen nicht nur Studenten, sondern es werden darin auch Vorlesungen der Juristischen Fakultät gehalten, bis diese 1511 in das Neue Kollegium verlegt werden. An der Nordfront beider Bursen fließt offen der Faule Bach vorüber. Er und der durch die Jüdenstraße fließende Riche Bach sind schon in der Zeit der Askanier in die Stadt geleitet worden, um die Mühle gegenüber dem Nordflügel des Schlosses anzutreiben.

Aber der Kurfürst braucht nicht für alle Unterkünfte der Universitätsangehörigen zu sorgen. Der Zuzug der Professoren und Studenten ermöglicht der Stadt nach dem Schloßbau einen weiteren wirtschaftlichen Aufschwung. Sie unterstützt daher die Universitätsgründung und stattet das Beichthaus beim Franziskanerkloster aus, so daß die Artistische Fa-

kultät es als Lectorium benutzen kann. Die Stadtkirche erhält neues Gestühl, denn bis zur Fertigstel-
lung der Schloßkirche wird sie für die Feierlichkeiten
der Leucorea verwendet. Aber auch nachdem die
Universität in die Schloßkirche umgezogen ist, wächst
die Zahl der Predigthörer. Daher werden im Jahre
1516 Emporen in die Stadtkirche eingebaut. Außerhalb der Kirchenmauern und neben den kurfürstlichen Bauten bewirkt das Entstehen der Leucorea
ebenfalls eine bauliche Umgestaltung der Stadt. Da
die Bursen zunächst im Bau sind und auch später
nicht alle Studenten fassen können, wohnt ein Teil
von ihnen bei den Wittenberger Bürgern. 1504 wird
verfügt, daß jeder, der in Wittenberg ein unbebau-
tes Grundstück besitzt oder ererbt, es innerhalb eines
Jahres bebauen soll. Es gibt genug Bürger, die in
Erwartung von Einkünften durch die Universität ihr
Geld in Neubauten anlegen wollen. Damit löst die
Leucorea die erste Wittenberger Bauwelle des
16. Jahrhunderts aus. Es werden nicht nur leere
Grundstücke bebaut, sondern die Häuser der Handwerker, aber auch der Kaufleute, werden aufge-
stockt, oder es werden Neben- und Hinterhäuser errichtet. Die Professoren richten sich gleichfalls darauf ein, Studenten in ihre Häuser aufzunehmen. Bei
diesen Bauten bedient man sich neuer Gestaltungs-
mittel. Die Fenster und Türen werden mit Sandsteinen gefaßt, die kunstvoll behauen sind. So erhalten – angeregt durch die Universitätsgründung – sowohl das Stadtbild als auch der Schmuck der Häuser
ein ganz anderes Aussehen.

### 3. Die Malerwerkstatt Lucas Cranach

Friedrich der Weise baut Wittenberg aber nicht
nur zu einem Zentrum für die spätmittelalterliche
Frömmigkeit (Schloßkirche) und die Bildung (Leucorea), sondern auch für die Kunst aus. Diese Absicht ist uns schon bei der Ausstattung seines Schlos-

ses und der Schloßkirche deutlich geworden. Wie ein
Renaissancefürst nimmt er Lobgedichte der Humanisten entgegen, ermuntert sie und zieht sie nach
Wittenberg, ohne daß aber ein berühmter literarischer Kreis entsteht, der mit dem Dichterkreis um
Eobanus Hessus in Erfurt vergleichbar wäre. Eine
glücklichere Hand hat er mit der darstellenden Kunst.
1504 beruft er den Maler Lucas Cranach d. Ä. als
Hofmaler.[51] Dieser läßt sich 1505 in Wittenberg
nieder. Er entwickelt sich zu einem der bedeutendsten Künstler in der ersten Hälfte des 16. Jahrhunderts neben Albrecht Dürer. Er zieht viele Maler,
aber auch andere Künstler an, die von ihm lernen
wollen und bei ihm arbeiten. Cranach nutzt geschickt die Möglichkeit, die sich ihm dadurch bietet.
Er baut eine große Werkstatt auf, die Aufträge aller
Art ausführt, vom Ausmalen von Räumen über gute
Gebrauchskunst bis zu künstlerisch hochwertigen
Werken. Es entstehen Altarbilder mit den im Mittelalter üblichen Heiligenlegenden oder mit Maria und
dem Christuskind. Eine Tafel veranschaulicht «Die
Zehn Gebote». Ein Engel beziehungsweise ein Teufel zeigt an, ob die Handelnden von einer guten oder
einer bösen Macht getrieben werden. Ein Regenbo-
gen, der sich über das ganze Bild spannt, erinnert an
den ersten Bund Gottes mit den Menschen, an den
Noahbund (1. Mose 9, 1–17), während die Zehn Gebote den Inhalt des zweiten, des Sinaibundes bilden
(2. Mose 20, 1–17). Sind die Stoffe auch mittelalterlich, läßt die Ausführung doch den neuen Geist der
Renaissance ahnen. Oft sind die Gesichter ausdrucks-
voll gestaltet. Das Interesse für die Eigenheiten des
einzelnen Menschen und das Streben, Menschen,
Tiere und Pflanzen naturgetreu abzubilden, wird
spürbar. So scheut sich Cranach nicht, auf dem
Dresdener Katharinenaltar von 1506 Zeitgenossen in
die Legendenszene hineinzustellen, während er im
Vordergrund die Pflanzen sorgfältig ausführt. Diese
Malweise läßt ihn zum begehrten Porträtmaler wer-

den, noch ehe er in Wittenberg anlangt. Er ist mit den Humanisten befreundet und läßt sich von ihnen zum Malen antiker Stoffe anregen, so daß auch im Gegenstand die Verbindung zur Renaissance deutlich wird. Durch seine künstlerischen Fähigkeiten und sein organisatorisches Geschick wird Wittenberg zu einem Mittelpunkt der Kunst, so daß es neben Nürnberg genannt werden kann.

Dabei ist Cranach auch ökonomisch sehr erfolgreich und steigt zu einem der reichsten Bürger der Stadt auf. Er erwirbt das Grundstück an der Ecke von Schloßstraße und Elbstraße (Schloßstraße 1), reißt das vorhandene Gebäude ab und beginnt 1512, ein stattliches, die anderen Häuser überragendes Gebäude aufzurichten, das 84 heizbare Stuben und 16 Küchen enthält. Es ist das größte Privathaus Wittenbergs bis in die Gegenwart geblieben und wird Cranachhaus genannt. Hier hat er genug Platz für seine Werkstatt und seine Mitarbeiter. Darüber hinaus vermag er Gäste zu beherbergen. Dieses Grundstück ist aber nicht sein einziger Grundbesitz. 1528 hat er vier Häuser, zwei Hufen Land, «die Breite», einen Hof mit Garten vor dem Elstertor, einen zweiten Garten und zwei weitere bescheidenere Häuser. Sein Reichtum läßt ihn 1519 Ratsherr und 1537 Bürgermeister werden. Sein Vermögen hat er sich nicht nur ermalt, sondern zum großen Teil als Kaufmann zusammengebracht. Cranach handelt mit Sandsteinen, Farben, Gewürzen und vor allem mit Wein. 1520 erwirbt er von den Erben des Martin Pollich von Mellerstadt das Apothekenprivileg. Dadurch erhält er ein Monopol, das er auszunutzen versteht. Diese Apotheke betreibt er im Hause Schloßstraße 1,[52] wohin sie 1799 zurückverlegt wird, nachdem sie seit 1547 im Haus Markt 4 betrieben worden ist. Es gibt nichts, was Cranach nicht zu beschaffen vermag, und sei es – wie 1522 – eine Nachtigall. So bringt er neben seiner Kunst eine neue, größer angelegte Handelsform nach Wittenberg.

16*

*Inneres der Schloßkirche vor der Zerstörung von 1760, Kupferstich von Johann David Schleuen nach einer Zeichnung von Christian Gottlieb Gilling (Christian Siegismund Georgi: Wittenbergische Klage-Geschichte, ... Wittenberg 1761, Taf. 3)*

1 Altar von Lucas Cranach d. Ä. (Seite 47)
2 Grabplatte für Rudolf II. und seine Gemahlin (Abb. 1)
3 Bronzeepitaph für Friedrich den Weisen (Abb. 33)
4 Ehrentafel für dens.
5 Tafel zur Reise dess. ins Heilige Land
6 Marmorstatue dess.
7 Bronzeepitaph für Johann den Beständigen
8 Ehrentafel für dens.
9 Marmorstatue dess. (Abb. 34)
10 Grab dess.
11 Rektorkatheder
12 Kirchenstände für die Solennitäten der drei hohen Fakultäten
13 Epitaph für Gebhard Christian Bastineller
14 Lucas Cranach d. J.: Martin Luther, Gemälde
15 Ehrentafel für Luther
16 Holztafel mit predigendem Luther
17 Wappen dess.
18 Grab dess. (Abb. 99)
19 Marmortafel mit acht Passionsbildern
20 Beamtenempore
21 Steinkanzel, auf der Luther predigte
22 Epitaph für Balthasar Meißner
23 Bildnisse von neun Theologieprofessoren
24 Ecce homo, Gemälde
25 Bronzeepitaph für Henning Göde (Abb. 52)
26 Epitaph für Petrus Lupinus
27 Albrecht Dürer: Gefangennahme Jesu, Gemälde
28 Albrecht Dürer: Geburt Jesu, Flügelaltar
29 Sakristeitür
30 Christus erscheint den Emmausjüngern (Luk. 24, 13–35), Maria Magdalena (Joh. 20, 11–18) und dem Apostel Thomas (Joh. 20, 24 bis 31), Gemälde
31 Flügelaltar mit Mariendarstellungen
32 Fegefeuer, Gemälde
33 Epitaph für Caspar von Wettin
34 Vertreibung aus dem Paradies (1. Mose 3, 23 f.), Gemälde
35 Untere Empore
36 Epitaph für Conrad Victor Schneider
37 für Johann Gottfried Krause
38 für Michael Walther
39 für Caspar Ziegler
40 für Abraham Vater
41 Mittlere Empore
42 Orgel
43 Obere Empore
44 Fürstenchor
45 einziger Pfeiler
46 Epitaph für Johann Deutschmann
47 für Daniel Sennert
48 Doktorkatheder, auf dem die Doktoren der hohen Fakultäten promoviert wurden
49 Orgel
50 Epitaph für Georg Major
51 für Christian Friedrich Zeibich
52 Prinzenchor mit 16 Wappen
53 Epitaph für Gottfried Strauß
54 für Sebastian von Walwitz
55 zwei Walrippen
56 Lucas Cranach d. J.: Luther und Melanchthon, Gemälde
57 Jägerhorn
58 Epitaph für Hanns Hundt
59 Thesentür
60 Lucas Cranach d. J.: Philipp Melanchthon, Gemälde
61 Ehrentafel für dens.
62 Länge Christi, die Friedrich der Weise im Grab Christi genommen hat
63 Kirchenstände der Philosophischen Fakultät
64 Kirchenstühle

*23, 24 (folgende Seiten)*
*Albrecht Dürer: Die Sieben Schmerzen Mariä, Gemälde von 1495 (Dresden, Gemäldegalerie Alte Meister – ursprünglich Schloßkirche Wittenberg) Maria auf der Flucht nach Ägypten (Ausschnitt aus «Die Sieben Schmerzen Mariä»)*

Tab. III.

25
*Albrecht Dürer: Dresdner Altar, Gemälde von 1496*
*(Dresden, Gemäldegalerie Alte Meister – ursprünglich Schloßkirche Wittenberg)*

26

*Albrecht Dürer: Anbetung der Heiligen Drei Könige, Gemälde von 1504*
*(Florenz, Uffizien – ursprünglich Schloßkirche Wittenberg)*

27
Lucas Cranach d. Ä.:
Das Martyrium der heiligen Katharina
mit Veste Coburg,
Gemälde von 1506
(Dresden, Gemäldegalerie Alte Meister –
ursprünglich Schloßkirche Wittenberg)

28
Lucas Cranach d. Ä.: Die heilige Barbara (Kelch und Hostie), Ursula (Pfeil)
und Margarethe (Drachen und Kreuz) (linker Flügel des Katharinenaltars)
29
Lucas Cranach d. Ä.: Die heilige Dorothea (Christuskind mit Rosen),
Agnes (Lamm) und Kunigunde (Pflugeisen)
(rechter Flügel des Katharinenaltars)

30 (folgende Seite)
*Lucas Cranach d. Ä.: Fürstenaltar, Maria mit dem Christuskind, das sich mit der heiligen Katharina verlobt (Ring),*
*anbetend die heilige Barbara (Kelch und Hostie), Gemälde um 1510 bis 1512*
*(Dessau, Gotisches Haus Wörlitz – ursprünglich Schloßkirche Wittenberg)*
31, 32 (übernächste Seite links und rechts)
*Lucas Cranach d. Ä.: Friedrich der Weise mit dem Apostel Bartholomäus (Messer) (linker Flügel des Fürstenaltars)*
*Lucas Cranach d. Ä.: Johann der Beständige mit dem Apostel Jakobus d. Ä. (als Pilger) (rechter Flügel des Fürstenaltars)*

33
Peter Vischer d. J.:
Bronzeepitaph für
Friedrich den Weisen
von 1527, Meisterstück
des Künstlers.
Es wird von zwei Put-
ten bekrönt, die ein
Rundschild mit dem
Wahlspruch der
kurfürstlichen Brüder
halten: «Das Wort
des Herrn bleibt in
Ewigkeit.»
Dabei wird auf
Jes. 40, 8 verwiesen,
obgleich die latei-
nische Textform mehr
1. Petr. 1, 25 entspricht
(Schloßkirche)

34
Johann
der Beständige,
Marmorstatue
aus Süddeutschland
von 1519/1520
(Schloßkirche –
ursprünglich zum
Altar gewandt)

## 4. Die soziale Struktur

Die Stadt ist von der im 15. Jahrhundert verstärkten Befestigung umgeben. Vor dem Coswiger Tor liegt die Neustadt, die vorwiegend von Fischern bewohnt wird. Im Norden vor der Mauer, in der Grünen Straße, wohnen 13 Kossäten mit ihren Familien. Diese beiden Ansiedlungen unterstehen dem kurfürstlichen Amt Wittenberg, doch einige Wittenberger Bürger haben dort Besitz. Vor dem Elstertor, in der Nikolausstraße und in der Sandstraße (ihre Lage zu heutigen Straßen siehe Seite 224 f.) befinden sich 26 Grundstücke, die zur Stadt gehören. Die drei Tore sind so ausgebaut, daß sie als Gefängnis verwendet werden können. Im Coswiger Tor werden «unsinnige Leute» eingesperrt. Die Stadt wird Tag und Nacht bewacht. Die Wächter stehen auf den Tortürmen, den sieben weiteren Mauertürmen und dem Kirchturm. Die Bürger sind zu diesem Wachtdienst verpflichtet. Sie versuchen ihre Verpflichtung durch ein Wächtergeld oder einen Ersatzmann abzulösen. 1512 stellt die Stadt fünf besoldete «Scharwärter» ein. Dagegen können die Bürger nicht ihre Verpflichtungen zur Verteidigung und zur Heeresfolge ablösen. Die Grundstückbesitzer sind in Brauerben, Budelinge und Vorstädter eingeteilt. Die Brauerben haben eigenes Braurecht und müssen für jedes Gebräu 20 Groschen Steuern bezahlen. Davon erhält der Kurfürst drei Viertel, die Stadt ein Viertel. Jeder Brauerbe muß einen Brust- und einen Rückenharnisch, eine Sturmhaube und eine Schiene für den linken Arm besitzen. Außerdem muß er einen langen Spieß, eine Hellebarde oder eine Büchse sowie einen langen Degen haben. Von den Kossäten und Vorstädtern wird verlangt, daß sie zu dritt oder zu viert eine solche Ausrüstung besitzen. Daneben

35

hat die Stadt 100 Harnische sowie Heerwagen, die im Zeughaus aufbewahrt werden. Dieses befindet sich im Marstall, der in den Jahren 1514 bis 1515 in der Neuen Gasse errichtet wird und ihr den Namen «Marstallstraße» gibt. Auf den Türmen werden Schußwaffen und Munition bereitgehalten.[53]

Wittenberg ist in vier Stadtviertel eingeteilt, die nach ihren Hauptstraßen benannt sind: Coswiger Viertel, Markt-, Jüden- und Elsterviertel. Jedes Viertel wählt zehn Vertreter, die vor dem Rat der Stadt die gesamte Gemeinde vertreten. An der Spitze eines jeden Viertels steht ein Viertelsmeister. Der Rat selbst besteht aus acht Mitgliedern, die von den Vermögendsten gestellt werden. Da die Fleischer, die zu den vier bevorzugten Gewerken gehören, die ärmsten unter ihnen sind, stellen sie keine Ratsmitglieder. Der Rat leitet die Stadt mit einer relativen Selbständigkeit.

1513 hat Wittenberg mit den 26 Vorstädtern 382 Häuser, in denen ohne die Bewohner des Schlosses und ohne die Studenten etwa 2100 Einwohner leben. Einige davon sind Ritter, das heißt von Adel, ein großer Teil von ihnen Kaufleute oder Handwerker. 1541 kommen auf 438 Häuser 97 Gewandschneider, Schuster, Tuchmacher, Fleischer und Bäcker. Von den anderen Handwerkern fehlen die Unterlagen. Außerdem gibt es 40 Händler. Ein Fünftel der Bewohner zählt zu den Dienstboten. Daneben wird noch Landwirtschaft betrieben. 50 Hufen werden von Wittenberger Bürgern bearbeitet. Im Schloß befindet sich die Verwaltung des Amtes Wittenberg, 1456 besteht sie mit zwei Schweinemägden und den Torwächtern aus 18 Personen. Neu entsteht die Gemeinschaft der Universitätsangehörigen. Ihre Zahl steigt auf 44 Professoren. Da unter ihnen viele Theologen und diese steuerfrei sind, zahlen auch die anderen keine Abgaben. Damit sie der Stadt nicht zuviel Einkommen entziehen, wird ausdrücklich festgelegt, daß sie nur ein Freihaus besitzen dürfen.[54] Gleichmäßig über die Stadt ist der geistliche Stand verteilt. Am Westeingang residiert das Allerheiligenstift mit seiner wachsenden Zahl von Mitgliedern, am Ostausgang bauen die Augustinereremiten ihr Kloster. In der Nordecke befindet sich das Kloster der Franziskaner, an der Nordwestseite die Kapelle der Antoniter. In der Stadtmitte aber üben die Geistlichen der Stadtkirche ihren Dienst aus. An ihr gibt es einen Prädikanten, das heißt einen Prediger. Da aufgrund ungenügender Vorbildung viele Priester und Vikare den wachsenden Ansprüchen der Predigthörer im ausgehenden Mittelalter nicht genügen, werden durch Stiftungen oder den Rat der Stadt zusätzlich ausgesprochene Predigtstellen geschaffen, um redegewandte Theologen anstellen zu können.

Große soziale Gegensätze und daraus entspringende innerstädtische Machtkämpfe, wie sie aus einer ganzen Anzahl anderer Orte, besonders den großen Handelsstädten, bekannt sind, gibt es in Wittenberg nicht. Eine Untersuchung der Vermögensverhältnisse von 1542 ergibt, daß 49 Prozent der Bürger ein mittleres, 43,2 Prozent ein kleines und 7,8 Prozent ein größeres Vermögen haben. Als Luther nach Wittenberg kommt, sind die Unterschiede eher noch geringer.

Der große Anteil des in Zünften und Bruderschaften unterteilten Handwerks zeigt an, daß Wittenberg über den Status einer Ackerbürgerschaft hinausgewachsen ist. Der Jahrmarkt findet im Frühjahr Montag nach Misericordias Domini – wenn die Reliquienausstellung viele herbeilockt – und im Herbst Montag nach Galli (16. Oktober) statt. Handwerk und Handel decken den Bedarf der Stadt und ihrer Umgebung, aber sie betreiben keinen Export. Der Handel beschafft zwar Tuche aus Flandern und England sowie Gewürze aus anderen Kontinenten, aber er ist keine Drehscheibe für den Fernhandel. So kann Wittenberg in bezug auf seine Wirtschaft als Lokalgewerbestadt bezeichnet werden.[55]

Ist Wittenberg, als Luther es erstmals betritt, eine

bedeutende oder eine bescheidene Stadt? Die Antwort auf diese viel erörterte Frage ist schon im 16. Jahrhundert strittig.

Da es in Wittenberg Humanisten gibt, fehlt es auch nicht an Männern, die diese Stadt loben. Auf Hermann von dem Busche folgt Nikolaus Marschalk am 18. Januar 1503, als die ersten Bakkalaurei promoviert werden. 1506 muß die Leucorea wegen der Pest vom 4. Juli bis zum 9. Dezember nach Herzberg verlegt werden. Das ist eine große Gefährdung für die neuentstandene Universität, zumal der Kurfürst von Brandenburg im selben Jahr in Frankfurt (Oder) ein Konkurrenzunternehmen eröffnet. Daher erhält der Humanist Andreas Meinhardi den Auftrag, eine Werbeschrift für die Leucorea und Wittenberg zu verfassen. Sie wird 1507 in der Form eines Dialoges geschrieben und rühmt das Fürstenhaus, die Lehrer der aufblühenden Universität und den Hofstaat, die Schloßkirche mit ihren Reliquien und Ablässen, das Schloß mit seiner Innenausstattung und das studentische Leben, zum Schluß noch die Stadt, durch die der Verfasser seinen Gesprächspartner führt. Nach seinen Worten ist Rom nach Wittenberg versetzt worden. Als Christoph Scheurl, ein bedeutender Jurist, am 1. Mai 1507 sein Rektorat antritt, preist er die Leucorea. Vor allem hebt er hervor, daß ein Student in Wittenberg im Jahr mit acht Gulden auskommt. Neben solchen Lobreden stehen weniger günstige Äußerungen, die nicht nur von den Gegnern der Reformation stammen. So nimmt Luther den Ausspruch des Valentin Mellerstadt auf, Wittenberg sei nur eine «schindeleich», das heißt ein Ort, an dem verendeten Tieren die Haut abgezogen und ihre Kadaver vergraben werden.[56]

Die Antwort auf die Frage nach der Größe Wittenbergs hängt naturgemäß davon ab, womit es verglichen wird. Gerechterweise muß Wittenberg mit der Gesamtheit der damaligen deutschen Städte und nicht nur mit den alle überragenden «Großstädten»

74

in Beziehung gesetzt werden. Wir betrachten daher zunächst die Verhältnisse in dem Gebiet südlich von Wittenberg, das ungefähr dem Königreich Sachsen von 1815 bis 1918 und heute der sächsischen Landeskirche ohne die Lausitz entspricht und im 16. Jahrhundert ein Drittel des Herrschaftsbereiches der Wettiner ausmacht.[57] Zum Vergleich müssen wir die Mitte des 16. Jahrhunderts wählen, weil erst die Unterlagen für die Türkensteuer von 1551 gutes Zahlenmaterial liefern. Wittenberg wird für diese Zeit mit 2453 Einwohnern ohne Studenten und Schloßbewohner veranschlagt. In dem genannten Gebiet gibt es 109 Städte, von denen nur fünf bedeutend mehr Einwohner als Wittenberg haben (Leipzig 6500, Dresden 5700, Freiberg 5100, Annaberg [1530] 4700, Zwickau [1561] 3200). Fünf Städte haben zwischen 2000 und 3000 Einwohner. Meißen und Pirna haben etwa soviel wie Wittenberg, Oschatz weniger (2100), Chemnitz – heute Karl-Marx-Stadt – (2900) und Großenhain (2700) mehr. 16 Städte haben zwischen 1000 und 2000, 28 zwischen 500 und 1000 sowie 55 unter 500. 101 dieser Städte sind also kleiner, 83 von ihnen nicht einmal halb so groß wie Wittenberg. Das entspricht der allgemeinen Größenverteilung mittelalterlicher Städte. Nur die führenden Städte haben über 20000 Einwohner, die Großstädte zählen ab 10000. Die Mittelstädte haben 2000 bis 10000, die Kleinstädte 500 bis 2000, die Zwergstädte unter 500 Einwohner. Die Städte mit weniger als 2000 Einwohnern machen 90 bis 95 Prozent aller mittelalterlichen Städte aus. Wittenberg muß also zu den mittelalterlichen Mittelstädten gezählt werden und gehört zu den oberen 10 Prozent der Städte. Es kann sich in seiner Umgebung, aber auch neben dem weitaus größten Teil der deutschen Städte sehen lassen, zumal es sich durch den Ausbau unter Friedrich dem Weisen kräftig entwickelt.

Andererseits hat Wittenberg keine überragende politische oder kulturelle Vergangenheit und demzufolge auch nur wenige beachtenswerte Bauwerke. Es steht in einer dürftigen, sandigen Landschaft. So muß Wittenberg auf diejenigen bescheiden wirken, die zum Beispiel aus Städten der Reichstagsversammlungen kommen. Für Luther selbst ist Wittenberg wohl die kleinste Stadt, in der er gewohnt hat. Eisleben ist vielleicht doppelt so groß, Mansfeld etwa so groß wie Wittenberg. Magdeburg zählt zu den führenden Städten, Eisenach hat um 1550 etwa 4500 Einwohner. Erfurt prägt seit 1501 am stärksten Luthers Vorstellung von einer Stadt. Es hat im Jahre 1511 16117 Einwohner! Unter diesen Umständen kann die Stadt Wittenberg keinen großen Eindruck auf Luther machen, als er sie 1508 – von Erfurt kommend – betritt. Und dieser für Wittenberg ungünstige Vergleich mit Erfurt bestimmt Luthers Urteil über seine Wirkungsstätte sein ganzes Leben hindurch. 1532 behauptet er, nachdem er charakteristischerweise von Erfurt gesprochen hat, die Wittenberger wohnten am Rande der städtischen Kultur. Wären sie nur ein wenig weiter gezogen, wären sie in ganz ungebildetes Land geraten.[58]

## 5. Die Lebensverhältnisse der Bauern

Nachdem es den leibeigenen Bauern im Hochmittelalter weitgehend gelungen ist, ihre Verpflichtungen in Abgaben umzuwandeln oder sich freizukaufen, versuchen die Feudalherren im 15. Jahrhundert, sie in neue Abhängigkeit zu bringen. Das geschieht in den einzelnen Gebieten von seiten der verschiedenen Herren auf unterschiedliche Weise. In den südwestdeutschen Territorien erhöhen die Territorialherren Abgaben und Steuern. Sie zwingen Dörfer, Kirchen und Klöster, ihnen Darlehen zu geben, die deren Einwohner beziehungsweise Untergeordnete aufbringen müssen. Die kleineren Grundherren versuchen, die Leibeigenschaft zu erneuern, wodurch die Bauern fest an sie gebunden werden. Vielerorts entziehen die feudalen Grundherren den Bauern Allmenden, das heißt den Gemeinbesitz an Wiesen, Wäldern und Mooren. Es werden ihnen dadurch Möglichkeiten zum Weiden, Jagen, Fischen und Holzfällen genommen. Im mitteldeutschen Raum dehnen die Landes- und Grundherren ihre Eigenwirtschaft aus, in Brandenburg und Preußen werden die Bauern, vor allem seit dem 16. Jahrhundert, in Abhängigkeit bis zur (zweiten) Leibeigenschaft gebracht. Die Bauern aber versuchen seit dem ausgehenden 15. Jahrhundert, sich von der wachsenden Unterdrückung zu befreien. Nach einzelnen, räumlich begrenzten Aufständen erreicht die bäuerliche Oppositionsbewegung im Deutschen Bauernkrieg von 1524 bis 1526 ihre größte Breitenwirkung und ihren Höhepunkt.

Im Amt Wittenberg gibt es zunächst die freien Bauerngüter. Sie entstehen meist aus den Gütern der Dorfschulzen. Sie sind von dem Hufen- und oft auch vom Hofzins sowie vom Frondienst befreit. Bei der Übernahme eines solchen Gutes muß zum Teil an den Kurfürsten eine Geldsumme entrichtet werden. Zu diesen Gütern zählen auch diejenigen, deren Ertrag für die Besoldung eines Pfarrers oder die Erhaltung kirchlicher Gebäude bestimmt ist.

Die Hufner dagegen haben zunächst Getreide abzugeben. Die Höhe unterscheidet sich nach der Beschaffenheit der Felder in den einzelnen Dörfern. Zu diesem Hufenzins kommt der Hofzins. Er besteht vor allem in Hühnern. In Pratau geben die Hufner 12 bis 23 Hühner je Jahr. Manchmal wird anstelle der Natural- eine Geldabgabe festgesetzt, was der allgemeinen Entwicklung entspricht. Außerdem haben die Hufner Spanndienste zu leisten, sich also mit ihren Zugtieren zur Verfügung zu stellen. Dieser Dienst scheint aus der anfänglichen Verpflichtung entstanden zu sein, die Burg des Burgwardgebietes mit Proviant zu versorgen und ihre Befestigung zu erhalten, diente sie doch den Siedlern selbst als Zu-

flucht. Jetzt haben sie das Schloß zu versorgen: Baumaterial herbeizuschaffen und Brennholz für die Küche anzufahren. Aber auch Getreidetransporte werden von ihnen verlangt, um die kursächsischen Ämter gleichmäßig mit Brotgetreide zu versorgen. Hinzu kommt noch die Bewirtschaftung der landesherrlichen Vorwerke in Pratau und Bleesen. Die Hufner müssen pflügen, Dung fahren, Getreide und Heu einbringen. Verspürt die Herrschaft Lust zum Jagen, sind die Jagdnetze zu transportieren. Manche Hufner sind zwar vom Spanndienst befreit, haben sich aber dafür als Treiber an der Jagd zu beteiligen oder in Wittenberg das Bier aus der Brauerei in den Schloßkeller umzulagern. Als das etwa 18 km entfernte Amt Trebitz zwischen 1480 und 1486 aufgelöst wird, kommt für diejenigen, die ihren Spanndienst dort geleistet haben, die verlängerte Anfahrt nach Wittenberg als erhebliche Belastung hinzu. Weitere Frondienste sind Dung streuen, Hafer mähen und zu Garben binden sowie das Getreide in den Lagerräumen umschaufeln. Beköstigen müssen sich die Fronenden meist selbst.

Die Kossäten, die kaum Landbesitz haben, müssen einen Hofzins zahlen – im wesentlichen in Form von Hühnern oder Geld – und Frondienste leisten. Diese sind nicht wie bei den Hufnern im einzelnen festgelegt, was vermuten läßt, daß sie nach Bedarf herangezogen werden.

Hinzu kommen Steuerverpflichtungen. Zunächst haben die Bauern eine Gemeindeabgabe aufzubringen. An den Kurfürsten ist das Geschoß zu entrichten, eine zu Michaelis (29. September) fällige Steuer. Daneben gibt es für einzelne Gemeinden noch Getreide-, Fleisch-, Eier-, Mohn-, Flachs-, Hirse- und Haselnußabgaben. In dem Amt Zahna, das zwischen 1486 und 1490 zum Amt Wittenberg geschlagen worden ist, zahlen fast alle Dörfer einen Zehnten: von jedem Fohlen und Kalb einen Pfennig; von 6 bis 13 Ferkeln eins, ab 14 zwei; zu Walpurgis

(1. Mai) von 6 bis 13 Lämmern eins, von 14 bis 17 zwei, von 18 drei; zum Margaretentag (13. Juli) dasselbe von den Gänsen. Von dem Fohlen- und Kälbergeld sowie den Lämmern und Gänsen erhält der Pfarrer ein Drittel. In manchen Dörfern erhalten der Pfarrer und der Küster von den einzelnen oder aus den Gemeindeabgaben Getreide für ihren Dienst.

Zu den öffentlichen Lasten gehört die Pflicht zur Landesverteidigung. Die Bauern müssen für ihre eigene Bewaffnung sorgen. Dem Amt Wittenberg unterstehen im Jahre 1513 389 Hufner und 187 Kossäten in 51 Gemeinden. Sie haben 47 neue Harnische, 20 Rückenharnische, 47 alte Eisenhüte und 6 Sturmhauben. Als Waffen stehen ihnen 87 Hellebarden, 424 lange und 11 halbe Spieße sowie 59 Handbüchsen zur Verfügung. Außerdem hat jeder Bauer einen langen Degen oder ein Messer. Darüber hinaus müssen sie 6 Heerwagen stellen, die mit Gerät und Proviant zu beladen sind.

Die Hufner, die im Amt Wittenberg mehr als zwei Drittel der Bauern ausmachen, sind vor landesherrlicher Willkür sicher. Die einzelnen Dienste sind für jedes Dorf genau festgelegt. So stehen sie sich im Verhältnis zu den Bauern in Südwestdeutschland günstig. Trotzdem kann nicht übersehen werden, daß auch ihre Lasten durch den Schloßbau sowie die Vergrößerung der Wirtschaft im Schloß und auf den Do-

mänen im ausgehenden 15. Jahrhundert wachsen. Hier ist entscheidend, in welcher Form der Dienst eingefordert wird. Der Bösewiger Gemeinde wird zugesagt, daß sie nach Möglichkeit von Diensten verschont bleiben soll, weil sie durch eine Elbüberschwemmung großen Schaden erlitten hat. Die Hufner von Seegrehna werden durch ein Gespann vom Schloß unterstützt. Ebenso helfen die Gespanne des Schlosses bei der Anfuhr des Küchenholzes. So kann in Wittenberg der Eindruck entstehen, daß übermäßige Belastungen der Bauern durch Verhandlungen beseitigt werden können.

Zu einer Erhebung der Bauern kommt es um Wittenberg 1521 unter der Führung von Veit Rehayn, einem ehemaligen Brauknecht aus Wartenburg. Er läßt die Viehherden der Leucorea von der Melzwinger Weide wegtreiben und verkaufen. Danach führt Veit die Froner von Wartenburg und Listerfehrda gegen ihren und seinen ehemaligen Herrn Sigismund von List an. Schließlich greift der Kurfürst ein und schlägt diese Erhebung am 12. Oktober 1521 mit Gewalt nieder. Weitere Aktionen der Bauern sind im Amt Wittenberg nicht bekannt geworden. Die Wittenberger Bauern stehen sich im Verhältnis zu den Bauern in den Bauernkriegsgebieten besser und werden auch nicht durch Maßnahmen ihres Landesherren herausgefordert.[59]

# Das Entdecken des reinen Evangeliums

Während Friedrich der Weise den Ausbau Wittenbergs betreibt, kommt ein Mann in die Stadt, der das Werk dieses Kurfürsten einerseits zerstören und andererseits in einem ganz anderen Sinn vollenden, Wittenberg zu einem Ort der Weltgeschichte machen wird: Martin Luther.[60]

Marxistische Historiker in der DDR haben in Anlehnung an Friedrich Engels für diese Epoche die Bezeichnung «deutsche frühbürgerliche Revolution» eingeführt. In ihrer Jubiläumsausgabe zum 450. Jahr des Bauernkrieges haben sie folgende Periodisierung vorgenommen: 1470–1517 – Das Heranreifen, 1517 bis 1526 – Reformation und Bauernkrieg, 1526 bis 1555 – Folgen und Wirkungen. In unserem Zusammenhang verdient die Unterteilung des mittleren Abschnittes besondere Beachtung. In ihm wird zwischen der antirömischen (1517–1521), der reformatorischen Bewegung (1521–1524) und dem Bauernkrieg (1524–1526) unterschieden. Damit sind wesentliche Charakteristika dieses Zeitraumes erfaßt. Ökonomisch ist er davon bestimmt, daß durch anwachsenden Handel die Kaufleute zu Vermögen kommen, das sie in der Produktion profitbringend anlegen wollen (Akkumulation). Mittels ihres Kapitals erschließen die Kaufleute dem Bergbau neue Möglichkeiten, so daß er seit 1470 aufblüht. Indem die Kaufleute die Rohstoffe (Metall, Garn) und den Verkauf der Fertigprodukte in ihren Händen vereinigen, begründen sie das Verlagswesen. Das fördert zwar die Produktionsweise durch Arbeitsteilung und Spezialisierung (Manufaktur), bringt aber die Handwerker in größere Abhängigkeit. Die Epoche von 1470 bis 1555 fällt also in die Entwicklung zum Frühkapitalismus. Träger dieser Entwicklung sind die vermögenden Bürger sowie die Gelehrten und Handwerker, soweit sie die technische Entwicklung fördern. Mit dem wirtschaftlichen Aufblühen und dem technischen Forschritt sind ein sozialer Differenzierungsprozeß, der den Unterschied zwischen Reichen und Armen vergrößert, Preissteigerungen und Münzverschlechterungen verbunden, so daß soziale Kämpfe nicht ausbleiben.

Dieser ökonomische Wandel vollzieht sich in einem in viele Herrschaftsbereiche aufgeteilten Gebiet. Die Reichsmatrikel von 1495 registriert über 350 weltliche und geistliche Territorialstaaten, Grafschaften, reichsfreie Städte, Abteien, Reichsritterschaften und andere. In diesen Herrschaften gibt es durch Lehnsverhältnisse oder Privilegien weitere Aufsplitterungen. Die Territorialfürsten versuchen ihre Macht zu stärken, indem sie einerseits dem Machtausbau des Kaisertums entgegentreten und andererseits den Einfluß des Klerus, des niederen Adels und der Städte in ihrem Herrschaftsgebiet zurückdrängen sowie einen Teil des Gewinns der aufblühenden Wirtschaft in ihre Taschen leiten.[61]

## 1. Luthers Weg nach Wittenberg

Martin Luther ist am 10. November 1483 in Eisleben geboren und am folgenden Tag, dem Martinstag, getauft worden. Sein Vater ist der Sohn eines Erbbauern in Möhra, seine Mutter stammt aus Eisenach. Sie suchen ihren Lebensunterhalt im Bergbau und finden ihn schließlich in Mansfeld. Der Vater wird Inhaber eines Schmelzofens und sogar zum Viertelsmeister gewählt. Nachdem er sich aus dem Bauernstand zum Unternehmer emporgearbeitet hat, will er seinem Sohn den Weg zum weiteren sozialen Aufstieg bahnen. Er schickt ihn daher 1497 nach Magdeburg auf die Schule, 1498 nach Eisenach. Hier kommt Luther im Kreis um Johannes Braun mit humanistischen Bestrebungen in Berührung. Sie erstrecken sich auf die Verbesserung des lateinischen Briefstils, Gedichte und Musizieren. 1501 beginnt Luther das Studium in Erfurt. Zunächst muß er durch die Artistische Fakultät. Die Scholastik beherrscht den Lehrplan noch völlig. Die Erfurter Humanisten verstehen zum großen Teil ihr Wirken lediglich als eine Bereicherung des Studienbetriebes. Doch dann eröffnet Nikolaus Marschalk 1500 den offenen Kampf gegen die Scholastik, und zwar auf dem Feld der lateinischen Grammatik. Das ist für diesen Kreis der Erfurter Humanisten charakteristisch. Sie mühen sich vor allem um die Verbesserung des Lateins sowie um die hebräische und die griechische Sprache. Das scheint neben dem gewaltigen Lehrstoff der Scholastik und ihrem hohen Entwicklungsstand nur eine Spielerei einiger Interessenten zu sein, und doch bahnt sich darin ein Wechsel der gesamten Wissen-

43, 44

schaftsmethode an. Die Scholastik arbeitet stark mit logischen Schlußfolgerungen aus Erkenntnissen, die aus der Philosophie – vor allem der des Aristoteles – gewonnen werden, und Aussagen der Heiligen Schrift oder der kirchlichen Überlieferung. Ihr Interesse richtet sich vor allem auf die Darstellung übernatürlicher Wahrheiten, die nach ihrer Meinung zeitlos gelten. Die Bedeutung der Geschichte tritt zurück. Der Inhalt eines Wortes wird durch Definitionen bestimmt. Dabei wird zum Beispiel zuwenig darauf geachtet, ob in der Heiligen Schrift dasselbe lateinische Wort in der Vulgata in allen biblischen Büchern tatsächlich dasselbe bedeutet. Die Humanisten hingegen wenden sich der Philologie zu. Sie stellen die Frage, was jedes Wort in dem jeweiligen geschichtlichen Zusammenhang bedeutet, welchen Inhalt der Schreiber jeweils damit verbunden hat. Und da sie sich auch mit den biblischen Ursprachen (Hebräisch und Griechisch) befassen, sind sie nicht mehr auf die Auslegung der Übersetzung angewiesen, sondern gelangen bis zu dem Verfasser der einzelnen Stücke zurück. Jetzt erhalten die geschichtlichen Zusammenhänge für das Verstehen entscheidende Bedeutung. Was die Erfurter Humanisten auf diesem Gebiet leisten, ist noch nicht bedeutend. Aber es genügt, den Studenten Luther auf diese neue Wissenschaftsmethode aufmerksam zu machen. Er nimmt diese Anregungen auf, denn er beginnt bald, sich mit der hebräischen Sprache zu beschäftigen.

Als Luther 1505 den Grad des magister artium erworben hat, steht ihm der Weg zu einer oberen Fakultät frei. Der Vater wünscht, daß der Sohn als Jurist seine Karriere macht. Aber kaum hat Martin mit diesem Studium begonnen, tritt in seinem Leben eine folgenschwere Wende ein. Als er in ein Gewitter gerät und dicht bei ihm ein Blitz einschlägt, gelobt er, ein Mönch zu werden. Es läßt sich vermuten, daß diesem Entschluß die Beschäftigung mit religiösen Fragen vorausgegangen ist. Am 17. Juli 1505 tritt er in das Kloster der Augustinereremiten in Erfurt ein. Im Orden wird er 1507 Priester und danach zum Theologiestudium bestimmt. Die Priesterweihe setzt zwar auch eine Vorbereitung voraus, doch kein Theologiestudium. Luthers Lehrer vertreten eine bestimmte Richtung der Scholastik, nämlich den Ockhamismus. Grundzüge dieser Philosophie und Theologie bleiben in Luthers Denken durch sein ganzes Leben hindurch erhalten. Aber im Orden gibt es nicht nur Scholastiker, sondern auch Freunde der humanistischen Studien.

Als 1508 in Wittenberg der philosophische Lehrstuhl der Augustinereremiten zu besetzen ist, ruft von Staupitz Luther nach Wittenberg. Hier muß er als magister artium den Studenten die «Nikomachische Ethik» des Aristoteles auslegen. Während er seine Lehrtätigkeit ausübt, setzt er zugleich – wie es üblich ist – seine theologischen Studien fort. 1509 muß Luther nach Erfurt zurück, doch von Staupitz holt ihn 1511 wieder nach Wittenberg. Dieser ist von Ordensgeschäften so überladen, daß er seinen akademischen Verpflichtungen nicht mehr nachkommen kann. Daher sorgt er für Luthers Promotion, die am 19. Oktober 1512 erfolgt, und überträgt ihm seine Bibelprofessur.

Sehr bald beginnt Luthers Predigttätigkeit. Wohl schon während seines ersten Aufenthaltes in Wittenberg predigt er in der Heilig-Geist-Kapelle vor seinen Ordensbrüdern, sicher nach seiner Rückkehr 1511. Diese Kapelle ist Luthers erste Predigtstätte in Wittenberg. Offensichtlich hat er seinen Hörern etwas zu sagen. Denn bald bittet ihn der Rat der Stadt Wittenberg, in der Pfarrkirche zu predigen. Er sträubt sich dagegen, übernimmt aber schließlich diese Aufgabe, von der wir wissen, daß er sie mindestens seit 1514 wahrnimmt. Meist wird angenommen, Luther habe in Vertretung des Stadtpfarrers gepredigt, der dafür nicht geeignet gewesen sei. Da

Luther aber 1522 behauptet, der Rat der Stadt habe ihn berufen, ist eher daran zu denken, daß Luther die Stelle eines Prädikanten innehat. Sie bringt ihm die Predigtverpflichtung in der Stadtkirche, so daß sie Luthers eigentliche Predigtkirche wird. Die Kanzel, von der aus er predigt, steht am ersten Nordpfeiler. Ihre erhaltenen Felder zeigen die Apostel Matthäus und Johannes. Da die Professoren und Studenten ihren Platz auf der Nordempore einnehmen, wird wohl in den ersten Reformationsjahren am mittleren Südpfeiler die «größere Kanzel» errichtet, damit diese den Prediger sehen können. Zuletzt erhält Luther noch eine Predigtaufgabe in der Schloßkirche. Wenn fürstlicher Besuch im Schloß wohnt oder der kurfürstliche Hof sich in Wittenberg aufhält, wird er gebeten, dort zu predigen. Luther findet die Schloßkirche allerdings sehr winklig – wohl durch die Einbauten – und daher schlecht zum Predigen.[62]

3*

## 2. Luthers reformatorische Entdeckung

Luther hat in Erfurt und Wittenberg scholastische Philosophie und Theologie unverdrossen studiert; zugleich ist er mit Humanisten in Berührung gekommen. Er ist aber nicht nur gelehrt, sondern auch von tiefem religiösem Ernst ergriffen. Er ist von dem Verlangen durchdrungen, das ewige Heil zu finden. Um es zu erreichen, beschreitet er den Weg, den ihm die spätmittelalterliche Theologie weist. Er hält streng die Ordensregel ein und nimmt zusätzliche Bußübungen auf sich, um die Gerechtigkeit zu erfüllen, die Gott von ihm zu fordern scheint, ohne daß er auf diese Weise Heilsgewißheit erlangt. Währenddessen sitzt er über dem Text der Heiligen Schrift, um sie für seine Studenten auszulegen. Er folgt dabei alten Auslegungstraditionen, kommt aber dank seiner humanistischen Sprachgelehrsamkeit auch zu ganz neuen Erkenntnissen: Die Worterklärungen, die Scholastiker einzelnen Begriffen gege-

51

ben haben, treffen oft nicht den Wortinhalt, den die Heilige Schrift meint. Der Sprachgebrauch der scholastischen Theologie und derjenige der Heiligen Schrift unterscheiden sich voneinander. So hilft die humanistische Philologie dem um Heilsgewißheit Ringenden bei einzelnen Schriftwörtern zu einem neuen Verständnis.

Bei der Wortverbindung «Gerechtigkeit Gottes» führt die neue Betrachtungsweise zu einem ganz neuen Gottesverhältnis. Bisher hat Luther Gott als den gefürchtet, ja gehaßt, der von ihm eine Gerechtigkeit fordert, die er nicht erfüllen kann. Nun ver-

6*

*Widmungsschreiben Martin Luthers an den evangelisch gewordenen Abt des Benediktinerklosters in Nürnberg, Friedrich Pistorius, zu seinem Buch «Das schöne Confitemini, an der zal der CXVIII Psalm» vom 1. Juli 1530 aus der Veste Coburg. Dieser Originalbrief kam 1556 in den Turmknauf des Südturmes der Stadtkirche in Wittenberg und wurde 1902 bei Erneuerungsarbeiten herausgenommen und der Lutherhalle übergeben. Jetzt befindet er sich im Besitz von Herrn Professor Dr. Samuel Amsler, Lausanne. Der hier wiedergegebene Schluß lautet:*

*«Und es ist sicher eine der größten Plagen auf Erden, daß die Heilige Schrift so verachtet ist, auch bei denen, die dazu eingesetzt sind [sie zu verkündigen]. Alle anderen Sachen, Wissenschaften, Bücher treibt und übt man Tag und Nacht. Und es ist des Arbeitens und Mühens kein Ende. Allein die Heilige Schrift läßt man liegen, als bedürfe man ihrer nicht. Und die ihr so viel Ehre antun, daß sie diese einmal lesen, die können es sofort ganz. Und es ist nie eine Wissenschaft noch ein Buch auf die Erde gekommen, das jedermann so bald ausgelernt hat wie die Heilige Schrift. Und es sind doch wahrlich nicht Leseworte, wie sie meinen, sondern reine Lebeworte darinnen, die nicht zum Spekulieren und um schwer Verständliches zu ersinnen, sondern zum Leben und Tun gesetzt sind. Aber unser Klagen hilft nichts. Sie achten es doch nicht, Christus, unser Herr, helfe uns durch seinen Geist, sein heiliges Wort mit Ernst zu lieben und zu ehren, Amen. Ich befehle mich hiermit in Euer Gebet. Aus der Zurückgezogenheit am 1. Juli 1530. Martinus Luther»*

steht er die «Gerechtigkeit Gottes» nicht mehr als die Gerechtigkeit, die Gott von ihm fordert, sondern die er ihm schenkt. Gott will ihn für gerecht ansehen und ihn gerecht machen. Entsprechend begreift er auch andere Wortverbindungen. Die «Kraft Gottes» ist für ihn nicht mehr die Kraft, durch die sich Gott den Menschen gegenüber stark erweist, sondern durch die er die an ihn Glaubenden stark macht.

Was er durch eigene Anstrengungen erjagen wollte, sieht er nun aus Gottes Barmherzigkeit über sich ausgeschüttet. An die Stelle der Furcht vor dem Gesetz Gottes tritt die Freude über das Evangelium, das diese Gaben verheißt und bringt. Ebenso versteht er mit Hilfe seiner humanistischen Sprachkenntnisse die Buße anders. Erst hat er darunter Bußwerke verstanden, die Gott als Leistung dargebracht werden,

*Und ist freylich der grösten plagen eine auff erden, das die heilige schrifft so veracht ist, auch bey denen, die dazu gesetzt sind. Alle ander sachen, kunst, bücher, hat werdet und wert man tag und nacht, und ist des erlesens und ... kein ende. Allein die heilige schrifft lesst man liegen, als durfft man ihr nicht, und die sie ihr so wol ihre thun, das sie sie ein mal lesen die zu kommen, ist es flugs alles; ... kan kunst noch buch auff erden kommen, das ider man so bald ausgelernet hat, als die heilige schrifft. Und es sind doch nicht lese wort ... man, sondern ... lebe wort drinnen, die nicht zum speculiren und hoch tichten, sondern zum leben und thun dar gesetzt sind. Aber, es bleibt nicht bey lesen nicht, der achtens doch nicht. ... unser herr helff uns durch seinen geist, sein heiliges wort, mit ernst lieben und ehren Amen ... noch ... 1 5 3 0*

**Martinus Luther**

um seinen Zorn zu besänftigen. Nun wird die Buße zu einer Lebenshaltung, die in Demut Strafe und Gnade aus der Hand des schenkenden Gottes nimmt.[63] Christus ist für ihn nicht mehr vor allem der Richter, wie ihn das Steinbild auf dem Wittenberger Friedhof zeigt, sondern vielmehr der Erlöser, der die ihm selbst zustehende Strafe auf sich genommen, am Kreuz von Golgatha für ihn gelitten und die neue Gerechtigkeit erworben hat. Wer im Vertrauen auf die Heilstaten dieses Jesus Christus sein Leben führt, das heißt, wer glaubt, dem wird Gott seine Gerechtigkeit schenken, so daß er in diesem irdischen Leben zu Werken der Liebe getrieben und in der zukünftigen Welt die Herrlichkeit ererben wird. Diese Verheißung der Barmherzigkeit Gottes ist für Luther die ihn froh machende Botschaft. Sie ist für ihn das ursprüngliche, von scholastischer Begrifflichkeit und Lehre geläuterte, daher lautere, von ihm wiederentdeckte Evangelium. Das besagt nicht, daß Luther für jede einzelne Stelle der Heiligen Schrift oder auch nur der Evangelien immer die allein gültige Auslegung gefunden hat, sondern daß er in diesem Evangelium die inhaltliche Mitte der Heiligen Schrift sieht, von der aus er jede Stelle auslegt, ohne immer nach dem ursprünglich Gemeinten zu fragen.

Die eigene Glaubenserfahrung mit der Bibel und das humanistische Interesse am Wort, vor allem am gesprochenen Wort, lassen Luther sich ganz auf die Heilige Schrift als Wort Gottes konzentrieren. Schon in seiner ersten Psalmenvorlesung von 1513 bis 1516 wird das sichtbar. Nach Luthers Überzeugung wirkt Gott durch das Wort. Er kann sich den handelnden Gott nur als redenden Gott vorstellen, der in das Innere des Menschen eindringen will. Dabei bedient Gott sich eines äußeren Wortes, der Worte der Menschen. Luther rückt dadurch beide Seiten der Heiligen Schrift und der Predigt ins Blickfeld. Einerseits ist sie Menschenwort mit allen seinen geschichtlichen Bindungen und Unzulänglichkeiten, anderer-

seits aber von Gott verwendetes Mittel, zum Menschen zu reden, um ihm das innere Wort mitzuteilen. Wo aber alles göttliche Handeln als Rede verstanden wird, bleibt für den Menschen nur das Hören, das die von Gott ausgeteilten Gaben, die Predigt und die Sakramente mit ihren Verheißungen annimmt. Aus dem Verständnis des Wortes Gottes als in der Gegenwart vollzogene Anrede Gottes ergibt sich eine theologische Denkstruktur, die jeder theologischen Aussage ihren Platz zuweist.[64]

Wo befindet sich der Raum, in dem Luther nach seinen eigenen Worten «das Papsttum gestürmt hat, so daß er eines ewigen Gedächtnisses würdig wäre»? Er ist nicht mehr erhalten. Vermutlich verhält es sich damit folgendermaßen: Beim Bau des Schwarzen Klosters werden alte Bauteile einbezogen, so auch ein Torturm. Das Klostergebäude wird mit seinem Westgiebel bis an diesen Turm herangebaut, so daß die Firstlinie nördlich der Nordwand dieses Turmes verläuft, der über die Südwand des Klosters vorsteht. Vom Kloster aus werden zu den Turmstuben Türen durchgebrochen. Da dieser Turm heizbar ist, enthält er im ersten Stock den Gemeinschaftsraum der Mönche und im zweiten Stock das Studierzimmer des Theologieprofessors, das heißt seit 1512 Luthers. Es drängt sich die Vermutung auf, daß die davorliegende Zelle in der Südwestecke des Klosters von Luther bewohnt wird. Dieser über die Südflucht des Klosters vorstehende Torturm erscheint den für die Stadtbefestigung Verantwortlichen stets als Gefährdung der Verteidigung. 1532 kann Luther ihn noch retten. Eine Stadtansicht Wittenbergs von 1728 zeigt ihn noch, dann ist er verschwunden. Wittenberg, ja die ganze Reformation hat damit eine ihrer wichtigsten Gedächtnisstätten verloren.[65]

Luthers reformatorische Entdeckung, die zwar ihre von ihm selbst bezeugten Höhepunkte hat, erwächst allmählich unter Anwendung humanistischer Philologie und Rhetorik. Luther sieht in diesem Zusammenhang ein vorbereitendes Wirken Gottes in der Geschichte, als er zurückschauend schreibt: «Niemand hat gewußt, warum Gott die Sprachen [die Beschäftigung der Humanisten mit den Sprachen] aufkommen ließ, bis man erst jetzt sieht, daß es um des Evangeliums willen geschehen ist, das er danach hat offenbaren wollen.» Ebenso beurteilt er die Gründung der Leucorea als Werk Gottes, um «ein oder zwei Pfaffen» zu machen.[66] Tatsächlich sind die Wittenberger Universität und die humanistische Bewegung für Luthers Entfaltung eine große Hilfe. Die neugegründete Leucorea ist noch ungefestigt. Sie hat keine Lehrtradition, die von denen, die Macht und Ansehen haben, verteidigt wird. Es ist eine Lehr- und Lerngemeinschaft, die noch ihre Gestalt sucht. Die von Friedrich dem Weisen durch eine verhältnismäßig günstige Eingliederung in die Artistische Fakultät angelockten Humanisten tun das Ihre, vor Erstarrung zu bewahren. Die Erfurter Humanisten geben Luther methodisches Werkzeug in die Hände. Was er damit erarbeitet, wird von vielen – vor allem jüngeren – Humanisten bereitwillig aufgenommen, die sich in ihrem Kampf gegen die Herrschaft der Scholastik und der Römischen Kurie mit ihm einig fühlen. Es bestehen allerdings auch trennende Gegensätze zwischen Luthers Theologie und einigen zentralen Anliegen von Humanisten, was im Zusammenhang mit der Universitätsreform weiter unten verdeutlicht werden soll.

Als Luther das Evangelium von der geschenkten Gerechtigkeit als die Mitte der Heiligen Schrift erfaßt, ahnt er noch nicht, welche Sprengkraft dieser Entdeckung für die scholastische Theologie, die spätmittelalterliche Frömmigkeit, die Römische Kurie, ja für das gesamte Gesellschaftsgefüge innewohnt. Aber indem Luther die ideologische Grundlage der römischen Hierarchie erschüttert, die beansprucht, das ewige Heil zu verwalten, und dafür irdische Schätze fordert, entzieht er der Kirche seiner

Zeit – insofern sie als Feudalmacht auftritt – den Boden. Nachdem er die bestehende Ordnung an einem Punkt in Frage gestellt hat, drängen andere revolutionäre Kräfte mit weitreichenderen Zielen nach.

Nichts deutet darauf hin, daß der Mönch bis zum Thesenanschlag im Jahre 1517 sich dieser Zusammenhänge bewußt geworden wäre. Was uns aus dieser Zeit überliefert ist, bezeugt nur seine Auseinandersetzung mit der scholastischen Exegese und Theologie, sein Suchen nach einem gnädigen Gott und sein Ringen um ein neues Verständnis der Heiligen Schrift. Dabei wird er von einem zum Teil verbreiteten Zweifel an der von der Römischen Kurie geförderten Frömmigkeit und an der auf den Universitäten herrschenden Scholastik sowie dem Reformwillen von Humanisten und Ordensbrüdern mit getragen. Zuerst eröffnet Luther den Kampf gegen die scholastische Theologie. Am 4. September 1517 läßt er 100 Thesen gegen sie in einer Disputation von seinem Schüler Franz Günther verteidigen. Dieser Frontalangriff findet zwar eine erstaunte Beachtung, aber nur bei einigen Fachkollegen. Erst als Luther acht Wochen später mit 95 Thesen den Ablaßhandel und damit eine Form der Bußpraxis in der spätmittelalterlichen Frömmigkeit anprangert, werden die Folgen seiner neuen Theologie für die Finanzpolitik der Römischen Kurie sichtbar. Er gerät in eine gesellschaftliche Entwicklung hinein, die er durch sein Auftreten zunächst beschleunigt, von der er zum Teil mitgerissen wird, von der er sich aber schließlich zurückzieht.

### 3. Luthers Kampf gegen Rom

Welcher Wandel sich in Luther vollzogen hat, wird offensichtlich, als er sich gegen den Verkauf von Ablaßzetteln durch den Dominikaner Johann Tetzel wendet. Weil Luther erkannt hat, daß Gott seine

Güter aus Barmherzigkeit schenkt, kann für ihn der Ablaß nur Erlaß von Kirchenstrafe bringen. Da der praktische Vollzug des Ablaßhandels oft den Kauf eines Ablaßzettels an die Stelle echter Reue treten läßt, befürchtet Luther, daß dadurch die bußbereite Haltung verhindert wird, die Gottes Geschenke empfängt. Er lädt mit 95 Thesen zu einer wissenschaftlichen Disputation über Ablaß und Buße ein. Da Disputationsthesen an der Tür der Schloßkirche angeschlagen werden, darf angenommen werden, daß dies auch mit den 95 Thesen Luthers vom 31. Oktober 1517 geschehen ist.[67] Zur Disputation meldet sich niemand. Aber von Wittenberg ist ein Signal ausgegangen, das alle aufhorchen läßt, die der Geldforderungen Roms überdrüssig sind. Sie verbreiten diese Thesen rasch bis über die Grenzen des Deutschen Reiches hinaus. Luther hat ihnen gezeigt, wie unzutreffend die römischen Begründungen für den Ablaßhandel sind.

Wittenberg erweist sich in mehrfacher Hinsicht als vorteilhaft für die beginnende Reformation. Wie die ersten beiden Kapitel gezeigt haben, ist infolge von Machtmißbrauch und Habgier der Päpste in der Wittenberger Schloßkirche ein Zentrum für diejenige Frömmigkeit entstanden, die von Reliquien und Meßstiftungen ihr Heil erwartet. Luther sieht seit 1508, wie die Zahl der Messen, Reliquien und Ablässe sprunghaft anwächst. Er erhält dadurch von der Reformbedürftigkeit der Kirche eine lebendige Anschauung. Der Ablaßhandel Tetzels gibt ihm die Möglichkeit, dieses äußerliche Jagen nach angeblichen Verdiensten anzugreifen, ohne sich sogleich mit Friedrich dem Weisen anzulegen. Diesem kommt Luthers Angriff auf den Ablaß vielmehr ganz gelegen; denn der Ertrag dieses Ablasses soll helfen, die Schulden abzutragen, die Albrecht von Brandenburg auf sich genommen hat, um als Erzbischof von Magdeburg und Administrator des Bistums Halberstadt zugleich noch Erzbischof von Mainz und damit Kur-

fürst und Kanzler des Deutschen Reiches werden zu können. Dem Wettiner Friedrich kann es nur recht sein, wenn die Rechnung der Hohenzollern nicht aufgeht. Offene Zustimmung schlägt Luther von den Angehörigen der Leucorea entgegen, besonders von den Studenten.

Die in ihrem Ansehen und ihrem Geschäft geschädigten Dominikaner aber erreichen in Rom, daß gegen Luther ein Ketzerprozeß eröffnet wird. Der Wittenberger Augustinereremit wird nach Rom vorgeladen. Doch sein Landesfürst setzt es durch, daß er an einem unverdächtigen Ort vernommen wird. So verhört ihn der Kardinal Jakob Cajetan im Oktober 1518 im Zusammenhang mit einem Reichstag in Augsburg. Dabei erkennt Luther, daß er von päpstlicher Seite nicht eine sachliche Erörterung über die Fragen des Ablasses und der Beichte zu erwarten, sondern vielmehr eine Verfolgung als Ketzer zu befürchten hat. Daher beschreitet er den einzigen Rechtsweg, der ihm noch verbleibt. Am 28. November 1518 appelliert er vor ordentlich berufenen Zeugen in der Fronleichnamskapelle vom Papst an ein allgemeines, christliches Konzil. Dadurch soll sein Prozeß dem Papst entzogen und an ein Konzil überwiesen werden, das zwischen ihm und dem Papst entscheidet.[68] Diese Appellation läßt er drucken, um sie zu veröffentlichen, sobald er gebannt wird. Doch ehe er es sich versieht, haben die Drucker sie bereits verkauft. Der Ruf nach solch einem Konzil verstummt während der Reformation nicht wieder. Er findet schließlich Gehör in dem Trienter Konzil von 1545 bis 1563, das allerdings kein allgemeines ist, denn die Päpste haben es in ihre Abhängigkeit gebracht, und die Evangelischen kommen auf ihm nicht als Gleichberechtigte zu Wort. Es wird zu einem Konzil, das die Theologie der römisch-katholischen Kirche über Jahrhunderte bestimmt. Seine Vorbereitung nimmt in der bescheidenen, noch erhaltenen Wittenberger Kapelle ihren Anfang.

36
*Albrecht Dürer:*
*Lucas Cranach d. Ä.,*
*Silberstiftzeichnung*
*von 1524 (Bayonne,*
*Musée Bonnat)*

EFFIGIES G SPALATINI
M D XXXVII

37
*Lucas Cranach d. Ä.:*
*Georg Spalatin,*
*Gemälde von 1537*
*(Karlsruhe, Staatliche*
*Kunsthalle)*

Inside the painting:

CHRISTOFERVS · SCHEVRLVS · IVD ·    FORTES · FORTVNA · FORMIDAT ·
NATVS · ANNOS · 28

SI · SCHEVRLVS · TIBI · NOTVS · EMAIOR
QVIS · SCHEVRLVS · MAGIS · ESTAN
HIC AN HE                                    A ❀ A ❀ A ❀

*Lucas Cranach d. Ä.: Christoph Scheurl, Gemälde von 1509 (Nürnberg, Sammlung Freiherr von Scheurl)*

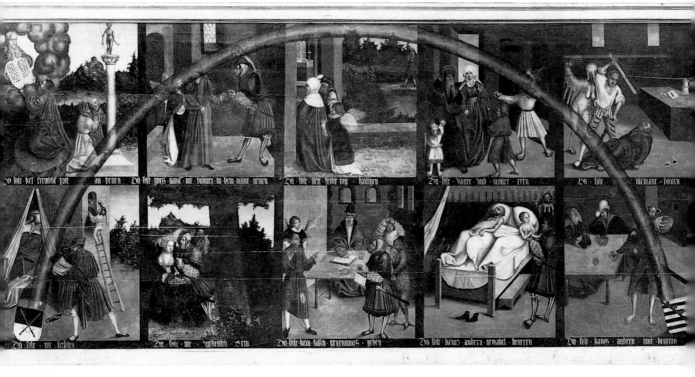

## 38

39
*Lucas Cranach d. Ä.: Die Zehn Gebote, Gemälde von 1516*
*(Lutherhalle – ursprünglich im Wittenberger Rathaus)*

40
*Lucas Cranach d. Ä.: Das siebente Gebot*
*(Ausschnitt aus «Die Zehn Gebote»)*

Du solt nit stehlen

41
*Lucas Cranach d. Ä.:*
*Johann Friedrich von*
*Sachsen als Bräutigam,*
*Gemälde von 1526*
*(Weimar, Schloß)*

42
*Lucas Cranach d. Ä.:*
*Sibylle von Cleve*
*als Braut,*
*Gemälde von 1526*
*(Weimar, Schloß)*

ANNO · 1530 · AM · 29 · TAG · IVNII · IST · HANS · LVTHER
D · MARTINVS · · VATER · INN · GOTT
VERSCHIE DENN ·

43
*Lucas Cranach d. Ä.:*
*Hans Luther,*
*Gemälde von 1527*
*(Eisenach, Wartburg)*

ANNO · 1531 · AM · 30 · TAG · IVLIV · IST · MARG
ARETA · LVTERIND · MA          RTINVS · MVTTER
INN · GOTT ·                    ✝ VERSCHIEDEN

44
*Lucas Cranach d. Ä.:*
*Margaretha Luther,*
*Gemälde von 1527*
*(Eisenach, Wartburg)*

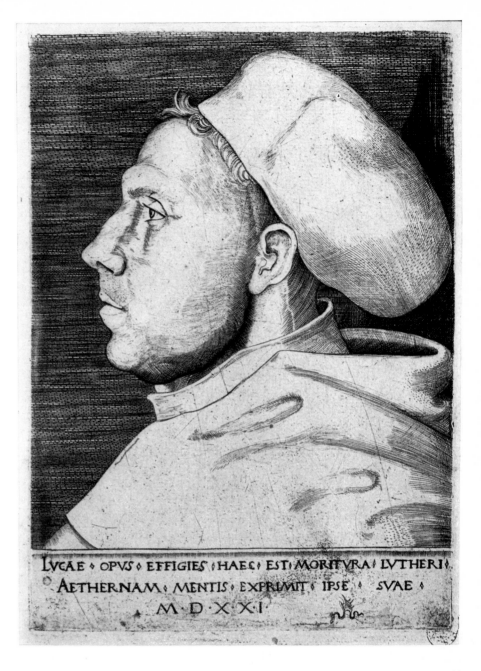

LVCAE ◆ OPVS ◆ EFFIGIES ◆ HAEC ◆ EST ◆ MORITVRA ◆ LVTHERI
AETHERNAM ◆ MENTIS ◆ EXPRIMIT ◆ IPSE ◆ SVAE
M · D · X X I

45
*Lucas Cranach d. Ä.:*
*Martin Luther als Junker Jörg,*
*Gemälde von 1537*
*(Leipzig, Museum der Bildenden Künste)*

46
*Lucas Cranach d. Ä.: Martin Luther mit dem Doktorbarett, Kupferstich von*
*1521 mit der Unterschrift: «Das Werk des Lucas ist diese dem Tod verfallene*
*Gestalt Luthers, die unsterbliche Gestalt seines Geistes schafft er selbst.»*
*(Dresden, Kupferstich-Kabinett; auch Lutherhalle)*

47
*Lucas Cranach d. Ä.:*
*Martin Luther als Pro-*
*fessor, Gemälde von 1528*
*(Weimar, Schloß)*

48
*Lucas Cranach d. Ä.:*
*Martin Luther,*
*Federzeichnung mit Bister,*
*dem Holzschnitt von 1528*
*spiegelbildlich entsprechend*
*(Weimar, Schloß)*

1526

VIVENTIS·POTVIT·DVRERIVS·ORA·PHILIPPI
MENTEM·NON·POTVIT·PINGERE·DOCTA
MANVS

49

*Albrecht Dürer:*
*Philipp Melanchthon.*
*Kupferstich von 1526*
*mit der Unterschrift:*
*«Dürers Hand konnte*
*malen die gelehrten*
*Gesichtszüge des 1526*
*lebenden Philippus,*
*aber nicht seinen Geist.»*
*(Lutherhalle)*

EFFIGIES IOH BVGENHAGII POMERANI·
LVCA CRONACHIO PICTORE·
·M·D·XXXXVII·

50
*Lucas Cranach d. Ä.:*
*Johannes Bugenhagen,*
*Gemälde von 1537*
*(Lutherhalle)*

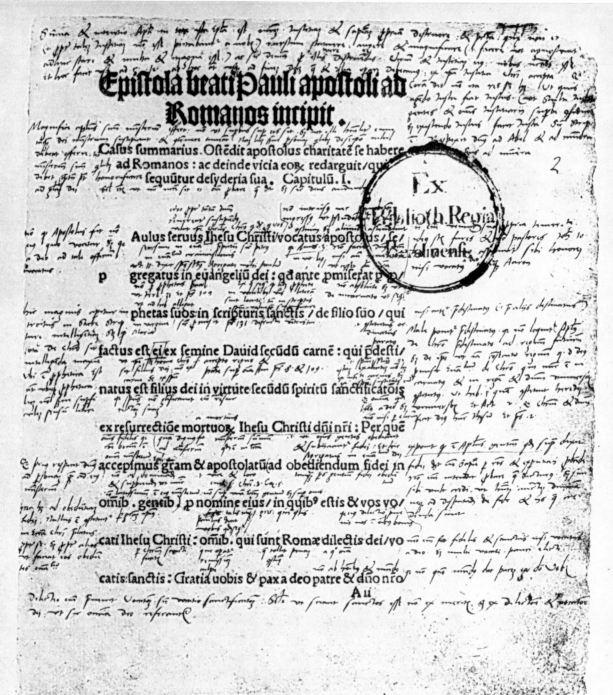

2

# Epistola beati Pauli apostoli ad Romanos incipit.

**Casus summarius.** Ostendit apostolus charitate se habere ad Romanos : ac deinde vicia eorum redarguit / qui sequuntur desyderia sua. Capitulum. I.

Paulus seruus Ihesu Christi / vocatus apostolus / se

gregatus in euangelium dei : quod ante promiserat per

phetas suos in scripturis sanctis / de filio suo / qui

factus est ei ex semine Dauid secundum carnem : qui predestinatus /

natus est filius dei in virtute secundum spiritu sanctificatois

ex resurrectione mortuorum Ihesu Christi domini nostri : Per quem

accepimus gratiam & apostolatum ad obediendum fidej in

omnibus gentibus pro nomine eius / in quibus estis & vos vo

cati Ihesu Christi : omnibus qui sunt Romae dilectis dei / vo

catis sanctis : Gratia uobis & pax a deo patre & domino nostro

A ij

Hinter dieser Appellation steht bereits die Ahnung – wie Luther am 18. Dezember 1518 schreibt –, daß in Rom der Antichrist herrscht und seine Herrschaft schlimmer ist als die der Türken. Indem das Papsttum gegen ihn einen Ketzerprozeß führt, fordert es Luther heraus, diese Überzeugung und seine Theologie zu entfalten. Weil Luther erkannt hat, daß Gott seine Gerechtigkeit schenkt und Christus durch Dienen hilft, kann für ihn nicht die Kirche die rechte sein, die – Leistung und Geld fordernd – den Anspruch erhebt, allein Gottes Gaben zu verwalten. Luther bekämpft die Behauptung der Päpste, unfehlbar zu sein, wovon sie ihre Vormachtstellung über die weltlichen Herrscher, die Auslegung der Heiligen Schrift und das Konzil ableiten. Er sieht darin die Ursache dafür, daß Christen im Namen der Kirche zu Bosheiten getrieben und ihre Seelen verdorben werden, daß Mord und Blutvergießen geschehen sowie viele Länder ausgesogen und zerstört werden. Für ihn ist Rom ein «raubstul», also eine Ausbeuterherrschaft. Er setzt den päpstlichen Ansprüchen die Autorität der Heiligen Schrift entgegen. Mit ihr zerstört er die ideologischen Grundlagen der Papstherrschaft. Damit befreit er die Christen aus ihrer Abhängigkeit von der Hierarchie. Die

51

*Anfang von Luthers Römerbriefvorlesung mit Luthers eigener Handschrift (Berlin, Staatsbibliothek – Kriegsverlust). Die Vorlesung begann am 16. April 1515. Luther ließ für seine Studenten bei Johann Rhau-Grunenberg in Wittenberg den Text des Römerbriefes mit großen Zwischenräumen drucken. Während seiner Vorlesung diktierte er kurze Erklärungen einzelner Begriffe, die zwischen die Zeilen geschrieben wurden (Zeilenglossen). Ein wenig längere Ausführungen kamen auf den Rand (Randglossen). Die umfangreicheren Erörterungen wurden getrennt von dem gedruckten Text aufgezeichnet und als Scholien bezeichnet. Nach Luthers Randglosse zur Überschrift ist es die Absicht des Römerbriefes, die menschliche Gerechtigkeit zu zerstören, um die Notwendigkeit der Gerechtigkeit Christi zu erweisen.*

Gemeinschaft mit Gott kann ohne sie gefunden werden. Die Bahn für die romfeindliche Stimmung ist geebnet. Die Begeisterung, mit der sie sich nun ausbreitet, erfaßt auch Luther. 1520 stellt er sich mit der Schrift «An den christlichen Adel deutscher Nation von des christlichen Standes Besserung» an die Spitze derer, die von einer Verselbständigung der Deutschen unter Führung des Kaisers und der Reichsstände eine Befreiung von der römischen Ausbeutung erwarten. Unter ihnen sind auch einige Humanisten, so Ulrich von Hutten. Luther wird zum geistigen Führer der antirömischen Bewegung, die ohne die dazu unfähige Hierarchie die Reform der Kirche, zum Teil aber auch der Gesellschaft durchführen will.

Wittenberg zieht inzwischen Vorteile aus dem Machtstreben des Papstes, wodurch Luther entscheidende Jahre für sein Werk gewinnt. Leo X. will nämlich Einfluß auf die anstehende Kaiserwahl nehmen und den sächsischen Kurfürsten für seinen Plan gewinnen. Daher scheut er sich, ihn durch eine Verdammung Luthers zu brüskieren. Als aber Karl V. zum deutschen Kaiser gewählt ist, nimmt der Prozeß gegen Luther seinen Lauf. Im Oktober 1520 kommt die am 15. Juni 1520 gegen Luther erlassene Bannandrohungsbulle nach Wittenberg. Luther hat noch 60 Tage Frist, seine Lehre zu widerrufen. Doch er tut es nicht. Inzwischen hat der päpstliche Legat Hieronymus Aleander angefangen, Lutherschriften öffentlich zu verbrennen. Da entschließt sich auch Luther zu einer Demonstration. Ein Aufruf versammelt am 10. Dezember morgens 9 Uhr die Studenten vor dem Elstertor in der Nähe des Heilig-Kreuz-Hospitals. Vermutlich an der Stelle, wo die Lumpen der Kranken in Asche verwandelt werden, wird ein Scheiterhaufen errichtet. Verbrannt wird zunächst eine Ausgabe des geltenden Kirchenrechts. Damit hat Luther sich von der Rechtsordnung getrennt, mit deren Hilfe der Papst ihm den Bann androht, ja,

Luther hat sich vom Papsttum befreit. Luther selbst wirft noch die Bannandrohungsbulle in das Feuer. Die Studenten machen daraus ein Fest. Nachmittags findet ein Umzug statt, der mit der Verbrennung von Schriften der Luthergegner auf demselben Scheiterhaufen endet. Damit hat Luther ein Gegenfeuer gelegt, das in der Öffentlichkeit mindestens ebensoviel Beachtung findet wie die Feuer der Gesandten des Papstes.[69]

## 4. Die Universitätsreform

Inzwischen stützt Luther seine Auslegung der Heiligen Schrift immer stärker auf den ursprünglichen Wortsinn. Seinen Hörern aber fehlt dafür die Vorbildung. Ihre Ausbildung in der scholastischen Logik und Philosophie läßt sie biblische Wörter als Definitionen und damit falsch verstehen; aus Mangel an humanistischer Bildung finden sie nur schwer den Weg zur Eigentümlichkeit der Sprache der Bibel. Daher wird, nachdem Luther die Theologie mit Hilfe der von den Humanisten neubelebten Philologie umgestaltet hat, die Reform des artistischen Studiums als Grundstudium zur Notwendigkeit. Unterstützt von Wittenberger Humanisten und Humanistenfreunden, vor allem aber von Georg Spalatin, der als Vertrauter des Kurfürsten dessen Zustimmung gewinnen kann, wird die Leucorea die erste deutsche Universität, an der Humanisten notwendigerweise wesentliche Teile des Grundstudiums übertragen bekommen. Ihre Tätigkeit ist durch Luther zur unentbehrlichen Voraussetzung für das Studium an den höheren Fakultäten geworden. Luther hat mit der 1505 in Wittenberg erhobenen Forderung, die Theologie auf die biblischen Ursprachen zu gründen, Ernst gemacht und dadurch der von den Humanisten angestrebten Universitätsreform zum Durchbruch verholfen. Hat er damit den Humanismus zum Sieg geführt? Sicher nicht in jeder Beziehung. Es ist überhaupt schwer, den Humanismus inhaltlich umfassend zu beschreiben, so daß die Anliegen aller Humanisten einbezogen werden können. Inhaltlich läßt sich Luther nicht vom Menschenbild der Antike, sondern von seiner Gotteserfahrung und der Heiligen Schrift bestimmen. Der Gedanke, daß der Mensch durch Erziehung mittels einer christlichen Philosophie zu einer sittlichen Entfaltung geleitet werden könne, stößt auf seine entschiedene Ablehnung. Er sieht darin das Vertrauen auf die menschlichen Fähigkeiten, das er bei den Scholastikern als Hochmut bekämpft hat. So kommt es 1525 zum Bruch mit dem Haupt der deutschen Humanisten, mit Erasmus von Rotterdam. Diese Auseinandersetzung darf aber nicht übersehen lassen, daß Luther den Inhalt der Heiligen Schrift unter Verwendung der Mittel erschließt, die ihm der Humanismus zur Verfügung stellt. Und weil er seine Theologie in der Form der aufstrebenden Denkweise seiner Zeitgenossen darbietet, wird sie verstanden und bereitwillig aufgenommen, ohne immer in ihrer Tiefe begriffen zu werden.

Die Universitätsreform erfordert neue Lehrstühle und neue Lehrkräfte. Für die neugeschaffene Professur für Griechisch wird Philipp Melanchthon gewonnen, der sein Amt am 29. August 1518 programmatisch mit einer Antrittsvorlesung über die Universitätsreform beginnt. Diese Vorlesung wird so sehr beachtet, daß in Vergessenheit gerät, wie Luther die Voraussetzungen dafür geschaffen hat, daß Melanchthon seine Ziele verfolgen kann. Melanchthon erweist sich als ein glänzender Lehrer und hervorragender Humanist. Er begeistert sich für Luthers Theologie und verfaßt 1521 mit seinen «Loci communes» die erste evangelische Dogmatik. Er wird Luthers Freund und unentbehrlicher Mitarbeiter. Allerdings sieht er aufgrund seiner humanistischen Studien den christlichen Glauben stärker im Zusammenhang mit Erziehung und Bildung als Luther. Er

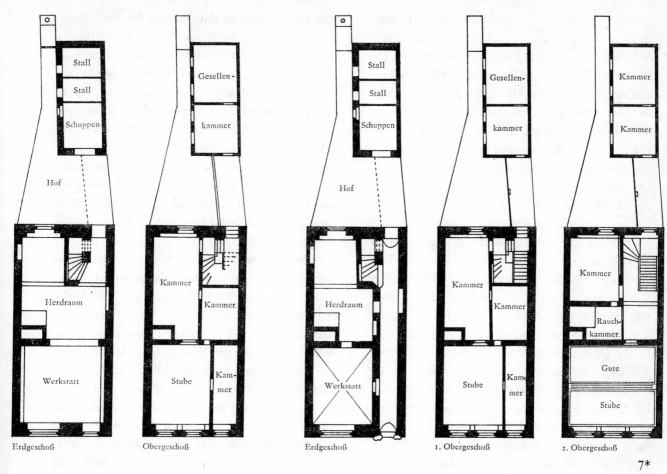

Erdgeschoß      Obergeschoß      Erdgeschoß      1. Obergeschoß      2. Obergeschoß

7*

0     5     10 m

*Grundrisse des Handwerkerhauses Collegienstraße 89 vor und nach der von der Reformation bewirkten Aufstockung*

bringt manche Vorstellungen der Antike ein. Daher trägt er spätestens seit Luthers Trennung von Erasmus Anschauungen vor, die zum Teil mit denen Luthers in Spannung stehen, ohne daß es aber zum offenen Gegensatz der beiden Reformatoren kommt, die sich vielmehr dadurch zum Teil ergänzen.

Luther ist zum Reformator der Frömmigkeit und der Bildung geworden. Beides erregt das Interesse seiner Zeitgenossen und erhebt die Leucorea in wenigen Jahren zur berühmtesten deutschen Universität. Sie zieht Studenten auch von außerhalb der

Grenzen des Reiches an und wird zum Muster für die Reform anderer Universitäten. In Wittenberg aber nimmt durch Luthers Tätigkeit und die Unterstützung seines Werkes von seiten Melanchthons auf lange Zeit die Theologische Fakultät die Vorrangstellung ein, die Friedrich der Weise der Juristischen Fakultät zugedacht hat.[70]

Das Aufblühen der Leucorea kann nicht ohne Auswirkungen auf die Stadt Wittenberg bleiben.

Wittenberg vermag die Herbeiströmenden kaum zu fassen. Mancher verläßt die Stadt wieder, weil er

19*

103

keine Unterkunft findet. Spalatin berichtet, er habe in Luthers Vorlesung 400 und in der Melanchthons 600 Hörer vorgefunden. Sie müssen in den dafür zur Verfügung stehenden Räumen unvorstellbar eng zusammengehockt haben. Der große Hörsaal Luthers 9* ist – ohne Nebenräume – 21,80 m lang und 7,70 m breit. Daß Melanchthon mehr Hörer hat, hängt damit zusammen, daß alle Studenten die Artistische Fakultät durchlaufen müssen, in der er liest, ehe sie an den höheren Fakultäten, und damit auch bei Luther, studieren dürfen.

Dieser durch Luther verursachte Zulauf löst in Wittenberg die zweite Bauwelle des 16. Jahrhunderts aus. Die Universität entschließt sich 1519 zum Bau eines weiteren Kollegiums gegenüber dem Grauen Kloster an der Mauer. Aber nach vier Jahren Bautätigkeit geht das Geld aus. In dem fertiggestellten Teil halten die Juristen schon ihre Vorlesungen. 1538 ist die Universität froh, als sie den unvollendeten Teil dieses Gebäudes verkaufen kann. Damit ist der Plan gescheitert, ein Gebäude zu errichten, in dem alle höheren Fakultäten unterkommen. In dem Teil, der der Leucorea verbleibt, behalten die Juristen ihre Vorlesungsräume. Außerdem findet das Wittenberger Konsistorium darin seine Unterkunft. Als Folge davon wird die Große Brüderstraße Juristenstraße und das Gebäude Konsistorium genannt. Hier beginnt das erste evangelische Konsistorium 1539 seine Tätigkeit. Es setzt sich aus Theologen und Juristen zusammen und hat vor allem in Ehesachen, Kirchenzucht und Disziplinarangelegenheiten als geistliches Gericht zu entscheiden. Um für die Studenten zu sorgen, läßt der Kurfürst 1520, wahrscheinlich durch einen Brief Luthers veranlaßt, von seinen Beamten sämtliche Häuser Wittenbergs besichtigen und feststellen, wie viele Studenten untergebracht werden können. Bei so einem hohen Bedarf muß sich der Ausbau und der Neubau von Wohn- 7* häusern lohnen. Auf der Neumarktstraße entsteht

eine Häuserfront, so daß von der Neumarktstraße an der Südfront der neuen Bauten die Collegienstraße und an ihrer Nordfront die Mittelstraße übrig bleibt. In den Jahren vor 1540 verschwinden die Holzbuden der Handwerker zwischen der Kirche und dem Rathaus. Es entsteht eine Häuserfront, die den Markt auf der Ostseite abschließt und die Stadtkirche mit dem Friedhof vom Markt abtrennt. Die Zahl der Häuser wächst zwischen den Jahren 1500 und 1550 von 392 auf 446, wobei 39 Häuser zwischen 1520 und 1540 hinzukommen. Das Gelände zwischen Markt und Elstertor hat ein ganz neues Gesicht erhalten.[71]

Neben der Universität und den Bürgern bleibt der Rat der aufstrebenden Stadt nicht tatenlos. 1521 beginnt der Abbruch des Rathauses.[72] Die Fleischerläden (Scharren) werden in eine Straße hinter dem Rathaus verlegt, die deshalb den Namen «Scharrenstraße» erhält. An der Nordseite des Marktes werden Buden abgerissen, so daß das neue Rathaus weiter nach Norden versetzt werden kann. 1535 ist der Bau des Rathauses im wesentlichen abgeschlossen. Damit hat sich das Bürgertum ein neues Zentrum geschaffen. Es dient nicht nur der städtischen Verwaltung und Rechtsprechung, sondern auch dem wirtschaftlichen und gesellschaftlichen Leben. In der Osthälfte befinden sich zwei große Säle, in denen Tuchmacher, Schuster und Kürschner ihre Waren zum Verkauf anbieten, während die Bauern Wittenbergs und der umliegenden Dörfer vor dem Rathaus ihren Markt abhalten. Die Säle des Rathauses dienen zugleich den Bürgerversammlungen, vor allem aber Festen, zu denen Bälle und Hochzeitsfeiern der gutgestellten Familien zählen. Grund zum Feiern haben die Kaufleute und Handwerker, denn durch die vielen Studenten in der Stadt ist der Bedarf an Handelswaren und handwerklichen Erzeugnissen stark angestiegen. Zwar sind nicht alle Studenten vermögend, aber einen gewissen Bedarf haben auch die ärmsten. Außerdem befinden sich unter den Studenten auch Vermögende und Hochgestellte, die ihre Begleitung mitbringen.

## 5. Das Buchgewerbe und die deutsche Sprache

Wenn das durch Luther bewirkte Aufblühen der Leucorea auch der gesamten Wirtschaft zugute kommt, so ist doch ein Gewerbezweig in ganz hervorragender Weise der Nutznießer, nämlich die Buchherstellung. Der Plakatdruck von Luthers 95 Thesen löste eine stürmische Nachfrage nach Lutherschriften aus. Von 1518 bis 1523 werden rund 600 Drucke veröffentlicht, zum Teil in verhältnismäßig hohen Auflagen. Von Luthers Schrift «An den christlichen Adel deutscher Nation von des christlichen Standes Besserung» werden 1520 4000 Exemplare gedruckt. Seit 1519 ziehen verstärkt Drucker nach Wittenberg und tragen wesentlich zur Verbreitung der reformatorischen Gedanken bei. Im 16. Jahrhundert steigt ihre Zahl auf 30, unter denen zunächst

Hans Lufft (1523–1584 als Drucker in Wittenberg tätig) hervorragt. Die von ihm hergestellten Werke sind nicht nur gut gedruckt, sondern auch mit wertvollem Buchschmuck ausgestattet, den hervorragende Künstler liefern: Lucas Cranach d. Ä., Meister M. S., Virgil Solis, Hans Brosamer, Georg Lemberger und Jacobus Lucius aus Kronstadt. Selbst Nachbildungen von Holzschnitten Albrecht Dürers werden verwendet. Die bekannteste Arbeit von Hans Lufft wird neben einer Gesamtausgabe der Werke Luthers ab 1539 bis 1559 die vollständige Lutherbibel von 1534, die er immer wieder auflegt. Überhaupt nimmt die Herstellung von Bibelteilen und Vollbibeln in der Übersetzung Luthers seit 1522 einen breiten Raum ein. Allein von der vollständigen Lutherbibel erscheinen bis zu Luthers Tod elf Auflagen, bis 1626 werden es 86 mit einer geschätzten Auflagenhöhe von 200 000 Exemplaren. Hinzu kommen noch die große Zahl von Neuen Testamenten und Bibelteilen, aber auch ihre niederdeutschen Fassungen. Die Wittenberger Drucker entwickeln sich für die übrigen deut-

8*

*Luthers Schutzzeichen am «Ende des ander teyls des Allten testaments», der 1524 von Joseph Klug in Wittenberg gedruckt wurde und bis zum Buch Esther reichte*

Dis zeichen sey zeuge / das solche bucher durch
meine hand gangen sind / den des falsche druckes
vnd bucher verderbens / vleyssigen sich ytzt viel

## Gedruckt zu Wittemberg.

schen Buchhersteller zur großen Konkurrenz auf dem Buchmarkt. Die wirtschaftliche Verschlechterung einerseits und die große Nachfrage andererseits verführt geschäftstüchtige Drucker außerhalb Wittenbergs zu flüchtigen Nachdrucken. Die Wittenberger entwickeln daher ein neues technisches Verfahren, um gegenüber Nachdrucken zeitlichen Vorsprung zu gewinnen, die sogenannte Schnellarbeit. Es werden nicht nur mehrere Bogen nebeneinander gesetzt und ausgedruckt, sondern manche Bogen doppelt gesetzt und parallel auf zwei Pressen abgezogen. Tatsächlich gelingt es dadurch seit 1530, die Zahl auswärtiger Nachdrucke zu verringern. So wird durch Luther die technische Herstellung und die künstlerische Ausstattung des Buches gefördert. Wittenberg erhält durch Luther ein Exportgewerbe und wird zum Zentrum der Buchherstellung, vor allem der Bibelverbreitung. Aber ebenso wird durch den Buchdruck das Denken Luthers in einem bis dahin unbekannten Ausmaß verbreitet.[73]

Aufs engste mit der Buchherstellung hängt die Bedeutung Wittenbergs für die Entwicklung der deutschen Sprache zusammen. Im Anfang des 16. Jahrhunderts werden die Männer, die im Rat oder im Amt Wittenberg tätig sind und Universitätsbildung haben, mit von dem Bestreben ergriffen, die Schreibsprache zu vereinheitlichen. Diese Tendenz scheint von den Humanisten ausgegangen zu sein, die sich zunächst um die lateinische Orthographie mühten. Die Gewohnheit, dasselbe Wort in einem Schriftstück unterschiedlich zu schreiben, geht zurück. Es bildet sich allmählich eine frühneuhochdeutsche Orthographie heraus, die sich später zur neuhochdeutschen entwickelt. Diese Bestrebungen erfassen nach und nach auch andere Schichten in Wittenberg. Der aufsteigende Buchdruck gerät in diese Entwicklung hinein und nimmt sie auf. Die Korrektoren müssen schließlich entscheiden, was als Druckfehler gelten soll und was stehenbleiben kann. Dieser Vereinheit-

lichung ordnen sich auch die Männer unter, die mit den Eigenheiten ihres heimatlichen Dialektes nach Wittenberg an die Leucorea berufen werden. Luther selbst bleibt hinter dieser Entwicklung zurück, als er die ersten Manuskripte für Veröffentlichungen in deutscher Sprache niederschreibt. Aber während der Drucklegung, besonders durch die Zusammenarbeit mit den Korrektoren, geht er auf die Vereinheitlichung ein. Die Problematik ist ihm vertraut, denn als er in Erfurt studiert hat, haben sich dort die Humanisten bemüht, die vom Mittelalter veränderte Orthographie der lateinischen Sprache zur ursprünglichen Gestalt zurückzuführen. Darüber hinaus hat ihn die humanistische Philologie mitsamt der Rhetorik für alle Probleme des sprachlichen Ausdrucks geschult. Besonders das fortwährende Überarbeiten der Bibelübersetzung, durch das Luther dem besseren Verständnis des für ihn wichtigsten Buches dienen will, führt zur fortschreitenden Vereinheitlichung der Schreibweise. Bewußt werden Wörter, die gleich gesprochen werden, aber mehrere Bedeutungen haben, unterschiedlich geschrieben (Rat – Rad). Diese Beschäftigung mit der Sprache hat nicht nur Einfluß auf die Schreibweise.

Luther sucht bei seinen mehrfachen Bibelrevisionen immer treffendere und vor allem weiter verbreitete Ausdrücke zu finden. Dafür bietet Wittenberg günstige Voraussetzungen. Wie bereits erwähnt (vgl. Seite 20), entstand hier aus Sprachmischungen das Ostmitteldeutsche. Im 16. Jahrhundert kommt es zu einer neuen Sprachmischung, nicht zuletzt durch Luther gefördert. In Wittenberg strömen Vertreter der deutschen Sprache aus allen Himmelsrichtungen zusammen und bringen neue Elemente ein. Die kursächsische Kanzlei gewinnt an Bedeutung im Reich und versucht, dieser auch durch eine Vereinheitlichung ihrer Kanzleisprache und das Aufnehmen allgemein verbreiteter Wörter – vor allem oberdeutscher – gerecht zu werden. So kann Luther leicht vergleichen und auswählen. Das Ergebnis dieser Bemühungen kommt vor allem den Lutherbibeln zugute, die durch ihre große Verbreitung die allerorts vorhandene Entwicklung zur neuhochdeutschen Sprache stark beeinflussen und fördern. Luther verfügt über eine große Sprachbegabung und ist in das Wesen der Heiligen Schrift so tief eingedrungen, daß er die biblischen Texte anschaulich zu übersetzen versteht. Dabei prägt er Redewendungen und sprachliche Bilder, die den Ausdruck der deutschen Sprache bis in die Gegenwart hinein beeinflussen. Wittenberg wird also durch Luther im 16. Jahrhundert zu einem wichtigen Ort in der Geschichte der deutschen Sprache.[74]

## 6. Die wirtschaftlichen Folgen

Luthers Auftreten belebt die gesamte Wirtschaft und läßt Wittenberg zur bedeutendsten deutschen Universitätsstadt und zum wichtigsten deutschen Druckort im 16. Jahrhundert werden. Diese Förderung der Stadt hat aber nicht nur angenehme Folgen. Sie fällt in eine Inflation, die sich in Wittenberg besonders unangenehm auswirkt. 1507 hat Scheurl Wittenberg auch gerühmt, weil es sich dort billig leben läßt. Doch das ändert sich bald. Die Studenten bilden in manchen Jahren ein Drittel oder sogar die Hälfte der Einwohnerschaft und beeinflussen stark den Lebensstil der Wittenberger. Diese bieten gutes Essen und reichlich zu trinken an, um an den Studenten – vor allem den vermögenden – gut zu verdienen. Nächtliche Gelage in den Wohnungen der Studenten mit anschließendem Lärmen auf den Gassen werden nicht selten gerügt. Nicht alle sind nach Wittenberg gekommen, um Theologie zu studieren oder gar mit demselben religiösen Ernst wie Luther in der Heiligen Schrift zu forschen. Spieler und Dirnen sehen in dieser Studentenansammlung Möglichkeiten für ihre Geschäfte.

Manche Eltern schicken ihre Söhne mit standesgemäßem Komfort ausstaffiert nach Wittenberg. Das weckt auch bei den Wittenbergern das Bedürfnis, sich nach der neuesten Mode zu kleiden. Teure Stoffe werden verarbeitet, die Kleidungsstücke «zerhackt», das heißt aufgeschlitzt, so daß ein anderes Tuch darunter hervorschauen kann. Die Schneider tun das Ihre, diese für sie einträgliche Entwicklung zu fördern. Das bleibt nicht ohne Einfluß auf die Wittenberger Bürger selbst. Sie nehmen den Studenten genug ab, um auch selbst reichlicher essen und trinken sowie sich prächtiger kleiden zu können. Die Preise für Lebensmittel und Kleidung steigen bis 1540 gegenüber dem Anfang des Jahrhunderts auf das Doppelte und Dreifache. Spekulanten machen sich diese wirtschaftlichen Veränderungen zunutze. Getreide wird aufgekauft und zurückgehalten, um die Preise steigen zu lassen. Von einem Wittenberger Bürger wird berichtet, er habe ein Haus für 30 Gulden gekauft und es, ohne etwas daran verbessert zu haben, für 400 Gulden weiterverkaufen wollen. Die Mieten für die Studentenunterkünfte werden erhöht, zum Teil überbieten sich die Studenten selbst, weil das Zimmerangebot der steigenden Zahl der Studenten nicht entspricht. Die Entwertung der Einkünfte läßt im Lehrkörper der Leucorea die Frage aufkommen, ob man nicht seine Wirkungsstätte wechseln soll. Für manchen Studenten wird das Studium in Wittenberg zu teuer. So wird die Wittenberger Universität infolge ihrer Berühmtheit gefährdet!

Doch Kurfürst Johann Friedrich findet einen Weg, durch eine Reform dieser Entwicklung einigermaßen Herr zu werden. 1536 ordnet er die Versorgung des Lehrkörpers neu, wodurch dessen Einkünfte erhöht werden. Luther und Melanchthon erhalten nun als die bestbezahlten Professoren 300 Gulden im Jahr, während sich die Lehrer der alten Sprachen in der Artistischen Fakultät mit 80 Gulden begnügen müssen. Anschließend sucht der Kurfürst auf gesetzlichem

41

Wege den übermäßigen Luxus einzudämmen und die Studenten vor aufgedrängten Leistungen und überhöhten Preisen zu schützen. Er will dadurch die Lebenshaltungskosten der Studenten in erträglichen Grenzen halten. Für 150 Studenten wird eine jährliche Zuwendung von 30 Gulden vorgesehen, die in Wittenberg zu ihrem Unterhalt ausreichen. Die Mittel dazu sollen aus dem Besitz der Stifter Altenburg, Eisenach und Gotha, der durch die Reformation in die Hände des Landesfürsten gekommen ist, genommen werden. Dieser Plan wird allerdings nur zur Hälfte ausgeführt.[75]

Wie verhält sich Luther zu den durch sein Wirken mit hervorgerufenen Veränderungen im Leben dieser Stadt? Mit der Abkehr von den sogenannten guten Werken der spätmittelalterlichen Frömmigkeit verbindet Luther die Hinwendung zur Nächstenliebe. Er erwartet sie als Frucht der geschenkten Gerechtigkeit, als ein Weiterströmen der Liebe Gottes. Von dieser Überzeugung ausgehend, bekämpft er bereits 1518 den «Wucher». Von der christlichen Nächstenliebe erhofft er, daß sie auch wirtschaftliche Verluste hinnimmt und jedem Bedürftigen leiht, ohne Zinsen zu fordern. Daneben hält er – wenn der Geist Gottes nicht zu dieser Selbstlosigkeit treibt – für zulässig, daß jemand Kapital in ein bestimmtes Unternehmen steckt und Zinsen zwischen 4 und 7 Prozent erhält, wenn er das Risiko teilt. Veranlaßt von seinen eigenen Erfahrungen mit der wachsenden Teuerung in Wittenberg, wendet er sich 1539 und 1540 wirtschaftlichen Fragen stärker zu. Dabei geht er nicht der ganzen Verflechtung von Münzverschlechterung, Zustrom von Edelmetall, steigendem Bedarf, Bevölkerungszunahme – wie er sie in Wittenberg selbst mit bewirkt hat –, Getreideexport und Mangel an Waren nach. In seinen Schriften, Briefen und Predigten sieht er die Wurzel der Preissteigerung in der Raffgier der adligen Grundherren, der Bauern und der Kaufleute. Die Preise sollen kostendeckend

sein und einen angemessenen Lohn abwerfen, aber nicht die Marktlage ausnutzen. 1539 greift er besonders den Landadel an, der das Getreide aufkauft und zurückbehält, aber auch der Landvogt wird nicht geschont. 1540 fordert er in einer Schrift die Pfarrer auf, gegen den Wucher zu predigen, das heißt, die Habgier der Kaufleute und Geldleiher zu bekämpfen. Da Luther im Gefolge ockhamistischer Anschauungen die Aufgabe des Staates vor allem darin sieht, den guten Bürger vor dem bösen zu schützen, sucht er Hilfe bei Johann Friedrich. Und dieses Vertrauen in die landesherrliche Macht scheint sich zu bestätigen. Will doch der Kurfürst durch die erwähnten Gesetze gegen Luxus und Preistreiberei zugunsten der sozial schwächeren Studenten und der von einem festen Gehalt abhängigen Universitätsangehörigen vorgehen. Es wird deutlich, wie Luthers Wittenberger Erfahrungen seine Vorstellungen vom Wirtschaftsleben prägen.

Luther denkt auch daran, den Bann wieder einzuführen. So will er den Bürger, der sein billig erworbenes Haus teuer verkauft, aus der Kirche ausschließen. Kehrt Luther damit zur päpstlichen Praxis zurück? Mitnichten. Im Spätmittelalter dient der Bann der Habgier des Klerus. Wer seinen Verpflichtungen gegenüber seinem geistlichen Herrn nicht nachkommt, zieht sich den Bann zu. Jetzt soll der Bann zum Schutz der Ausgebeuteten und zur Bekämpfung der Habgier dienen. Zu einer Ausführung dieser Absichten kommt es allerdings nicht.

Kummer bereitet Luther auch das sittliche Leben der Studenten. Am 13. Mai 1543 läßt er eine Ermahnung für die Studenten anschlagen, die Gemeinschaft mit den Dirnen haben. Sie sollen sich von diesen trennen oder Wittenberg verlassen. Und das gehört überhaupt zu den größten Enttäuschungen Luthers: Die reformatorische Verkündigung des Evangeliums bringt in Wittenberg nicht die erwarteten Früchte des Glaubens. Wittenberg wird kein strahlendes

Vorbild für die evangelische Frömmigkeit. Die Wittenberger nutzen zwar die wirtschaftlichen Möglichkeiten, die ihnen die Leucorea bietet, lassen aber kaum einen ihrer Söhne studieren, damit er Träger des Evangeliums werde.[76]

Luther erlebt in seiner Stadt, was an vielen Stellen geschieht. Oft wird nur eine Hälfte seiner Aussagen aufgenommen, und dabei diejenige, die für ihn nicht die wichtigste ist. Das ist von Anfang an so. Schnell sind viele bereit, keinen Ablaß mehr zu kaufen und keine Messen mehr zu stiften. Aber wer strebt danach, daß sein ganzes Leben Buße ist, wie die erste der 95 Thesen fordert? Gerne hört man 1520 Luthers Botschaft, daß der Christ ein freier Herr über alle Dinge und niemandem untertan ist. Weniger ist von der Überzeugung zu spüren, daß ein Christ aus Liebe in allen Dingen dienstwillig und jedermann untertan ist. Man will keine ungerechten Zinsen geben, wohl aber nehmen. So stößt Luther vor allem dort auf Nachfolge, wo er durch seine Zerstörung der römischen Autorität den Weg für bereits vorhandene Bestrebungen frei macht. Wo es aber um die Verwirklichung des evangelischen Glaubens geht, folgen ihm bedeutend weniger.

Im Blick auf den vom Evangelium erneuerten Menschen ist Wittenberg für Luther eine undankbare und fruchtlose Stadt: «Selbst wenn man gute und ehrbare Leute hier gesät hätte, wären doch grobe Sachsen aufgegangen», klagt er. Schließlich fühlt er sich nicht nur vom Rat der Stadt nicht anerkannt, sondern sogar durch Baumaßnahmen behelligt. Er erwägt, nach Eilenburg oder nach Zeitz zu ziehen. Als er auf einer Reise in Zeitz ist, schreibt er am 28. Juli 1545 an seine Frau, er möchte nicht mehr zurückkehren, nachdem er außerhalb der Stadt noch mehr von der Verderbnis Wittenbergs gehört habe als in ihr. Katharina solle ihren Besitz in Wittenberg verkaufen und sich auf ihr Gut Zöllsdorf zurückziehen. Er selbst wolle lieber heimatlos umherziehen als in diesem Sodom wohnen. Dieser Brief löst eine rege diplomatische Tätigkeit aus. Eine Gesandtschaft der Universität, bestehend aus Melanchthon und Bugenhagen, und des Rates der Stadt Wittenberg bricht auf. Der Kurfürst sendet seinen Leibarzt mit einem Schreiben. Ihnen gemeinsam gelingt es, Luther zur Rückkehr zu bewegen.

Luthers Urteil über Wittenberg geht schließlich in zwei Richtungen. Er lobt die Stadt, weil Gott in ihr sein Wort wieder an das Licht gebracht hat, aber zugleich ist er über ihre Undankbarkeit enttäuscht und befürchtet, daß sie dafür wie Jerusalem, das Christus nicht angenommen hat, bestraft werden wird.[77]

## Das Umformen mittelalterlicher Einrichtungen

Luthers Wirken hat die Leucorea zu einer der bedeutendsten deutschen Universitäten werden lassen, das Buchgewerbe enorm gesteigert und die Wirtschaft belebt. Doch was soll aus den Einrichtungen der spätmittelalterlichen Frömmigkeit werden? Weil niemand mehr Verdienste vor Gott erwerben kann, sind die Reliquien, Ablässe, Heiligenverehrung und die Messen ohne Beteiligung der Gemeinde wertlos geworden. Das klösterliche Leben und das Zölibat für Priester haben ihren Sinn verloren. Der kirchlichen Hierarchie ist durch die Lehre vom allgemeinen Priestertum die Basis entzogen. Eine neue Ordnung wird notwendig und zugleich möglich. Wie und durch wen wird sie herbeigeführt?

## 1. Die reformatorische Bewegung

Während Luthers Auftreten zunächst vor allem als Befreiung von der Scholastik und von der Römischen Kurie angenommen wird, beginnt in einer zweiten Phase – ausgeprägt seit 1521 – die Neugestaltung, die reformatorische Bewegung im engeren Sinn.

Was nicht der neuentdeckten Heilsbotschaft entspricht, ist für Luther unchristlich. Daher will er es durch die Verkündigung, also durch Bibelauslegung, Predigt und Schriften, überwinden, jedoch nicht durch organisatorische oder politische Maßnahmen. 1519 nimmt er die Bruderschaften aufs Korn. Aufgrund ihrer Lebensweise sieht Luther in ihnen nur Gemeinschaften, die zu Ehren ihres Heiligen und zum Gedächtnis ihrer Mitglieder Messen lesen lassen und anschließend zusammenkommen, um zu fressen und zu saufen. An ihre Stelle sollen Bruderschaften treten, die Bedürftigen helfen. Für Luther stehen sich hier heilsegoistische Frömmigkeit und evangelische Bruderliebe gegenüber. Die Frage nach einer sinnvollen Standesvertretung, die bei einigen dieser Bruderschaften eine Rolle spielt, nimmt er nicht auf. Und das gilt für Luther weitgehend, daß er die sozialen und politischen Folgen seines Wirkens nicht behandelt, ja oft wahrscheinlich nicht einmal durchdenkt. Sie beschäftigen ihn erst an zweiter Stelle, weil sie für ihn nur irdisch und vergänglich sind. So darf auch bei seiner Zweireichelehre nicht übersehen werden, daß nach ihr die weltliche Gewalt vor allem dazu dienen soll, die Ausbreitung des Reiches einer engen Gottesgemeinschaft zu fördern. Daß er in diesem Rahmen sehr konkrete Vorschläge machen kann, wenn soziale und politische Fragen an ihn herantreten, zeigt sein weiteres Verhalten. Die Bruderschaften in Wittenberg lösen sich allerdings nicht sofort auf. Immerhin beginnen einige von ihnen 1521, ihre Gelage einzustellen und statt dessen Armen zu helfen. [78]

Erfolgreich ist Luther zum Teil im Kampf gegen die Prostitution. 1520 fordert er die weltlichen Gewalten auf, die Frauenhäuser zu schließen, weil die Christen durch ihre Taufe alle zu einem keuschen Leben, das heißt zum Einhalten der von Gott gegebenen Eheordnung, bestimmt sind. Der Rat der Stadt Wittenberg hat erst 1516 an der Stadtmauer zwischen der Bürgermeister- und der Töpferstraße das Frauenhaus neu errichtet. Bereits 1520 scheint man es aufgelöst zu haben, denn im folgenden Jahr hören die Rechnungseintragungen auf. [79]

Luthers Kampf gegen das Papsttum zerstört die Autorität der Hierarchie so stark, daß nun verschiedene Schichten wagen, mit der Einführung der evangelischen Verkündigung zugleich die politische Macht der päpstlichen Kirche und derer, die diese verteidigen, anzugreifen. Ulrich von Hutten als Wortführer eines nationalen Humanismus und Franz von Sickingen als Anführer der Reichsritterschaft bieten sich an, das Schwert zu ergreifen, um die römische Unterdrückung abzuwerfen. Sie haben erkannt, daß eine Reformation die Möglichkeit zur Säkularisation bietet, zur Übernahme von Ländereien und Besitzungen geistlicher Herrschaften durch weltliche Herren. Das wollen sie für die funktionslos gewordene Ritterschaft und für sich persönlich nutzen. Ihr Angebot scheint eine großartige Gelegenheit, der Reformation schnell zum Durchbruch zu verhelfen. Aber Luther verquickt sein Anliegen nicht mit den politischen Interessen der Reichsritterschaft. Allein die Verkündigung des Evangeliums soll die Erlösung und Neuwerdung des Glaubenden wirken: «Ich will nicht, daß mit Gewalt und Blutvergießen für das Evangelium gekämpft wird.» Die Flugschrift «Karsthans» verbreitet daher 1521 zutreffend Luthers Meinung, als sie ihm in den Mund legt: «Nein, lieber Freund, um meinetwillen soll niemand weder kämpfen noch totschlagen. Wenn Christus das gewollt hätte, hätte er leicht zwölf Legionen Engel zur Hilfe haben können.

Auch die zwölf Apostel haben das nicht begehrt, sondern sie haben um der Wahrheit willen geduldig den Tod und das Martyrium erlitten.»[80]

Nachdem Luther am 10. Dezember 1520 die Bannandrohungsbulle verbrannt hat, wird am 3. Januar 1521 in Rom die Bannbulle selbst ausgestellt. Kraft Reichsgesetz muß nun der nächste Reichstag über ihn die Reichsacht verhängen. Doch einige Fürsten ziehen die Gültigkeit des Bannes in Frage, da Luther nicht rechtmäßig verhört worden sei. So wird er eingeladen, in Worms vor dem Reichstag zu erscheinen. Seine Reise dorthin wird ein Triumphzug. Zu einer Disputation über seine Theologie kommt es jedoch nicht, sondern der Kaiser fordert von Luther, daß er seine Schriften widerrufe. Als Luther das am 18. April 1521 abgelehnt hat und auch keine Verhandlungen ihn umstimmen können, darf er zurückkehren. Das freie Geleit des Reiches schützt ihn vor einer sofortigen Hinrichtung, doch die Reichsacht folgt ihm im Mai nach. Um den nun vogelfreien Reformator zu schützen, verbergen ihn die Räte des Kurfürsten auf der Wartburg.

Damit ist die evangelische Bewegung ihres Führers in Wittenberg beraubt. Die Erfolglosigkeit der Reichsacht macht den Wittenbergern Mut, auf dem eingeschlagenen Weg fortzufahren. Aber es geschieht nun ohne die zusammenfassende Hand Luthers in verschiedenen Gruppen. Der Wittenberger Theologieprofessor, der Luther 1512 promoviert hat, Andreas Bodenstein aus Karlstadt, ist nach anfänglichem Widerstreben auf die Seite Luthers getreten. Am 20. Juni und am 19. Juli 1521 führt er Disputationen durch. In ihnen wendet er sich gegen das Zölibat der Priester und Mönche. Er fordert, daß den Abendmahlsteilnehmern nicht nur das Brot – wie es seit 1200 üblich geworden ist –, sondern auch der Kelch gereicht wird. Dafür hat sich vor ihm schon Luther ausgesprochen. Karlstadt spitzt das Problem aber zu, indem er behauptet: Wer nur das Brot emp-

fängt, der sündigt. Luther erfährt davon und nimmt in einem Brief vom 1. August 1521 dazu Stellung: Das Zölibat hält er für eine menschliche Einrichtung, so daß sie jeder Christ aufgeben kann. Er befürwortet, daß die Abendmahlsfeier begangen werden soll, wie sie Christus eingesetzt hat, das heißt, daß Brot und Wein ausgeteilt werden. Schließlich versichert er, selbst keine Privatmesse mehr zu halten. Allein die Zuspitzung, daß sündige, wer nur das Brot empfängt, weist er zurück.[81]

Dieser Brief wird für die Wittenberger zum Anstoß oder zur Bestätigung, reformatorische Erkenntnisse in Handlungen umzusetzen. Am Michaelistag (29. September) empfangen Melanchthon und ein Teil seiner Schüler in der Stadtkirche Brot und Wein. Danach predigt Luthers Ordensbruder Gabriel Zwilling gegen die Privatmessen – also die Messen ohne Beteiligung der Gemeinde – und die Mönchsgelübde. Das Schwarze Kloster wird zur vorwärtsdrängenden Kraft. Das gilt nicht nur für Wittenberg. Fast 100 Augustinereremiten haben Luthers Vorlesung gehört. Ein großer Teil von ihnen trägt seine Botschaft weiter. In der Heilig-Geist-Kapelle wird die Messe eingestellt und statt dessen eine gemeinsame Abendmahlsfeier mit Brot und Wein gehalten. Zwilling fordert seine Predigthörer auf, den Mönchen nichts mehr zu geben, damit sie ihre Klöster verlassen müssen. Tatsächlich treten am 12. November 1521 aus ihrem Kloster 13 Augustinereremiten aus. Sie lassen sich ihre Tonsur zuwachsen, legen die Ordenstracht ab, heiraten und werden Handwerker. Damit ist eine jahrhundertealte Rechtsordnung durchbrochen. Das kann den Wittenbergern nicht verborgen bleiben. Sie werden von den Vorgängen im Schwarzen Kloster mit erfaßt. Viele empfinden es als eine Erlösung, daß nach so viel evangelischen Predigten nun evangelische Lebensformen folgen.[82]

Am 20. Oktober 1521 bitten Universitätsangehörige – unter ihnen Karlstadt wortführend – den Kurfürsten, den Mißbrauch der Messe zu verbieten. Was die Augustinereremiten von sich aus und für sich getan haben, soll zum landesherrlichen Gesetz werden. Doch Friedrich der Weise, der an die Reaktionen von Papst und Kaiser denken muß, kann sich dazu nicht entschließen. Er begründet seine Ablehnung damit, daß das Verhalten einer kleinen Gemeinschaft gegen die Gewohnheit der ganzen Christenheit stehe und überdies nicht einmal in Wittenberg Einstimmigkeit vorhanden sei. Infolge dieser abwartenden Haltung entgleitet dem Kurfürsten die Wittenberger Bewegung. [83]

Schon am 5. Oktober haben Studenten einen umherziehenden Antoniter am Einsammeln einer Kollekte gehindert. Sie haben ihn mit Dreck und schließlich mit Steinen beworfen und ihm den Kübel mit dem Wasser umgekippt, das er weihen wollte. Am 3. Dezember dringen bewaffnete Studenten und Bürger in die Stadtkirche ein, nehmen den Priestern die Meßbücher weg und vertreiben sie von den Altären, um auf diese Weise die Privatmessen zu beseitigen. Daraufhin wird täglich nur noch eine Messe, hin und wieder außerdem noch eine Frühmesse gelesen. Am folgenden Tag hindern 14 Studenten die Franziskaner, mehr als eine Messe zu halten. Außerdem reißen sie einen hölzernen Altar nieder. Friedrich der Weise fordert die Bestrafung der Schuldigen, denn für ihn liegt «Hausfriedensbruch» vor. Als aber diese «Aufrührer» bestraft werden sollen, bestürmen einige Viertelsmeister und Bürger den Rat, verlangen Straffreiheit für die «Aufrührer» und legen sechs weitere Forderungen vor: freie Wortverkündigung, Abschaffung der Meßverpflichtungen und der gestifteten Messen sowie Schließung derjenigen Schenken, in denen über Gebühr getrunken wird, und der Einrichtungen, in denen Dirnen geduldet werden. Außerdem soll es niemandem verboten sein, beim Abendmahl auch den Kelch zu empfangen. [84]

Jetzt steht der Rat zwischen den Forderungen des Kurfürsten und denen der Bürgerschaft. In dieser Lage tritt Karlstadt in den Vordergrund. Er ist nicht nur Theologe, sondern seit 1516 auch Doktor beider Rechte. Er hofft, mit der zum Handeln entschlossenen Bürgerschaft den Rat zu einer neuen Ordnung zu bewegen. Er fordert die Meßreform und reicht am Weihnachtsfeiertag in der Schloßkirche, danach in der Stadtkirche, öffentlich allen das Abendmahl mit dem Kelch. Die Wittenberger strömen bereitwillig zum Altar. Karlstadt hat keine liturgischen Gewänder an. Er verwendet die lateinische Meßliturgie, läßt aber Stücke aus, besonders solche, die den Opfercharakter der Messe betonen, und spricht die Einsetzungsworte in deutscher Sprache laut vernehmbar. Damit ist die geltende Meßordnung in der Öffentlichkeit gebrochen. Am 26. Dezember verlobt er sich, um zu demonstrieren, daß für ihn auch das Zölibat keine Gesetzeskraft mehr hat. Was die Augustinereremiten unter sich durchgeführt haben, wird nun zur Möglichkeit für die Gesamtgemeinde. Ende 1521 tauchen in Wittenberg Nikolaus Storch, Markus Stübner und Thomas Drechsel auf, die sogenannten Zwickauer Propheten. Sie glauben, ihre Erkenntnisse unmittelbar vom Heiligen Geist zu erhalten, daher tritt für sie die Autorität der Heiligen Schrift zurück, ihr wissenschaftliches Studium lehnen sie ab. Sie streben nicht nur eine Veränderung der kirchlichen, sondern auch der gesellschaftlichen Verhältnisse an. Darum sind sie aus Zwickau vertrieben worden. Sie verunsichern Melanchthon. Welchen Einfluß sie auf die Wittenberger Bewegung ausüben oder ob sie auf Karlstadt wesentlich einwirken, läßt sich nicht mehr erfassen.

Am 6. Januar 1522 tun die Augustinereremiten den nächsten Schritt. Im Schwarzen Kloster zu Wittenberg versammelt sich das Generalkapitel der deutschen Observanten und beschließt – entsprechend einem Rat Luthers –, keiner soll gezwungen werden, im Kloster zu bleiben, aber auch nicht, es zu verlassen. Die zurückbleiben, sollen als Mönche leben, aber auf das Betteln verzichten und sich von der Arbeit ihrer Hände nähren. Damit ist die Möglichkeit zum Verlassen des Klosters gegeben. Zwilling begnügt sich aber damit nicht. Als die Kapitelsteilnehmer abgereist sind, räumt er am 10. Januar die Heilig-Geist-Kapelle aus: Altäre, Kruzifixe, Bilder, Heiligenfiguren und sonstige Gegenstände des alten Kultus werden auf den Klosterhof getragen und verbrannt, steinernen Figuren die Köpfe abgeschlagen.[85]

Der Rat gibt unter dem Druck der eingetretenen Veränderungen dem Drängen von Universitätsangehörigen – besonders Karlstadts – und Handwerkern nach und erläßt am 24. Januar 1522 «Ain lobliche Ordnung der Fürstlichen stat Wittenberg», um ein einheitliches und geordnetes Vorgehen zu erreichen. Er erlangt dadurch verstärkt Entscheidungsbefugnisse in Kirchenfragen und über kirchliches Vermögen, was ganz dem Streben nach größerer Selbständigkeit und Machterweiterung entspricht, dem wir bereits in dem mittelalterlichen Wittenberg begegnet sind. Mindestens für einige der Räte ist das zugleich die zustimmende Antwort ihres neuen Glaubens auf die reformatorische Predigt. Der Kurfürst wird dabei übergangen. Diese Ordnung legt die Verwaltung der Gemeindekasse (gemeiner Kasten) fest; in diese sollen die Einkünfte der Geistlichen, Kirchen und Bruderschaften fließen, um aus ihr Bedürftige zu unterstützen, Schüler zu fördern und die Priester zu bezahlen. Die Bildwerke sollen entfernt und die Messen entsprechend der Einsetzung Christi gehalten werden. Den Abendmahlsempfängern wird geboten, Brot und Kelch in die Hand zu nehmen. Die Dirnen sollen heiraten oder vertrieben werden.[86]

Was hier Gesetz wird, ist bei weitem nicht alles neu. Eine Gemeindekasse ist auf Anraten Luthers schon Ende 1520 oder Anfang 1521 eingerichtet worden. Sie wird nach der «Beutelordnung» geführt. Zunächst soll für die Bedürftigen gesammelt werden, doch 1522 werden kirchliche Einnahmen hinzugefügt. Das Betteln ärgert die Bürger schon lange. Darum schränkt es der Rat der Stadt Wittenberg 1504 ein. Aber grundsätzlich kann zu dieser Zeit das Betteln nicht verboten werden, denn die Mönche haben dafür Privilegien. Außerdem muß den Bewohnern der Stadt die Möglichkeit bleiben, durch Almosengeben «gute Werke» zu tun, die Gott belohnt. Indem Luther aufweist, daß durch solche Werke niemand die Gerechtigkeit Gottes erlangen kann, entfällt dieses Motiv. Folgerichtig fordert Luther selbst das Abschaffen des Bettelns und den Aufbau einer von der Stadt organisierten Armenpflege.[87]

Diese Ordnung von 1522 läßt erkennen, welche starken ökonomischen Verlagerungen und sozialpolitischen Bestrebungen durch Luthers Reformation ausgelöst werden. Das Aufhören der gestifteten Messen bedeutet auf die Dauer auch, daß die dafür ausgegebenen Gelder in den Händen der Stifter beziehungsweise ihrer Nachkommen bleiben. Später berichtet Luther, der Wittenberger Pfarrer habe im Papsttum zwar nur 90 – nach einer anderen Stelle 30 – Gulden Einkommen bezogen, aber außerdem über 350 Gulden Nebeneinnahmen gehabt, die nun die Bauern und Bürger behielten. Dieses Kapital steht jetzt für Investitionen in die Warenproduktion zur Verfügung. Infolge der Beseitigung der Heiligenfeste wird die Zahl der Arbeitstage vermehrt. Die Mönche, die die Klöster verlassen, vergrößern die Zahl der Arbeitskräfte. Die Reformation steigert also auf drei Ebenen die Produktionsmittel beziehungsweise Produktivkräfte. Kirchen- und Stiftungsgut gelangt in die Verwaltung der Städte, die dafür die Ausgaben für die Kirche, die Schule und Unterstützung Bedürftiger übernehmen. Die Einführung einer Gemeindekasse verbreitet sich weit in den reformatorischen Städten. 1523 hat Luther sich in dem

Vorwort zur «Leisniger Kastenordnung» noch einmal ausführlich dafür ausgesprochen,[88] allerdings nur mit begrenztem Erfolg. Die Räte der Städte ergreifen zwar gern die Möglichkeit, ihre Verwaltung auszudehnen, aber sie sind nicht bereit, die gesamte christliche Gemeinde an der Verwaltung zu beteiligen. Verarmten, Waisen und Witwen helfen sie nicht so entschieden, wie es die Wittenberger Reformatoren gewünscht und die Einwohner der Städte erwartet haben.

Mit dieser Ordnung ist ein neues Recht gesetzt. Neu ist vor allem die Gottesdienstordnung und der Entschluß, die Bildwerke aus der Kirche zu entfernen. Die Stadt hat von ihrem Recht Gebrauch gemacht, aber sie kann sowenig wie vorher Gesetze gegen den Willen des Kurfürsten durchsetzen. Dieser ist aber nicht bereit, die Wittenberger Ordnung zu bestätigen, zumal ihn das Reichsregiment am 20. Januar aufgefordert hat, gegen die Neuerungen in Wittenberg vorzugehen. Der Rat zögert, die Bildwerke sofort zu entfernen. Karlstadt predigt und schreibt energisch gegen die Heiligenbilder und löst zusammen mit Zwilling – nach seinen eigenen Worten unbeabsichtigt – vor dem bereits festgesetzten Tag der Bildwerkentfernung den Bildersturm vom 6. Februar aus, bei dem ein Teil der mittelalterlichen Inneneinrichtung der Stadtkirche zerstört wird. Karlstadt hat wiederum auf die Stadtkirche übertragen und damit verallgemeinert, was die Augustinereremiten begonnen haben. Die Lage ist nun ziemlich verfahren. Der Kurfürst erkennt die neue Ordnung nicht an – wenn er auch nichts tut, um die alte wiederherzustellen –, einige handeln aber außerhalb jeder Rechtsordnung. Zwilling und Karlstadt werden ermahnt, sich in ihren Predigten zu mäßigen. Zwilling verläßt Wittenberg, Karlstadt steht aber bald von seinen Kollegen isoliert da. Wodurch kommt das?

Karlstadt lehnt fortschreitend die scholastische Theologie ab, ohne aber zu einer neuen wissenschaftlichen Methode in der Auslegung der Heiligen Schrift zu kommen. Er gelangt zu der Überzeugung, daß die ungeschulten Apostel die Heilige Schrift besser verstanden haben als die Schriftgelehrten ihrer Zeit. Daher erscheint es ihm auch jetzt besser, die Ansichten der Laien zu befragen. Gabriel Zwilling teilt seine Meinung, aber auch der Rektor der städtischen Knabenschule, Magister Georg Mohr. Die Schule, die westlich der Fronleichnamskapelle steht und die Kantorei mit enthält, wird aufgelöst und in einen Brotladen verwandelt. Studenten verlassen die Leucorea, um nach Hause zu ziehen und ein Handwerk auszuüben. Während Luthers Umgestaltung der Theologie zur Universitätsreform geführt, den Humanismus in der Leucorea verankert und sie zur Blüte gebracht hat, droht Karlstadts Ablehnung der Theologie das gesamte Bildungssystem zu zerstören. Es ist nicht verwunderlich, wenn die Lehrer der Leucorea seinen Weg nicht mehr mitgehen.[89]

## 2. Die Regulierung durch Luther

Luther verfolgt den Fortgang der Reformation in Wittenberg von der Wartburg aus und billigt ihn, solange einzelne Gruppen – zum Beispiel die Augustinereremiten oder Universitätsangehörige – sowie Einzelpersonen ihre gottesdienstlichen Gewohnheiten umgestalten und ihre Lebensführung im Sinne des reinen Evangeliums verändern. Anfang Dezember 1521 reitet er, verkleidet als Junker Jörg, nach Wittenberg, um sich von dem Stand der Dinge zu überzeugen. Cranach nutzt den kurzen Aufenthalt Luthers, ihn zu porträtieren. Mit Sorge aber erfüllen Luther Vorgänge, bei denen Gewalt oder Zwang angewendet wird. Zunächst sind es die einzelnen tumultuarischen Szenen gegen die Antoniter, die Priester in der Stadt- und in der Franziskanerkirche, seit Weihnachten 1521 aber die alle verpflichtende Neu-

45

ordnung des Gottesdienstes und schließlich die Zerstörung der Bildwerke in der Stadtkirche, die ihn beunruhigen. Er sieht darin ein «gesetzliches» (unevangelisches), auf Äußerlichkeiten gerichtetes Vorgehen, das er mit der Heiligen Schrift nicht mehr zu rechtfertigen weiß und überdies dem Reichsregiment Vorwände in die Hände spielt, Wittenberg zu bestrafen. Als Melanchthon und der Wittenberger Rat Luther zurückrufen, verläßt er am 1. März 1522 seinen sicheren Zufluchtsort, um der Wittenberger Bewegung eine Richtung zu geben, die seinem Verständnis eines evangelischen Lebens entspricht. Dazu treibt ihn auch die Befürchtung, daß «eine große Empörung in deutschen Landen» entstehen könnte, die sich nicht nur gegen die «geistliche Tyrannei», sondern auch gegen die weltliche Gewalt richtet.

Luther hält vom Sonntag Invokavit (9. März 1522) an bis zum folgenden Sonntag jeden Tag eine Predigt, die als Invokavitpredigten berühmt geworden sind. In ihnen wendet er sich dagegen, daß das Evangelium jemandem mit physischer oder rechtlicher Gewalt aufgezwungen wird. Luther verlangt Rücksicht auf diejenigen, die ihren Glauben noch auf die alten Einrichtungen stützen. Er fordert grundsätzliche Freiheit in Glaubensdingen für den einzelnen Christen. Die alte Form der lateinischen Messen wird wiederhergestellt, aber nicht vollständig. Was die Messe als Opfer erscheinen läßt, streicht Luther. Es wird in ihr wieder nur das Brot gereicht. Aber daneben bleibt auch die neue Form erhalten, für den, der den Kelch empfangen will.[90] Luther hat damit die Wittenberger Bewegung in gemäßigte Bahnen gelenkt, findet bei evangelisch gesonnenen Bürgern, Adligen und Fürsten darin Zustimmung und Unterstützung. Wer weiterhin auf rasche, gesetzliche oder gesellschaftliche Veränderungen dringt, trennt sich von Luther und schlägt sich zu einer Gruppe, die heute mit der Bezeichnung «linker Flügel der Reformation» zusammengefaßt wird. In Wittenberg besei-

tigt Luther Karlstadts Spuren, indem er die Beichte erneuert sowie das Schulwesen und die Leucorea reformiert beziehungsweise den Anstoß dazu gibt.

Luther wendet sich in seinen Schriften sehr früh gegen den Beichtzwang, denn seit 1215 ist jeder römisch-katholische Christ verpflichtet, mindestens einmal im Jahr zur Privatbeichte zu gehen. Luther bemerkt, daß dieser Zwang oft zur Heuchelei verführt. Durch seine Kritik steigert Luther die Abneigung der Wittenberger gegen die mittelalterliche Beichtpraxis. Als Karlstadt die römische Messe beseitigt, fällt zugleich die Beichte überhaupt. Danach nimmt Luther bald wahr, daß mancher ohne rechte Einstellung zum Abendmahl geht. Er muß daher befürchten, daß er einigen entsprechend 1. Kor. 11, 27–29 Brot und Wein zum Gericht reicht. Um das zu verhindern und zugleich die Möglichkeit zurückzugewinnen, daß jemand durch die Beichte die Vergebung seiner Sünden erlangt, beginnt er seit 1523 zusammen mit Bugenhagen in Wittenberg die Privatbeichte wieder einzurichten. Wer zum Abendmahl gehen will, muß sich anmelden. Mit ihm wird ein «Glaubensverhör» durchgeführt, um festzustellen, ob er den Inhalt und die Handlung des Abendmahls versteht, ob er Sündenerkenntnis und Heilsverlangen hat. Wer in einem unchristlichen Lebenswandel beharrt, soll vom Abendmahl zurückgewiesen werden. Die neue Ordnung stellt den Versuch dar, einerseits den Beichtzwang zu beseitigen und andererseits zu echter Bußgesinnung und sachgemäßem Abendmahlsempfang zu verhelfen. Tatsächlich wird dadurch die Einzelbeichte vor dem Pfarrer wieder belebt, bis sie im 18. Jahrhundert durch Pietismus und Aufklärung in den lutherischen Kirchen verfällt.

Luthers Bemühungen gelten auch der Erneuerung der Schule. Im Herbst 1523 eröffnet sie der Stadtpfarrer Johannes Bugenhagen in Wittenberg neu. Luther wendet sich an die Ratsherren aller deutschen Städte und fordert sie auf, christliche Schulen einzurichten, in denen nicht nach mittelalterlicher Weise schlechtes Latein eingebleut wird, sondern die Heilige Schrift gelesen, Latein, Griechisch und Hebräisch nach humanistischer Weise gelehrt werden und einige wenige, aber gute Bücher anderer Lehrfächer die Grundlage bilden. Dadurch werden die Anforderungen, die Luther als Theologe zunächst an die Artistische Fakultät gestellt hat, bis in die Schule zurückverlegt. Das humanistische Gymnasium wird die Voraussetzung für jedes Studium. Gegen die Verachtung der Artistischen Fakultät wendet sich Melanchthon, der 1523/24 als Rektor der Leucorea die Studienordnung erneuert. So gelingt es Luther und Melanchthon allmählich, die bildungsfeindliche Haltung zu überwinden. Melanchthon übernimmt es, außerhalb Wittenbergs sowohl an Stadtschulen als auch an Universitäten diese humanistische Reform durchzuführen. Dadurch wird Wittenberg zum Vorbild für die Bildung in den evangelischen Ländern, was auch auf die römisch-katholischen Gebiete nicht ohne Einfluß bleibt. Die Entwicklung der reformatorischen Theologie hat die Möglichkeit und die Notwendigkeit für eine Umgestaltung des gesamten Schul- und Hochschulwesens aufgezeigt, in der sich neben den Interessen der Reformatoren auch die der Humanisten und Bürger verwirklichen.[91]

In Wittenberg stößt Luther bei einigen Stiftsherren auf heftigen Widerstand, als er die Umgestaltung des Allerheiligenstiftes verlangt. Seit 1521 wünscht er, daß es aufgelöst und die liturgischen Veranstaltungen ohne Gemeinde in der Schloßkirche eingestellt werden. Denn die Entwicklung in der Stadtkirche wird in der Schloßkirche nicht nachvollzogen. Als die Stiftsherren 1523 mit der Berufung eines neuen Stadtpfarrers zögern, läßt Luther unter Übergehen ihrer Rechte Bugenhagen durch die Gemeinde zum Stadtpfarrer wählen. Dadurch geht das Besetzungsrecht für die Pfarrstelle der Stadtkirche auf den Rat der Stadt unter Beteiligung zweier Vertreter der

Leucorea über. Bugenhagen bezieht das Haus des Stadtpfarrers, das noch heute nach ihm Bugenhagenhaus genannt wird. Es muß 1605 gründlich ausgebaut werden. Völlig umgestaltet wird es von 1731 bis 1732. Bugenhagen bewährt sich als treuer Mitarbeiter Luthers, indem er vor allem in Gebieten, die evangelisch werden, neue Kirchenordnungen einführt.

Auf Luthers Drängen wird die Ausstellung der Reliquien in der Schloßkirche eingeschränkt und 1523 letztmals durchgeführt. Da Friedrich der Weise nicht für einen Eingriff in das Allerheiligenstift zu gewinnen ist, fordert Luther am 1. Advent 1524 in einer Predigt gegen den «Greuel der stillen Messen» Fürsten, Bürgermeister, Rat und Richter auf, ihre von Gott ihnen anvertraute Macht zu gebrauchen, um dieser Gotteslästerung zu wehren. Dadurch erreicht er, daß die Universität und der Rat von Wittenberg die Stiftsherren dazu bewegen, ab Weihnachten 1524 die stillen Messen einzustellen.

Friedrich der Weise stirbt am 5. Mai 1525 und wird in der Schloßkirche beigesetzt. Luther hält die [17*, 33] Grabrede. Da Friedrichs Nachfolger, sein Bruder Johann der Beständige, entschlossener für die Reformation eintritt, wird das Allerheiligenstift im Oktober 1525 aufgehoben. Die vielen Reliquien sind wertlos geworden, die gestifteten Messen und Stundengebete verstummen. Die Einkünfte fließen der Universität zu. Die Schloßkirche hat die ihr von Friedrich dem Weisen zugedachte zentrale Stellung eingebüßt. Diese ist der Stadtkirche zugefallen, in der Luther und seine Schüler das neuentdeckte Evangelium verkündigen. [32, 34]

Mit Zustimmung des neuen Kurfürsten wird in Wittenberg nun auch die Reform der Messe vorangetrieben. Am 23. September 1525 wird in der Schloßkirche der lateinische Gottesdienst der Stadtkirche eingeführt, am 29. Oktober dieser – zunächst in der Stadtkirche – in deutscher Sprache gefeiert.

52

*Hans Vischer:*
*Krönung der Maria,*
*Bronzeepitaph*
*für Henning Göde*
*von 1521.*
*Ein zweiter Guß*
*wurde im Erfurter*
*Dom angebracht, weil*
*Göde an der Erfurter*
*Universität Professor*
*für Kirchenrecht war,*
*ehe er 1510 die gleiche*
*Stellung an der*
*Leucorea einnahm*
*und der letzte Propst*
*des Allerheiligenstiftes*
*wurde, der den alten*
*Glauben gegen die*
*Reformation zu*
*verteidigen versuchte*
*(Schloßkirche)*

TV SVMMVM REGINA THRONVM DEFERT VRINA ALTVM
ANGELICIS PRELATA CHORIS CVI FESTVS ET IPSE
HVIVS OCCVRRENS MATREM SVPER ETHERA POLIT

HENNINGO GODEN HAŇELBERGENSI SVÆ ÆTATIS IVRECONSVLTO
RVM FACILE PRINCIPI VVITTEMBERGENSIS ECCLESIE PRÆPOSI
TO HVIVS SCHOLASTICO CANONICOQ EXTREMA ÆTATE SED
FLORENTIBVS HONORIBVS ANNO CHRISTI M.D.XXI. XII. CAL FE
BRVARY VVITTEMBERGÆ VITA FVNCTO SEPVLTOQ. MATHI
AS MEYER IVRECONSVLTVS. CATHEDRALIS HILDESHEMĒ
SIS. Q HVIVS ECCLESIARVM CANONICVS VLTIMÆ EIVS
VOLVNTATIS PRIMARIVS EXECVTOR PATRONO OPTIME
MERITO GRATITVDINIS ERGO. F. C.

53
*Lutherstube im Lutherhaus, von 1535 bis 1538 eingerichtet*

54
*Cranachwerkstatt:*
*Katharina Luther*
*geb. von Bora,*
*Gemälde*
*(Lutherhalle)*

55
*Hof des*
*Bürgerhauses Markt 6*

56
*Lucas Cranach d. Ä.: Bildnis eines Mädchens, Gemälde von 1520,*
*irrtümlich für Magdalena Luther gehalten (Lutherhalle)*

57
Katharinenportal
am Lutherhaus
aus Sandstein,
1540 in Pirna
geschaffen

58
Martin Luther, Sandsteinrelief an der Unterseite des linken Baldachins des Katharinen-
portals mit der Umschrift: «Durch Stillesein und Hoffen würdet ihr stark sein.»

59
Lutherrose, Sandsteinrelief an der Unterseite des rechten Baldachins des Katharinen-
portals mit der Umschrift :«Er [Christus] lebt.»

60
*Melanchthonhaus*
*vom Garten aus,*
*1536 erbaut*

61
*Melanchthons*
*Studierstube*

62

*Lucas Cranach d. Ä.: Sündenfall und Erlösung, Tempera von 1529 (Prag, Nationalgalerie)*

63
*Lucas Cranach d. Ä.:*
*Kardinal Albrecht*
*von Brandenburg als*
*heiliger Hieronymus*
*in einer Landschaft,*
*Gemälde von 1527*
*(Berlin-West, Preu-*
*ßischer Kulturbesitz)*

64
*Peter Spitzer:*
*Die Darstellung Jesu*
*(Luk. 2, 22–38),*
*Epitaph für*
*Melchior Fendt,*
*Gemälde von 1569*
*(Stadtkirche)*

Die Kreuzigung Christi mit Inschrift:

·I·N·R·I·

HÆIC PROPE DILECTVM SVM CONDITÂ SARA PARENTEM
    QVI BVGENNHAGII NOMINE CLARVS ERAT.
EXTERIORE LOCO TEMPLI MEA SCVLPTA FIGVRA EST.
    ADDITAQ ÆTATIS TEMPORA CERTA MEÆ.
QVÆ FVERIT VITÆ RATIO, QVIQ EXITVS HVIVS:
    HÆC BREVIBVS NVMERIS SIGNIFICATA LEGE
PER TRIA CRACOVIO DOCTORI LVSTRA MARITO
    FIDA THORI CONSORS IVNCTAQVE COSTA FVI.
INGENIO ET SANCTIS PRÆSTABAM MORIBVS VXOR.
    DISPLICVIT CARO NEC MEA FORMA VIRO.

QVATTVOR EX ILLO PEPERI CHRISTO AVSPICE NATOS.
    TER QVOQ FOEMINEA PROLE BEATA FVI.
SEPTIMVS ILLE LABOR IVCINÆ SVSTVLIT ÆGRAM
    CLAVDENTEM IN CHRISTI FATA SVPREMA FIDE.
AT ME NON FICTO COMPLEXVS AMORE MARITVS
    CONSTITVIT LVCTVS HÆC MONVMENTA SVI.
TV QVISQ̄IS TRANSIS VITÆ NON IMMEMOR HVIVS
    DIC, NIHIL EST FIRMVM. PERPETVVMQVE NIHIL.

65
*Lucas Cranach d. J.:*
*Die Kreuzigung Christi,*
*Epitaph für Sara Cracow,*
*Gemälde nach 1563*
*(Stadtkirche)*

REVERENDVS ET CLARISSIMVS VIR DOMINVS PAVLVS EBERVS SACRÆ THEOLOGIÆ DOCTOR ET PROFESSOR NATVS IN VRBE FRAN-
CIÆ KITTING. HONESTIS PARENTIBVS ANNO CHRISTI MILLESIMO QVINGENTESIMO VNDECIMO DIE NOVEMBRIS OCTAVO IN FELICI QVODAM CASV EXEGE CVSSVS
ET AB ILLO LONGE LATEQVE RAPTATVS CORPORIS DECVS STATVRAM AC ROBVS AMISIT PVER ANNO CHRISTI MILLESIMO QVINGENTESIMO VI-
GESIMO QVARTO ÆTATIS TREDECIMO VIDIT ANNO SEQVENTI TRISTEM PATRIÆ CALAMITATEM ORTAM A SEDITIOSIS TVMVLTVIS RVSTICORVM
TOTA PASSIM GERMANIA COMMOTORVM POSTEA NORBERGÆ AVDITO ALIQVANDO VIRO CLARISSIMO IOACHIMO CAMERARIO ET CACTIS CRV-
DITIONIS SOLIDÆ FVNDAMENTIS FOELICISSIMIS VENIT IN HANC ACADEMIAM ANNO CHRISTI MILLESIMO QVINGENTESIMO TRIGESIMO SECVNDO
ÆTATIS VIGESIMO PRIMO VIR DILIGENTIA ET ASSIDVITATE SVMMA AVDIVIT ANNOS QVATVORDECIM LVTHERVM ET PHILIPPVM ET VIR OPTIMI INGENIO
DOCTRINARVM AVDIO ET CÆLI ET AD SVMMA OMNIS FACTO INTRA HOC TEMPVS COGNITIS OMNIBVS PHILOSOPHIÆ PARTIBVS SIC EMIN VE ATQVE INCLA-
RESCERE CÆPIT VT ANNO MILLESIMO QVINGENTESIMO QVADRAGESIMO QVARTO IN SENATVM PROFESSORVM COOPTARETVS AC PRÆFECTVS IN DO-
FENDO EADEM OMNIVM TESTIMONIO DEMERVERETVR. MVLT ET ITVS ACADEMIÆ ET OPPIDI CALAMITATES ET EIVS
RATIONES ANNO MILLESIMO QVINGENTESIMO QVADRAGESIMO SEPTIMO ET OPISIDIONEM ANIMO EXCELSO ET MAGNO PERV-
LIT ANNO VERO MILLESIMO QVINGENTESIMO QVINQVAGESIMO OCTAVO PROPTER PIETATEM DOCTRINAM PRVDENTIAM ET
FIDEM EXCELLENTEM CONSENTIENTIBVS ACADEMIÆ ELSENATVS — OPPIDANI SVFFRAGIIS AD GVBERNATIONEM ECCLESIÆ IN
HOC OPPIDO VOCATVS ET GRAVISSIMO IVDICIO ILLVSTRISSIMI ET INCLITI PRINCIPIS AC DOMINI DOMINI AVGVSTI SAXONIÆ
DVCIS EX SEPTEMBRI MVNERE ILLO INDICATVS EST DIGNISSIMVS CVI PRÆBVIT VIGILANTIA SOLLICITVDINE ET FIDE SVM-
MA ILLVD VBEMEIGER AMABITVS ET ILLVSTRI PRÆSENTIÆ AC BENEFICIONIS DIVINÆ TESTIMONIA ANNOS VNDECIM ADHPRI-
TVS INSTRVTORE ECCLESIARVM IN HIS REGIONIBVS COLLOQVIIS ITEM ET SYNODIS CERTO STATISTIS ALIQVOTIS QVIBVS PRÆCIPVE PRÆDCEDA
VBITVS PIETVS FIBES ET INTEGRITAS EIVS PERPETVA EST VT DEO VIRIS PROBATVS FACE PRINCIPI ACADEMIÆ ECCLESIÆ ET BONIS VIRIS VNIVERSIS
AC VTEM SED TAX VIR DECEMBER ÆTATIS IVBR FRAGIL NON TAM VITÆ QVAM DOLORE CLVTATEM MISSERIS ET LASSITICIS PEROPISAT
ACQVIESCENTVS. ET DVNASTATE POSTREMAM ILLIVS ANNI SVI CALAMITATA NEM PLAGI ANTE IPSA FAMVLAY SVÆ FANKA ANTECESSIT IN QVIBVS ET
COMMISSIT ELENA KATHERINÆ QVAM DILENTE TENERRIME IN ARBITALIO NVPTIALE S P LASDISSER DE CESSIT PRESENTEM ACRIS AEQVAM
ANIMO AN FVTVRORVS TRISTES QVI NON MVLTO POST IPAM SECHTA FVERVNT HVIC DECVATVR DENIS LIBERIS SVPERSTITES DVO FILI ET
DVÆ NATÆ VITATIS SVIS SIMO ET CHARISSIMO GRATITVDINIS AC PIETATIS MONVMENTVM HOC SVO SVMPTV FIERI CVRARVNT

66
*Lucas Cranach d. J.:*
*Der Weinberg*
*als Symbol der christlichen Kirche,*
*Epitaph für Paul Eber,*
*Gemälde nach 1573*
*(Stadtkirche – vgl. Seite 145)*

67
*Sebastian Walther:*
*Die Grablegung Christi*
*(Matth. 27, 57–61; Joh. 19, 38–41),*
*Epitaph für Lucas Cranach d. J.*
*aus Marmor mit Alabasterrelief*
*von 1606 (Stadtkirche)*

68
*Flügelaltar der Stadtkirche. Lucas Cranach d. Ä.: Das heilige Abendmahl mit Porträts von Reformatoren*
*und Anhängern der Reformation, Gemälde vermutlich vor 1539.*
*Lucas Cranach d. J.: Die Taufe mit Philipp Melanchthon als Täufer; Die Beichte mit Johannes Bugenhagen als Beichtvater*
*und Die Wortverkündigung mit Martin Luther als Prediger, Gemälde vermutlich 1547*

Luthers Forderung nach einem deutschsprachigen Gottesdienst ist inzwischen schon an anderen Orten erfüllt worden. So hat zum Beispiel Thomas Müntzer 1523 in Allstedt sein «Deutsches Kirchenamt» und seine «Deutsch-evangelische» Messe in Kraft gesetzt. Die neue Wittenberger Gottesdienstform erscheint am Neujahrstag 1526 mit dem Titel «Deutsche Messe». Sie wird zur Grundlage vieler evangelischer Agenden bis in die Gegenwart, ohne in ihren Intentionen immer voll zur Geltung zu kommen.

Wie die Wittenberger Ordnung von 1522 zeigt, spielen die ökonomischen Interessen bei der Durchführung der Reformation keine geringe Rolle. Aber sie führen in Wittenberg nicht zur Forderung nach einer neuen Ordnung der städtischen Gemeinschaft. weil sich der Rat selbst an die Spitze dieser Bewegung stellt. In Städten mit größeren sozialen Spannungen hingegen löst die evangelische Predigt auch eine Umgestaltung oder Umbesetzung des Rates aus, wenn dieser der Reformation entgegentritt. Auch die Bauern sehen in ihrem Kampf um soziale Gerechtigkeit eine Möglichkeit, daß die evangelische Botschaft ihnen hilft, sich nicht nur von der römischen, sondern von jeder Unterdrückung seitens der Feudalmächte zu befreien. Besonders Thomas Müntzer führt diese Gedanken weiter, indem er diese Befreiung und die Verwirklichung eines schriftgemäßen Lebens aus dem Glauben aufs engste miteinander verknüpft. Luther, der zunächst vermitteln will, sieht schließlich vor allem den Einsatz von Gewalt im Namen des Evangeliums, um Menschen zu einer bestimmten Lebensweise zu zwingen. Für ihn wird die Bauernerhebung zum Aufruhr gegen den von Gott gebotenen Gehorsam. Die relativ guten Verhältnisse der Bauern im Amt Wittenberg, die verständnisvolle Haltung des Amtes lassen Luther nicht erkennen, in welch schwierigen wirtschaftlichen Verhältnissen sich andernorts die Bauern befinden und welcher Willkür sie ausgesetzt sind. Er

nimmt die Aufgaben eines Anwaltes für die Bauern bei ihren Herren nicht wahr, wie das seiner Rechtsvorstellung, daß niemand in eigener Sache Richter sein soll, entsprochen hätte. Vielmehr läßt er sich 1525 zu der maßlosen Schrift «Wider die räuberischen und mörderischen Rotten der Bauern» hinreißen, in der selbst seine Freunde das Verständnis für die Bauern, die christliche Nächstenliebe und die seelsorgerliche Hilfe vermissen.[92]

Luther muß wahrnehmen, daß sich vor allem der niedere Adel am Kirchengut bereichert und das Wort Gottes nicht in allen Gemeinden angeboten wird. Daher bittet er schließlich – von anderen dazu gedrängt – am 31. Oktober 1525 den Kurfürsten Johann den Beständigen, die Versorgung der Pfarrer zu gewährleisten. Es entstehen daraus die Visitationen, die von Theologen und Juristen durchgeführt werden. Sie sichern das Kirchenvermögen, legen die Zahl der Stellen und deren Aufgaben fest. Sie ordnen das gottesdienstliche Leben und prüfen, ob die Stelleninhaber geeignet sind. Die Visitationen von 1528 und 1533 in Wittenberg bestätigen die drei Hospitäler: Heilig-Kreuz-Hospital, das neu erbaute Hospital am Elbtor, das neu eingerichtete Hospital im Franziskanerkloster. Es wird die Besoldung eines Arztes für die Armen festgesetzt. Die Kosten trägt die Gemeindekasse. Ihre Einnahmen und Ausgaben werden sorgfältig festgehalten. Für die «Kirchendiener» werden folgende Stellen eingerichtet: ein Pfarrer, drei Diakone, ein Dorfkaplan, ein Schulmeister der lateinischen Schule und Mitarbeiter, ein Schulmeister für die Mädchenschule und ein Küster. Luther hat wiederholt betont, daß es sich hierbei nur um Ordnungen handle, nicht um Gesetze, die auf den einzelnen Christen Glaubenszwang ausüben. Aber nicht alle, die mit diesen Ordnungen umgehen, zumal unter ihnen Juristen sind, haben das Evangelium so tief begriffen wie er. [93]

Luthers Verhältnis zur Anwendung von Gewalt,

das heißt von gesetzlichen oder militärischen Maßnahmen, wird von seiner theologischen Überzeugung und seinen Erfahrungen in Wittenberg gleichermaßen bestimmt. Aus seiner Worttheologie folgt die Ablehnung jeder Gewalt bei der Ausbreitung des Evangeliums. Sein ockhamistisches Erbe lehrt ihn die Gewaltanwendung in einem Notfall, das heißt das Eingreifen der weltlichen Machthaber, wenn sie Christen sind, um in der Kirche Verhältnisse zu schaffen, die eine Verkündigung des reinen Evangeliums ermöglichen. Er selbst erfährt vom kurfürstlichen Hof Duldung und Unterstützung. Wenn diese Beziehung auch nicht ungetrübt bleibt, so wird Luther doch nicht herausgefordert, eine grundsätzliche Neuordnung anzustreben. Das läßt die lutherische Reformation in ein Landeskirchentum einmünden, das die Kirche in Abhängigkeit von den Landesfürsten bringt und in Deutschland bis 1918 währt.

Am 18. Februar 1546 stirbt Luther in seiner Geburtsstadt. Er ist nach Eisleben gereist, um an Ort und Stelle die Streitigkeiten zwischen den Mansfelder Grafen zu schlichten. Es gelingt ihm, ihre Zustimmung zu den beiden von ihm vorgeschlagenen Vergleichen zu erlangen. In der darauffolgenden Nacht schließt er seine Augen für immer. Feierlich wird er nach Wittenberg übergeführt. Als Angehöriger der Leucorea wird er in der Universitäts-, also der Schloßkirche beigesetzt. Bugenhagen und Melanchthon halten die Grabreden.

Luther wird vom Tod nicht überrascht. Seine letzte Aufzeichnung enthält eine Rückschau auf sein Leben:

«Den Virgil kann in seinen ‹Bucolica› und ‹Georgica› niemand verstehen, wenn er nicht erstens fünf Jahre Hirte oder Bauer gewesen ist.

Den Cicero kann zweitens in seinen Briefen niemand verstehen, wenn er sich nicht zwanzig Jahre in einem bedeutenden Staatswesen bewegt hat.

Die Heilige Schrift meine niemand genügend ge-

kostet zu haben, wenn er nicht hundert Jahre mit den Propheten die Gemeinden geleitet hat.

Deshalb ist es ein gewaltiges Wunder erstens bei Johannes dem Täufer, zweitens bei Christus, drittens bei den Aposteln. ‹Du aber versuche nicht diese göttliche Aeneis, sondern verehre demütig ihre Spuren.› Wir sind Bettler, das ist wahr.»[94]

Luther faßt hier selbst sein theologisches Streben als Mühen um das rechte Verständnis der Heiligen Schrift zusammen. Charakteristischerweise knüpft er mit den Beispielen an die Anstrengungen der Humanisten an. Er führt einen Ausspruch des Publius Papinius Statius, eines römischen Dichters unter dem Kaiser Domitian (81–96), an, in dem gewarnt wird, ein Unternehmen auf sich zu laden, das mit der abenteuerlichen Fahrt des Aineias von dem zerstörten Troja bis nach Mittelitalien zu vergleichen ist. Luther sieht es also für aussichtslos, ja vermessen an, ein Schriftverständnis wie Johannes der Täufer, Christus oder die Apostel zu erlangen. Nachdem Luther 33 Jahre lang die Heilige Schrift ausgelegt hat, bekennt er, sie noch nicht genügend gekostet, prüfend aufgenommen zu haben, um sie ganz zu verstehen. Luther hat also nicht den Anspruch erhoben, die Heilige Schrift erschöpft und immer richtig ausgelegt zu haben, obgleich er sein Verständnis bestimmter Stellen sehr entschieden verteidigte.

### 3. Die Klöster und das Melanchthonhaus

Der Weiterbau des Schwarzen Klosters unterbleibt, weil die Augustinereremiten es verlassen haben. Luther wohnt weiter darin. Am 13. Juni 1525 heiratet er Katharina von Bora, die aus dem Kloster Nimbschen bei Grimma geflohen und nach Wittenberg gekommen ist. Luther bricht damit bewußt sein Zölibatsgelübde, um seine Schriften zu bekräftigen, nachdem vor ihm schon eine ganze Anzahl Priester, Mönche und Nonnen Ehen geschlossen haben. Er

99,
17*

54

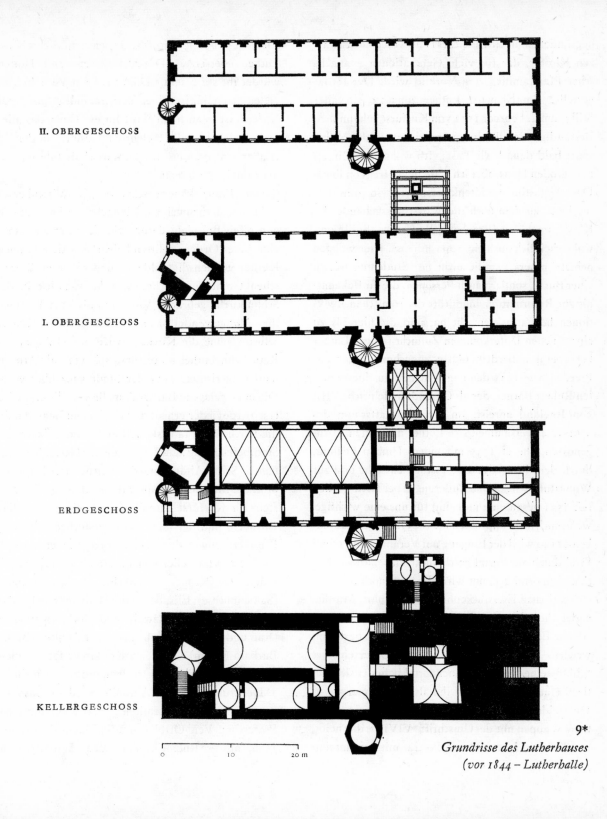

II. OBERGESCHOSS

I. OBERGESCHOSS

ERDGESCHOSS

KELLERGESCHOSS

0    10    20 m

9*

*Grundrisse des Lutherhauses
(vor 1844 – Lutherhalle)*

begründet damit ein gastliches Hauswesen im Schwarzen Kloster, das für viele Generationen evangelischer Pfarrfamilien zum Vorbild wird. Der fertiggestellte Bauteil wird Luther zunächst «in aller Stille» am 4. Februar 1532 von Kurfürst Johann dem Beständigen in aller Form übereignet. Luther selbst spürt bald danach die Last: «Ich wohne wohl in einem großen Haus, aber ich wäre lieber frei von ihm.» Das Augustinereremitenkloster wird so zum Lutherhaus, zu dem auch die Wirtschaftsgebäude des Klosters gehören (Brauhaus, Badestube, Ställe und wahrscheinlich auch ein Schlachthaus). Hier wohnen neben Luthers Familie nicht nur Studenten wie in einer Burse, sondern auch Personen, die ihr Bekenntnis zur Reformation angesichts der römischen Reaktionen heimatlos gemacht hat und die hier bis zu einem neuen Unterkommen Zuflucht finden. Luther beherbergt außerdem Gäste, manchmal sogar mit Pferden, wie 1535 den englischen Augustinereremiten Robert Barnes, der als Gesandter Heinrichs VIII. von England anreist. Im Gemeinschaftsraum des Torturmes versammelt sich Luther mit seinen Tischgenossen, ehe er 1535 mit einem Umbau beginnt, durch den die jetzige Lutherstube entsteht und zur 53 Wohnstube wird. Seine Äußerungen bei Tisch werden seit 1531 gesammelt und sind für uns eine wichtige, wenn auch nicht unproblematische Quelle seines Denkens. 1540 wird der Eingang auf Veranlassung seiner 57 Frau durch ein Portal geschmückt, das nach ihr Katharinenportal genannt wird. Es wird noch mit dem spätgotischen Eselsrückenbogen ausgeführt. Mit ihm endet die erste Epoche der Wittenberger Portale, «deren Elemente noch von der Spätgotik bestimmt werden» (*Paul Mannewitz*). An der Unterseite des Schlußsteines am Katharinenportal befindet sich Luthers Hausmarke, die auf ihn als Eigentümer weist. Die beiden Unterseiten der Baldachine zeigen Luthers Wappen mit der Umschrift «VIVIT», das heißt, 59 er (Christus) lebt, und sein Porträt mit dem lateini- 58

schen Text aus Jes. 30, 15, dessen hebräische Form Luther übersetzt: «Durch Stillesein und Hoffen würdet ihr stark sein.» Damit ist sein Verhalten zu vielen Strömungen seiner Zeit treffend erfaßt, aber zugleich ist es auch ein Wort für ein Haus, das alles andere als eine stille Gelehrtenklause ist, in dem er es aber dank der umsichtigen Wirtschaftsführung seiner Frau immerhin aushält.[95]

Den Franziskanern scheinen die Wittenberger nicht sehr nachzuweinen. Vielmehr erzählen sie sich nun offen Beispiele dafür, wie sie unter der Habgier dieses Ordens gelitten haben. Aus dem Grauen Kloster werden die goldenen und silbernen liturgischen Geräte und Schmuckstücke zunächst in die Schloßkirche gebracht. Von 1529 bis 1531 kommen die Meßgewänder zum Verkauf. Das Kloster selbst – ohne die Kirche – wird auf Drängen des Rates, von Luther unterstützt, seit 1527 als Armenhaus eingerichtet, 1535 der Stadt ganz übergeben. Die nahe gelegene Barbarakapelle verfällt und wird erst 1610 wieder erneuert. 1537 beginnt man damit, die Kirche des Franziskanerklosters im Rahmen der 2 Stadtbefestigung zum Lagerhaus für Getreide umzubauen. Sechs Altäre und der Lettner werden abgebrochen. Melanchthon sorgt dafür, daß der Gedenkstein für Kurfürst Rudolf II. mit seiner Gemahlin 1 Elisabeth und der ihrer 1353 verstorbenen Tochter Elisabeth sowie das neun heilige Frauen darstellende Sandsteinrelief von 1370/80 – Ursula (Pfeil), Mätyrerin (Krone und Buch), Maria Magdalena (Salbenbüchse), Elisabeth oder Hedwig (Kirchenmodell), Lucia (Palmenzweig und Buch), Katharina (Rad und Buch), Dorothea (Rosen), Heilige (Buch), Barbara (Turm) – in der Schloßkirche Platz finden, 17* wo sie heute unter der Orgelempore zu sehen sind.[96]

Der frühere Sitz der Antoniter wird – ebenso wie der der Augustinereremiten – zur Wohnung eines Professors. Veit Örtel von Windsheim d. Ä. kauft 1536, als er Rhetorik lehrt, den Antonitern ihr

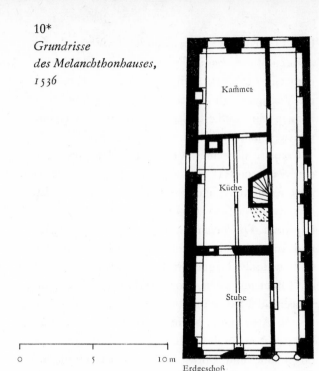

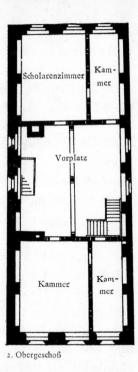

0     5     10 m

Erdgeschoß      1. Obergeschoß      2. Obergeschoß

Grundstück ab. 1541 übernimmt er als Nachfolger Melanchthons die Professur für Griechisch. 1735 wird aus der Antoniterkapelle ein Gefängnis, 1910 eine Schlosserei.[97]

Melanchthon erwirbt zunächst ein bescheidenes Haus, das 1536 kaum noch bewohnbar ist. Nachdem der Kurfürst Johann der Beständige Luther das Schwarze Kloster geschenkt hat, übernimmt sein Sohn Johann Friedrich den Bau eines Hauses für den anderen der beiden berühmten Professoren. Die Stadt unterstützt den Bau, indem sie Baumaterial liefert. Das anliegende Gartengrundstück wird hinzugekauft, so daß sich Melanchthons Besitz erweitert. Der Kurfürst muß für den Bau 946 Gulden, 18 Groschen, 1 Pfennig und 1 Heller aufbringen. So entsteht 1536 anstelle des alten Hauses ein vornehmes Gebäude. Das Herzstück des Hauses bildet Melanchthons Studierstube. Sie wird großzügig angelegt und erhält durch drei große Fenster mit Butzenscheiben ausreichend Licht für den genialen und fleißigen Gelehrten, der unentwegt theologische und philosophische Schriften sowie Gutachten und Briefe abfaßt. 1551 stellt er den noch heute erhaltenen Steintisch in den Garten. 1556 erhält er einen Rohrbrunnen geschenkt. 1604 wird das Haus an der rechten Seite um die Toreinfahrt verbreitert.[98]

### 4. *Die Bibliothek und die Kunst*

Das Anschaffungsprogramm der für die Leucorea bestimmten Schloßbibliothek wird von der Reformation nicht grundsätzlich verändert, aber erweitert. Luther betrachtet die philologischen und humanistischen Werke als notwendige Mittel, um die Heilige Schrift richtig verstehen zu können. Für notwendig hält er auch juristische und medizinische Bücher, besonders aber historische, um richtig regieren zu können. Hier wird das vom Humanismus neu erweckte Geschichtsbewußtsein spürbar. Dagegen erscheint es ihm überflüssig, alles zu sammeln, und er hält von der «verdammten Mönche und Sophisten Mist» gar nichts. Hinzu kommen nun seine eigenen Schriften und die anderer Reformatoren, aber auch ihrer Gegner. Als weitere Folge der Reformation übernimmt die Schloßbibliothek manch wertvolles Büchergut aus den verlassenen Klöstern, so zum Beispiel aus dem Franziskanerkloster und dem Allerheiligenstift in Wittenberg, aus Klöstern in Grimma, Grünhain, Gandersheim und Königslutter. Während Johann der Beständige nicht viel für die Bibliothek getan hat, wird sie unter Johann Friedrich wieder kräftig ausgebaut, 1536 neu geordnet. Sie erhält für Anschaffungen jährlich 100 Gulden zugewiesen und neben Spalatin einen weiteren Bibliothekar, Lucas Edenberger, damit die Bibliothek häufiger zugänglich ist. Die Bücher werden in die «obere große Hofstube» im ersten Stock im Elbflügel gebracht und dort zum Teil auf Pulten ausgelegt. Sie haben meist Holzdeckel und sind mit Schweinsleder überzogen. Der Rückendeckel der kostbareren Werke erhält zwei Löcher, um das Buch anzuketten, was nicht sehr für die Ehrlichkeit der Benutzer spricht. Die wachsende Zahl der Bücher läßt die Decke bedenklich durchhängen. Daher werden 1546 in der darunterliegenden Hofstube Säulen eingebaut.[99] 4*

Auch das Schaffen Cranachs d. Ä. wird von der Reformation zum Teil in neue Bahnen gelenkt. Sobald Luther mit seinen 95 Thesen an die Öffentlichkeit getreten ist, wird seine Verbindung zu Cranach sichtbar.[100] 1518 ziert ein Titelholzschnitt Cranachs die von Luther herausgegebene «Theologia deutsch». Als die Leipziger Disputation 1519 das Interesse für Luther steigert, verbreitet Cranach einen Kupferstich, der Luther mit den Zügen eines entsagungsvollen Ringens um die göttliche Wahrheit darstellt. Damit ist die Reihe der Porträts Luthers eröffnet, die bis zum heutigen Tag die Vorstellung von seinem Aussehen prägen. Porträts der Mitstreiter Luthers folgen. Nach dem Tod Friedrichs des Weisen

bringt Cranach 1525 Massenbilder des Verstorbenen auf den Markt. Bei der Vermehrung der Lutherbilder wendet er ab 1528 ein Pausverfahren an, bei dem die Vorlage durch Nadelstiche übertragen wird. So können die Lutherbilder schnell hergestellt und preiswert auf den Markt gebracht werden. 48

Cranach mit seiner Werkstatt ist aber nicht nur ein «Bildreporter» der Reformatoren, sondern er setzt seine Kunst auch für Luthers Kampf ein. Einerseits unterstützt er Luthers Angriffe auf das Papsttum. Das beginnt mit «Das Passional Christi und Antichristi» 1521 und setzt sich fort bis zur «Abbildung des Papsttums» im Jahre 1545, worin Luther die Bilder mit Versen kommentiert. Hier sind vorwiegend die Satire und der Spott die angewandten Mittel. Aber dabei bleibt es nicht. Cranach müht sich daneben, an die Stelle der mittelalterlichen Altargemälde und Bilder solche zu setzen, die reformatorische Anliegen veranschaulichen. Damit bewegt er sich in den Vorstellungen Luthers, der nicht alle Bilder beseitigen, sondern die Irrtum verbreitenden durch evangelische ersetzen will. 1529 bringt Cranach einen Holzschnitt heraus, der den Sündenfall und die Erlösung nebeneinanderstellt. Damit greift er die reformatorische Gegenüberstellung von Gesetz und Evangelium auf. Mehrfach verwendet er variierend dieses Motiv, seit 1530 auch auf Bildtafeln. Am Ende seines Lebens vereinigt er dieses Thema im Mittelfeld des Weimarer Altars.[101] 45–4 50 62

11*

*Bereits die vorreformatorische antipäpstliche Polemik deutete eine 1496 aus dem Tiber gefischte antike Statue als Offenbarung über das Wesen des zeitgenössischen Papsttums. Daran anknüpfend, ließ Luther 1523 von Lucas Cranach d. Ä. einen Holzschnitt anfertigen, den Melanchthon interpretierte. Von Lucas Cranach d. J. neu gezeichnet, erschien der «Papstesel» 1545 in Wittenberg mit neun weiteren Abbildungen des Papsttums und je einer Spottstrophe von Luther. Das vorliegende Blatt aus der Lutherhalle entspricht dem Holzschnitt von 1545, hat aber eine Überschrift, die auf die ursprüngliche Veröffentlichung weist.*

# Der Bapstesel durch Philippen Melanthon gedeutet Anno M. D. XXIII.

Die verschiedenen Ausgaben von Luthers Bibel-übersetzungen regen ihn an, biblische Geschichten zu illustrieren und in steigendem Maße aus der Bibel, vor allem aus den Evangelien, neue Motive zu entnehmen. Von 1519 bis 1528 betätigt sich Cranach auch als Drucker und Verleger. Luthers berühmtes Septembertestament von 1522 wird von Melchior Lotter d. J. im Cranachhaus gedruckt und von Cranach, der den Druck von vermutlich 3000 Exemplaren finanziert, illustriert. Cranach stellt seine Werkstatt also in den Dienst der Reformation. Weil Luther nichts von einem Bildersturm hält, wird dieses Kunstzentrum nicht vernichtet, sondern befruchtet. Cranach verbreitet das reformatorische Gedankengut und veranschaulicht es durch seine Kunst. Für einen Teil seines Werkes ist die Begegnung mit Luther entscheidend, ebenso fruchtbar ist sie für Luthers Wirken. Das bedeutet aber nicht, daß Cranach deshalb mit allen Feinden Luthers bricht oder nur noch reformatorische Themen darstellt. Er malt mehrfach einen der bedeutendsten Gegner Luthers, den Erzbischof von Mainz, Kardinal Albrecht von 63 Mainz, und das noch 1527. Für Luthers heftigsten Widersacher, Georg den Bärtigen, Herzog von Sachsen, malt er 1534 einen Altar, der sich im Meißner Dom befindet. Wahrscheinlich versuchen die sächsischen Kurfürsten, durch Werke dieses begehrten Malers die Feindschaften gegen Kursachsen zu mildern. Cranach bleibt der Hofmaler, der Turniere ausschmückt, Fürsten porträtiert, das Hofleben malt 41, und auch die erwünschten Bilder mit einer unbe- 42 kleideten Venus oder Lukretia liefert. Cranachs Werkstatt läßt Wittenberg zu einer Exportstadt für Werke der darstellenden Kunst werden. Aber nicht nur das, er schenkt auch Wittenberg selbst wertvolle Werke. Unter denen, die der Stadt verblieben sind, wird der Flügelaltar in der Stadtkirche allgemein als 68 das bedeutendste angesehen.

In vollendeter Form gelingt es Cranach mit seinem Sohn Lucas Cranach d. J., die Grundlagen der Wittenberger Gemeinde zu verdeutlichen: Auf der Predella ist Luther zu sehen, wie er als Prediger die Gemeinde auf den auch für sie gekreuzigten Christus hinweist. Treffend ist Luthers Überzeugung erfaßt, daß in der Gemeinde Jesu alles durch das Wort, das von Christus handelt, bewirkt werden soll. In die Mitte des Altargemäldes ist die Einsetzung des Abendmahls gerückt. Dadurch wird Luthers Überzeugung wiedergegeben, daß der Gottesdienst desto besser ist, je mehr er dieser Einsetzung gleicht und die Abendmahlsfeier in seinem Zentrum steht. Der linke Flügel zeigt Melanchthon als Täufer, obgleich er nicht ordiniert ist. Luther will bei der Taufe das Untertauchen des Täuflings erneuern, weil es veranschaulicht, daß der alte, ungeistliche Mensch ganz ersäuft werden muß. Da dieses Untertauchen den meist erst am Tage vorher geborenen Täuflingen nicht immer zuträglich ist, bürgert sich die Taufform ein, die hier wiedergegeben ist: Der Täufer gießt dreimal das Wasser über den Rücken des Kindes. Auf dem rechten Flügel verwaltet Bugenhagen das «Amt der Schlüssel». Dem Bußfertigen vergibt er seine Sünden und schließt ihm damit den Zugang zu dem Reich der ewigen Herrlichkeit auf, während er dem Unbußfertigen seine Sünden behält und ihm dieses Reich verschließt. Luther hat zwar den Beichtzwang bekämpft, aber nicht an der Wirklichkeit der Worte Jesu gezweifelt: «Was ihr auf Erden binden werdet, soll auch im Himmel gebunden sein, und was ihr auf Erden lösen werdet, soll auch im Himmel los sein» (Matth. 18, 18). Dieser Altar verdeutlicht aber nicht nur, wie nach Luther eine Gemeinde zu erbauen ist, sondern wagt auch, die Reformatoren an die Stelle der Apostel zu setzen und sie mit Gliedern der Wittenberger Gemeinde zu umgeben. Lucas Cranach d. J. reicht im Mittelfeld Luther den Kelch. Auf der Predella scheint der Alte an der Wand Lucas Cranach d. Ä., die Frau im Vordergrund Luthers Katharina mit einem Sohn zu sein. So stellt dieser Altar vor Augen, wie Luther sich seine Wittenberger und damit jede evangelische Gemeinde wünschte.[102]

## 5. Die Befestigung und die Kapitulation

Wie das Aufblühen der Leucorea zur Bautätigkeit in der Stadt führt, bewirkt die Ausbreitung der Reformation auf andere Territorien den Ausbau der Befestigung um die Stadt. Um die Reformation abzuwehren, schließen sich Fürsten zusammen, die den alten Glauben verteidigen und nach Möglichkeit die Reichsacht gegen Luther und seine Anhänger sowie Beschützer vollstrecken wollen. Wittenberg muß daher mit militärischen Angriffen rechnen. Die Befestigungsanlagen sind zwar erhalten worden, nun aber bald hundert Jahre alt. Inzwischen haben sich die Geschütze zu einer gefährlichen Waffe für die alten Befestigungsanlagen entwickelt. Das zeigt sich 1522/23, als die Burgen der aufständischen Ritter zerstört werden. Johann der Beständige, der von 1525 bis 1532 sächsischer Kurfürst ist, entschließt sich daher, Wittenberg eine neue Befestigung zu geben, an deren Bau sich die Stadt beteiligen muß. Der Bau beginnt 1526. An die Stelle einer mittelalterlichen Stadtmauer tritt ein aufgeschütteter Wall, dessen Unterteil durch eine Mauer abgestützt wird und vor dem ein Wassergraben verläuft. An einigen Stellen werden Bastionen aufgeschüttet, so auch vor der Südwestecke des Lutherhauses. Die Arbeiten an diesen Anlagen sind sehr aufwendig und werden je nach der politischen Lage mehr oder weniger energisch betrieben, so daß sie sich bis 1547 hinziehen, als das feindliche Heer tatsächlich anrückt.

Dieser fortwährende Befestigungsbau bringt viel Unruhe in die Stadt. Da die Wallanlagen breiter werden, als die Mauern waren, verlieren manche Einwohner ihre Grundstücke, wofür sie neue erhalten müssen. Nicht immer sind sie mit dem Tausch zufrieden. Luther tritt wiederholt für ihre Interessen ein. Fremde Arbeiter werden in die Stadt geschickt, um an der Befestigung zu bauen, doch viele von ihnen entlaufen.[103]

Luther hält nicht viel von der neu entstehenden Befestigung. Das ganze Unternehmen erscheint ihm schon deshalb ohne Verheißung, weil es von dem Hauptmann Hans von Metzsch geleitet wird, dessen rücksichtsloses Vorgehen und unsittliches Leben stadtbekannt sind. Aber Luther wendet sich überhaupt grundsätzlich dagegen, die Sicherheit auf die Befestigung zu gründen. Und da sein Lied «Ein feste Burg ist unser Gott» 1528 entsteht – in dem Jahr, in dem die Wittenberger einen Angriff des Brandenburger Kurfürsten Joachim I. befürchten und in dem an der Befestigung gebaut wird –, wirkt es wie eine Mahnung Luthers an seine Umgebung, sich nicht auf die selbsterrichteten Burgen, sondern auf Gott zu verlassen.[104]

Zu einer Befestigung gehören aber nicht nur die äußeren Schutzwälle, sondern die Stadt muß auch in der Lage sein, eine längere Belagerung auszuhalten. Daher wird die Franziskanerkirche zum Getreidespeicher. Neben dem Schloß ist zwar unter Friedrich dem Weisen eine Mühle erbaut worden, doch diese kann nicht die ganze Stadt versorgen. Deshalb errichtet man – vielleicht sechs – Roßmühlen, das heißt von Pferden angetriebene Mühlen, eine davon an der Südwestecke des Lutherhauses. Außerdem müssen Pulvermühlen und Pulvertürme gebaut werden.[105] So verwandelt sich Wittenberg in eine moderne Renaissancefestung.

Als Karl V. 1546 beginnt, die Reformation mit Waffengewalt zu bekämpfen, um einerseits die Einheit der römischen Kirche wiederherzustellen und andererseits seine kaiserliche Macht gegenüber den Reichsständen einschließlich der Stadtdemokratien zu stärken, wird Wittenberg in den Belagerungszustand versetzt. Die Vorstädte werden abgebrannt. Von den Türmen des Schlosses und der Stadtkirche werden die gotischen Turmspitzen heruntergenommen und auf den dadurch entstehenden Plattformen Geschütze aufgestellt, um bis in die Lager der Belagerer schießen zu können. Cranach d. Ä. birgt als Hofmaler Gemälde aus der Schloßkirche, die er später nicht alle wieder zurückgibt.

Es kommt jedoch nicht zur Belagerung durch das kaiserliche Heer. Ehe Kurfürst Johann Friedrich der Großmütige mit seinem Heer die schützenden Wälle erreicht, wird er am 24. April 1547 auf der Lochauer Heide bei Mühlberg von Karl V. überrascht, mit seinem Heer geschlagen und gefangengenommen. Daraufhin kapituliert Wittenberg am 19. Mai 1547. Die Bürger befürchten das Schlimmste. Aber der Kaiser hält sein Versprechen. Die Spanier dürfen die Stadt nicht betreten. Wittenberg bleibt vor Plünderung, Brand und Schändung verschont. Karl V. kommt in die Stadt und steht am Grab Luthers. Die militärische Macht des Schmalkaldischen Bundes, das heißt der evangelischen Fürsten und Städte, hat er zerbrochen, die Hauptfestung der Reformation eingenommen.[106] Er kann sich als Sieger über den fühlen, den er 1521 in die Reichsacht getan hat. Aber er muß bald lernen, daß er das Werk dieses Mannes, den seine Anhänger einen Mann Gottes nennen, nicht zerstören kann: Wittenberg bleibt evangelisch. So er-

füllen sich Luthers Befürchtungen und Hoffnungen: Wittenberg wird nach seinem Tod heimgesucht. Die Befestigung gewährt keinen Schutz dagegen. Die reformatorische Verkündigung aber bleibt erhalten.

Wittenberg verliert allerdings seinen Landesherrn und damit das Herrscherhaus, das seinen Ausbau sehr gefördert hat. Johann Friedrich wird die Kurwürde genommen. Er darf den beweglichen Besitz und damit auch Ausstattungsstücke des Schlosses aus Wittenberg mitnehmen. So wird auch die Schloßbibliothek, die nun über 3000 Bände, davon über 1000 theologische, umfaßt, nach Weimar gebracht. Dort verbleibt sie, bis sie der Grundstock der 1548 eröffneten und 1558 vom Kaiser Ferdinand I. bestätigten Universität Jena wird.[107] Die Leucorea ist angesichts des heranrückenden Feindes 1546 geschlossen worden. Professoren, Dozenten und Studenten sind größtenteils geflohen.

So hat die von Luther ausgelöste Reformation mit ihren religiösen, sozialen und politischen Folgen außer der Elbbrücke alle mittelalterlichen Einrichtungen, die Friedrich der Weise gegründet oder gefördert hat, einer anderen Bestimmung zugeführt oder zerstört. Dadurch ist Wittenberg aber nicht bedeutungslos geworden, sondern zur Lutherstadt aufgestiegen, von der epochemachende Anstöße ausgegangen sind.

# Das Bewahren des Lutherischen Erbes

Der Tod Luthers und die Niederlage im Schmalkaldischen Krieg sind ohne Zweifel einschneidende Ereignisse in der Geschichte Wittenbergs. Aber ist damit die Geschichte dieser Stadt als Lutherstadt zu Ende? Im allgemeinen erwecken Darstellungen über

Wittenberg als Zentrum der Reformation diesen Eindruck. Sie brechen mit Luthers oder Melanchthons Tod ab. So wird behauptet: «Die Periode der weltgeschichtlichen Bedeutung Wittenbergs hat mit dem Jahre 1546 ihr Ende gefunden.»[108] Selbst der sofortige Niedergang der Leucorea wird angenommen.[109] Tatsächlich aber erlebt Wittenberg in den Jahren nach dem Schmalkaldischen Krieg bis zum Ausbruch des Dreißigjährigen Krieges im Jahre 1618 einen ungeheuren Aufschwung. Die Leucorea wird als die Universität anerkannt und aufgesucht, die Luthers Lehre verteidigt und bewahrt. Die Wittenberger Druckerpressen verbreiten die Schriften Luthers und seiner Schüler. Erst drei große Kriege bringen der Lutherstadt und ihren Zeugen der Lutherzeit Zerstörung und Niedergang.

## 1. *Philipp Melanchthon und der Wiederaufbau*

Am 4. Juni 1547 wird Herzog Moritz von Sachsen zum sächsischen Kurfürsten ausgerufen und am 24. Februar 1548 von Karl V. mit dieser Würde und dadurch mit dem sächsischen Kurkreis belehnt. Moritz ist zwar evangelisch, aber er hat den Kaiser militärisch gegen seinen Verwandten unterstützt. Dazu haben ihn seine Räte überredet, die zum Teil schon die Berater des Wittenberg feindlichen Herzogs Georg von Sachsen gewesen sind. Die Evangelischen in seinem Land nennen ihn den «Judas von Meißen», der um der Kurwürde willen Christus verraten hat. Dieser öffentlichen Meinung muß er Rechnung tragen. Überdies fühlt er sich von Karl V. hintergangen, der den Schwiegervater von Moritz, den Landgrafen Philipp von Hessen, gefangennimmt und nicht wieder freiläßt. Daher entschließt er sich, die lutherische Lehre spürbar zu schützen.

Moritz gelingt es, den umworbenen Melanchthon zur Rückkehr nach Wittenberg zu bewegen. Das wird richtungweisend sowohl für die übrigen Lehrkräfte als auch für die Studenten. Bereits Ende 1547 beginnen wieder die Vorlesungen. Am 7. Januar 1548 sichert Moritz die finanzielle Grundlage.[110] Damit hat er Luthers Wirkstätte die Möglichkeit gegeben, wieder Zentrum der lutherischen Lehre zu werden.

Das vollzieht sich aber nicht ohne Kampf. Karl V. hat 1548 nach seinem militärischen Sieg den Evangelischen auf dem Reichstag zu Augsburg das «Augsburger Interim» auferlegt, wodurch sie zwar bis zu einem allgemeinen Konzil in der Lehre weitgehend lutherisch bleiben dürfen, aber in äußeren Dingen, wie liturgische Kleidung und Form, zu alten Gewohnheiten zurückkehren sollen. Die Haltung zu diesem «Augsburger Interim» spaltet die Evangelischen. Soweit die Macht des Kaisers reicht, wird es eingeführt. Wer von den Geistlichen sich weigert, es durchzuführen, muß seine Stelle verlassen. Die Städte im nördlichen Deutschen Reich, die der Kaiser nicht unterworfen hat – an ihrer Spitze Magdeburg –, lehnen es unter der Gefahr ab, dafür mit Waffengewalt angegriffen zu werden. Moritz mit seinem Herrschaftsgebiet zwischen den beiden Mächten lehnt das «Augsburger Interim» nicht grundsätzlich ab, läßt es aber zu dem «Leipziger Interim» abschwächen. An dieser Arbeit, die mit mehreren Konferenzen verbunden ist, beteiligen sich Wittenberger Professoren, vor allem Melanchthon, entscheidend. Das bringt ihnen von denen, die das «Augsburger Interim» ganz ablehnen und in Magdeburg Schutz suchen, den Vorwurf ein, Luther zu verraten. Bugenhagen sieht sich genötigt, am 6. Januar und am 7. Juli 1549 in der Predigt das Verhalten der Wittenberger zu rechtfertigen, was aber den Streit nur verschärft. Indessen können die Wittenberger im Schutze der laufenden Verhandlungen ihre Predigt und ihre Gottesdienste unverändert fortsetzen, bis eine Erhebung deutscher Fürsten, die Moritz anführt, Karl V. nötigt, auf die Durchführung des «Augsburger Interims» zu verzichten. Das geschieht am 15. August 1552 im Passauer Vertrag.[111]

Aus der Haltung zum «Augsburger Interim» entstehen Streitigkeiten über die Frage, wie Luther in einzelnen Lehraussagen richtig zu verstehen sei. Die Angegriffenen sind Melanchthon und seine Schüler.

Von 1548 bis 1560 werden über verschiedene Punkte Streitschriften gewechselt, Wittenberg muß Lehrentscheidungen fällen. Diese Streitigkeiten waren – besonders für Melanchthon – sicher leidvoll, aber sie zerstörten die Leucorea ebensowenig wie Luthers Streit mit dem Papsttum oder den Schweizern. Die Stellungnahmen der Wittenberger finden vielmehr Anerkennung, die Leucorea blüht auf. In dem Jahrfünft bis 1560 übersteigt die Zahl der Neuimmatrikulierten diejenigen vor Luthers Tod.

Als Philipp Melanchthon am 14. April 1560 seine Augen für immer schließt, war das für ihn eine herbeigesehnte Erlösung von den Streittheologen. Durch seine Gelehrsamkeit und seine Treue zu Luther hat er unschätzbar viel für die Ausbreitung der Reformation getan. Zu Recht ist daher sein Grab das Pendant zu Luthers Grab in der Schloßkirche geworden.

Nach dem Tod des Kurfürsten Moritz von Sachsen am 11. Juli 1553 übernimmt sein Bruder August die Regierung und wirkt bis zu seinem Tod 1586 für den inneren Ausbau Kursachsens, der auch Wittenberg zugute kommt. Er beseitigt die Kriegsfolgen oder unterstützt die entsprechenden Arbeiten.

Die Schloßtürme erhalten nach 1558 einen neuen Abschluß. Entsprechend dem zeitgenössischen Baustil werden kleine Renaissancegiebel und jeweils ein runder Helm aufgesetzt.[112]

## 2. Die Stadtkirche und das Rathaus

Der Wiederaufbau der Türme der Stadtkirche wird dem Zerbster Baumeister Ludwig Binder übertragen. 1556 beginnt er den Bau und bringt ihn zügig voran, bis er im Oktober tödlich abstürzt. Danach stockt der Bau, doch 1558 wird er abgeschlossen. Die Stadtkirche hat ihre beiden achteckigen Türme, die auf den Plattformen des viereckigen Unterteils stehen, erhalten. Den Abschluß bilden die Hauben mit den beiden Laternen und Knäufen. Die Türme

erreichen eine Höhe von 66 m. Sie werden mit 48 Zentner Kupferblech gedeckt und mit 69 Pfund grüner Farbe gestrichen. Lucas Cranach d. J. übernimmt es, die Knäufe und Wetterfahnen zu vergolden und die beiden Türme mit dem sächsischen Herzogswappen und dem sächsischen Kurwappen zu schmücken. Die Wappen des Landesherrn werden angebracht, weil er die Baukosten trägt. Die beiden Türme erhalten je eine schöne Türmerwohnung. Ihre beiden Plattformen verbindet eine hölzerne Brücke. Die Plattformen umgrenzt eine steinerne Galerie. Bei der Reparatur der Türme in den Jahren 1655 und 1656 wird die hölzerne Brücke durch einen steinernen Bogen und die steinerne Galerie durch ein eisernes Geländer ersetzt.[113]

Ein Erweiterungsbau der Stadtkirche geht auf eine kirchenrechtliche Entscheidung zurück. Ein Erlaß des Kurfürsten Johann Friedrich des Großmütigen vom 12. Mai 1535 entscheidet, daß in Zukunft die Geistlichen für sein Herrschaftsgebiet in Wittenberg geprüft und ordiniert, das heißt mit der Wortverkündigung und Sakramentsverwaltung betraut werden sollen. Zuvor ist die Ordination oft mit der Einweisung in eine Gemeinde verbunden und bei Stellenwechsel wiederholt worden. Diese Entscheidung erhebt Wittenberg zu einem Zentrum der Ordination von evangelischen Geistlichen, denn es werden auch Theologen für die Tätigkeit außerhalb von Kursachsen ordiniert. 1537 wird ein Register der Ordinierten angelegt, das bis zu Luthers Tod, also in neun Jahren, 740 Namen verzeichnet. Da die Leucorea nach 1547 ihre führende Stellung wiedergewinnen kann, bleibt ihr auch diese Aufgabe erhalten. Als das Chordach der Stadtkirche erneuert werden muß, wird in den Jahren 1569 bis 1571 der Wendelstein an der Nordwand aufgeführt und über der Sakristei eine Ordinandenstube erbaut. Hier finden nun die Prüfungen für die zu Ordinierenden statt. Der Chor und die um die Ordinandenstube erhöhte Sakristei erhalten ein gemeinsames Dach, wozu die Nordseite des alten Giebels erhöht wird.[114]

Der wachsende Reichtum und der seit Cranachs d. Ä. Einzug belebte Kunstsinn der Wittenberger drückt sich im Inneren der Stadtkirche aus. So werden zahlreiche, zum Teil sehr wertvolle Grabdenkmäler errichtet. Einige von ihnen hat Lucas Cranach d. J. geschaffen. Durch ihn bleibt Wittenbergs Ruf als Kunststadt bis zu seinem Tode im Jahre 1586 erhalten.

Lucas Cranach d. Ä. erhält 1546 seinen letzten Lohn als Hofmaler. Seit Ostern 1547 gilt das Dienstverhältnis als unterbrochen. Schließlich folgt er 1550 dem ehemaligen Kurfürsten Johann Friedrich in die Gefangenschaft und läßt sich nach dessen Rückkehr 1552 mit ihm in Weimar nieder, wo er am 16. Oktober 1553 stirbt. Damit geht aber die Geschichte seiner Wittenberger Werkstatt nicht zu Ende.

Sein Sohn Lucas Cranach d. J., der schon an vielen Werken seines Vaters mit Hand angelegt hat, vermag sie fortzuführen. Die Vielfalt der Themen tritt zurück. Die zweite Hälfte des 16. Jahrhunderts ist nicht mehr eine Zeit des Aufbruchs, die vielen Strömungen Raum gibt, sondern ein Zeitalter, in dem sich die durch den Augsburger Religionsfrieden von 1555 getroffene Ordnung verfestigt. Fürstenporträts und Altargemälde für evangelische Kirchen treten in den Vordergrund. Die Hauptmotive der Altargemälde sind die Taufe und die Kreuzigung Christi sowie das Abendmahl, das heißt Zentralthemen lutherischer Theologie. Es entstehen auch weitere Werke, die die neue evangelische Gemeinde mittels der Reformatoren veranschaulichen. So steht auf dem Epitaph für Michael Meyenburg in Nordhausen, das 1558 geschaffen wird und die Auferweckung des Lazarus darstellt, der Gruppe der Apostel eine Gruppe von zehn Reformatoren gegenüber, in deren Mitte Luther steht. Allerdings stellt der Maler unter sie Erasmus von Rotterdam, was zeigt, daß dieser mindestens bei einigen in Wittenberg mehr Ansehen ge-

nießt als bei Luther, der 1525 heftig gegen ihn geschrieben hat. Ihr gemeinsamer Kampf gegen Rom wird in den Vordergrund gerückt. Gibt es doch noch eine ganze Anzahl von Schülern des Erasmus, die für eine Kirchenreform arbeiten, ohne zugleich entschieden evangelisch zu sein. Mit ihnen suchen manche Wittenberger Verbindung.

Fürsten und vermögende Bürger lassen von Lucas Cranach d. J. Epitaphe malen. Einige von diesen sind in der Wittenberger Stadtkirche erhalten. Es sind dies die Epitaphe für den 1562 verstorbenen Kaspar Niemeck, für die 1563 verstorbene Tochter Bugenhagens, Sara Cracow, für den Theologieprofessor und Stadtpfarrer Paul Eber sowie den 1570 verstorbenen Professor Veit Örtel von Windsheim d. Ä. Das letztgenannte Gemälde ist das letzte Werk von Lucas Cranach d. J., das er wahrscheinlich mit der Hilfe seines Sohnes Augustin vollendet.

Besonderes Interesse hat wegen seines Inhaltes das Epitaph für Paul Eber gefunden. Anschaulich wird dargestellt, wie die Reformatoren den Weinberg des Herrn, die Kirche, pflegen, während die Papisten ihn ausbeuten und zerstören. Luther richtet mit dem Rechen den Boden her, damit andere pflanzen können. Melanchthon fördert unter Anstrengungen aus dem Brunnen gefüllte Eimer, das heißt, er schöpft als Humanist klares Wasser aus den Quellen. Johann Förster, der seit 1549 in Wittenberg Hebräisch lehrt, gießt das erquickende Wasser auf das durstige Land. Paul Eber ist neben Luther damit beschäftigt, den Weinstock zu beschneiden, um den Wildwuchs zu hindern. Justus Jonas, Luthers treuer Mitarbeiter, der in Halle an der Saale die Reformation eingeführt hat, lockert mit der Hacke das Erdreich. Bugenhagen und Caspar Cruziger, der Prediger an der Schloßkirche in Wittenberg und Theologieprofessor ist, befestigen die schwankenden Reben, während sie Georg Major sorgfältig anbindet. Weitere Mitarbeiter Luthers sind eifrig am Werk. Es ist reizvoll, darauf zu achten, wie Lucas Cranach d. J. hier versucht hat, die Tätigkeit der einzelnen Wittenberger Reformatoren zu charakterisieren. Es spiegelt sich darin das Urteil seiner Zeitgenossen über sie wider.

1586 stirbt Lucas Cranach d. J. Sein Sohn Augustin folgt ihm 1595 in den Tod. Damit ist das Ende der Cranachwerkstatt besiegelt, Wittenberg als Kunststadt erloschen. Polykarp Leyser, Wittenberger Theologieprofessor und seit 1594 Erster Oberhofprediger in Dresden, läßt als Schwiegersohn Lucas Cranachs d. J. nach dem Tode seiner Schwiegermutter 1606 für seinen Schwiegervater ein Epitaph 67 aus Alabaster schneiden. In Wittenberg gibt es dafür keine geeignete Werkstatt mehr. Die Kunst in Sachsen hat sich inzwischen an dem Residenzort des Landesfürsten, in Dresden, niedergelassen. So erhält der Dresdner Bildhauer Sebastian Walther den Auftrag, der durch dieses Werk für eine angemessene Erinnerung an Lucas Cranach d. J. in der Witten- 3* berger Stadtkirche sorgt.[115]

Neben den von Lucas Cranach d. J. und anderen gemalten Epitaphen werden auch steinerne außer- 64 halb und in der Stadtkirche aufgestellt. Mächtig erhebt sich das Grabmal für den Studenten Matthias 3* von der Schulenburg, der 1569 in Wittenberg stirbt. Es zeigt in drei übereinander angeordneten Darstellungen das Leiden und Siegen Christi. Doch bei diesen Themen der Heilsgeschichte bleibt es nicht. In den Vordergrund gerückt und viel größer als Christus ist die Gestalt des Verstorbenen, während die Inschrift seine «Tugenden» lobt, die mit Gottes Liebe belohnt wurden. Von Luthers Wissen um die Schuld des Menschen vor Gott ist darin nichts zu spüren. Geschaffen hat das Werk der Torgauer Bildhauer Georg Schröter.[116]

Das Aufnehmen der Epitaphe in die Stadtkirche – und auch in die Schloßkirche, wovon aber kaum noch etwas erhalten ist – weist auf die Problematik

bei der Ausstattung evangelischer Kirchen. Die Reformation hat den Heiligenkult und die Seelenmessen und damit die Nebenaltäre beseitigt. Die dafür vorgesehenen Wände und Nischen wirken nun kahl. Sie könnten mit der Darstellung biblischer Geschichten geschmückt werden. Doch das geschieht häufig – wie bereits im ausgehenden Mittelalter – mit der Absicht der Stifter, sich zu verewigen.

Manche Grabsteine werden an den Außenwänden der Stadtkirche angebracht, besonders als der 1772 geschlossene Friedhof um die Stadtkirche eingeebnet wird. Die meisten von ihnen hat inzwischen die Witterung stark zerstört.

1563 fällt ein Teil des Rathauses ein. Die Folgen 12*, des Schmalkaldischen Krieges verzögern die Wieder- 70, herstellung. Erst als der Kurfürst Geld zur Verfü- 71 gung gestellt hat, beginnt 1570 der Bau. Dabei erhält das Rathaus, ähnlich den Schloßtürmen, seinen Renaissanceschmuck. Die Giebel werden neu aufgeführt. Die Süd- und die Nordseite erhalten je vier Dachziergiebel, die das hohe Satteldach auflockern. 1573 wird der Portalvorbau errichtet, dessen Orna- 72 mente und Figuren der Bildhauer Georg Schröter ausführt. Im Zuge der Erneuerungen von 1768 und 1868 werden sie durch Nachbildungen ersetzt. Das Wittenberger Rathaus hat also erst in der Zeit nach Luther und Melanchthon seine charakteristische Außengestalt erhalten.[117]

### 3. Das Buchgewerbe und der Bibeldruck

Kräftig erholt sich nach dem Schmalkaldischen Krieg auch das Buchgewerbe: die Drucker, Buchbinder, Papiermüller, Schriftgießer und Verleger.

Den Druckern sind sehr bald die Buchbinder nach Wittenberg gefolgt. Bereits 1508 wird der erste genannt. 1534 schließen sich die Buchbinder zu einer Innung zusammen. Damit erhält Wittenberg die zweitälteste Buchbinderinnung, nachdem sich die

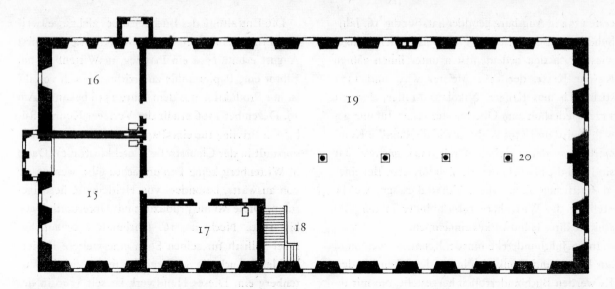

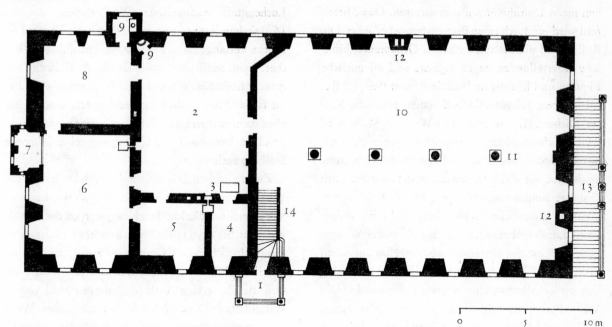

## I. OBERGESCHOSS

1 Rathaustreppe und Portal
2 Vorsaal vor der Ratssessionsstube
3 Treppentüre vor der Richterstube
4 Richterstube
5 Kämmerei
6 Ratssessionsstube
7 Ratskabinett

8 Ratsarchiv
9 Abtritt
10 Der große Bürgersaal, in dem
   Tuchmacher und Schuster feilbieten
11 Steinerne Säulen
12 Schornsteine
13 Hintere Rathaustreppe und
   Eingang
14 Bodentreppe

## II. OBERGESCHOSS

15 Stadtschreiberei oder Versetzstube
16 Akzisestube
17 Steuerstube
18 Bodentreppe
19 Der große Saal, in dem Kürschner feilbieten
20 Säulen

12*
*Grundrisse
des Rathauses im 16. Jh.*

erste 1532 in Augsburg gebildet hat. Für das 16. Jahrhundert sind in Wittenberg 84 Buchbinder nachgewiesen. Zu den bedeutendsten unter ihnen zählen Kaspar Kraft, der 1562 Meister wird und 1571 stirbt, Thomas Krüger, Nikolaus Müller, der seit 1572 wiederholt zum Obermeister seiner Innung gewählt wird und 1593 stirbt, sowie die Familie Kammerberger, deren Arbeiten seit 1541 nachweisbar sind und die bis 1655 den Betrieb fortsetzt. Bei einer so stattlichen Zahl erhebt sich die Frage, welche Stellung die Wittenberger Buchbinder in der Geschichte ihres Handwerkes einnehmen.

Im 16. Jahrhundert kommt der Renaissanceeinband aus Italien und Frankreich in die deutschen Länder. Es werden Buchbinderrollen hergestellt, um mit ihnen meist Umrahmungen einzupressen. Das Mittelfeld wird oft durch einen Plattenstempel geprägt. Die Rollen und die Platten enthalten Ornamente, biblische Darstellungen, mythologische und allegorische Figuren und historische Bildnisse (zum Beispiel Reformatoren, zeitgenössische Fürsten, römische Kaiser, Dichter, Humanisten), auch Wappen. Meist wird weißes Schweinsleder, gelegentlich aber auch braunes Kalbleder verarbeitet. Infolge der Blindpressung erscheinen die Bilder erhaben, später werden auch Goldpressungen vorgenommen. Im 16. Jahrhundert kommt die deutsche Buchbinderkunst in den sächsischen Ländern besonders zur Blüte, wobei Wittenberg zunächst den Mittelpunkt bildet. Hier entstehen für die sächsischen Kurfürsten, selbst für Bibliotheken außerhalb Sachsens wertvolle Einbände. Die Wittenberger exportieren die von ihnen gestochenen Rollen- und Plattenstempel bis über die sächsischen Grenzen hinaus. Als jedoch Kurfürst August 1566 den Augsburger Buchbinder Jakob Krause, der die neuen italienisch-französischen, orientalische Motive verarbeitenden Einbände nachahmt, an seinen Hof holt, wird Dresden für den sächsischen Einband richtungweisend.[118]

Die Entfaltung des Buchgewerbes zieht zwei weitere Produktionszweige nach Wittenberg. Kurfürst August erteilt 1554 ein Privileg, in Wittenberg am Elbtor eine Papiermühle zu errichten. Doch von ihr ist nur Produktion aus dem Jahre 1556 bekannt. Am 19. Dezember 1566 erhält der Verleger Konrad Rühel ein Privileg für eine Papiermühle in der Schloßvorstadt in der Clausstraße (Puschkinstraße). Da es in Wittenberg keine Papiermacher gibt, werden sie von auswärts, besonders von Heidelberg, herbeigerufen. Diese Mühle produziert mit Unterbrechungen bis 1860. Noch im 16. Jahrhundert erbaut Samuel Selfisch für seinen Sohn eine weitere Papiermühle.[119] Auch die Schriftgießer finden sich in Wittenberg ein. Dieses Handwerk ist seit 1560 in der Lutherstadt nachweisbar. Von denen, die im 16. Jahrhundert tätig werden, sind 14 bekannt. Der Markt verlangt höhere Auflagen und billigere Bücher. Damit läßt die Schönheit der Ausstattung allgemein nach. Das Wittenberger Buchgewerbe ist dieser Entwicklung nicht entgegengetreten, sondern hat eher dazu beigetragen, daß der Wittenberger Buchdruck in bezug auf die Gestaltung seine führende Stellung verliert.[120]

Zu den großen Leistungen dieser Jahre gehört die Wittenberger Gesamtausgabe der Werke Luthers. Vor dem Schmalkaldischen Krieg werden drei Bände gedruckt, bis 1559 erscheinen 16 weitere. 15 dieser 19 Bände druckt in der Erstauflage Hans Lufft. Es sind stattliche Bände mit durchschnittlich 600 Folioblättern. Bei der ersten Auflage bleibt es nicht. Andere Wittenberger Druckereien helfen mit, dieses Werk zu verbreiten. Bis 1604 erscheinen mit den Nachauflagen etwa 70 Bände. Damit kann sich Wittenberg gegenüber der Jenaer Lutherausgabe behaupten, die von 1555 bis 1558 in 12 Bänden erscheint und mit den Nachdrucken bis 1615 auf 58 Bände kommt.[121]

69

*Luthereiche, 1830 erneut gepflanzt an der Stelle, an der die Bannandrohungsbulle am 10. Dezember 1520 verbrannt wurde*

70

*Rathaus, 1523 bis 1535 erbaut, 1570 bis 1573 erneuert und mit
Giebel und Portal versehen, 1926 bis 1929 vollständig renoviert*

71

*Schöner Erker am Westgiebel des Rathauses aus der
ersten Bauphase, 1926 bis 1928 erneuert*

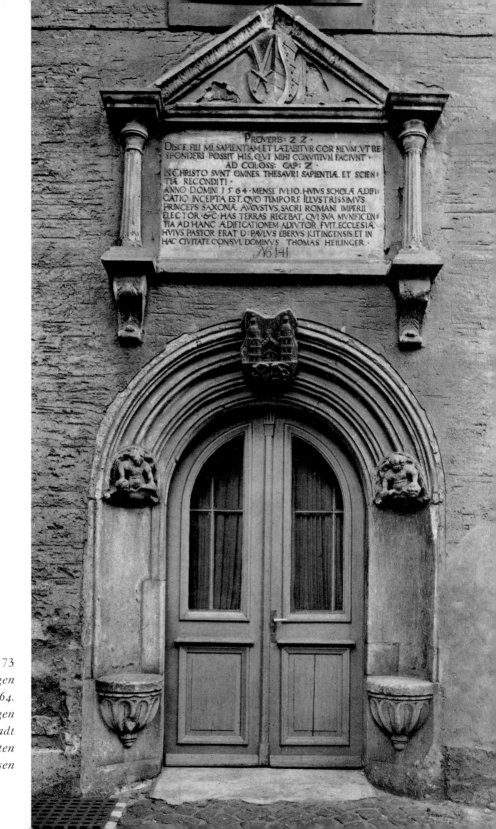

72

*Portalvorbau am Rathaus,
figürlicher und ornamentaler
Schmuck 1573 von Georg
Schröter, 1768 Figuren von
A. G. Aspelund
überarbeitet,
1868 durch Kopien ersetzt*

73

*Sandsteinportal des ehemaligen
Gymnasiums von 1564.
Der Schlußstein im Bogen
vereint die Wappen der Stadt
Wittenberg und des Kurfürsten
und Herzogs von Sachsen*

74

*Johann Caspar Höckner:*
*Abraham Calov, Vertreter*
*der lutherischen Orthodoxie*
*in Wittenberg, auch der*
*«lutherische Papst» genannt,*
*Kupferstich von 1653*
*(Lutherhalle)*

75

*Silbermedaille von 1717 aus Kursachsen. Martin Luther zeigt auf die Heilige Schrift: «Das Wort des Herrn bleibt in Ewigkeit.» Ein Brennspiegel bündelt das Licht der Morgensonne. Er wird mit Luther gleichgesetzt, von dem ausgesagt wird: «Er war ein brennend und scheinend Licht» (Joh. 5, 35). (Lutherhalle)*

76

*Silbermedaille zur Einweihung des Lutherdenkmals am 31. Oktober 1821 in Wittenberg (Lutherhalle)*

Eyn geystlich edles Buchleynn.
von rechter vnderscheyd.
vnd vorstand. was der
alt vñ new mensche sey. Was Adams
vñ was gottis kind sey. vñ wie Adã
ynn vns sterben vnnd Christus
ersteen sall.

erste und allerseltenste (1516) Ausgabe von Luthers ersten deutschen Schrift. Panzer Zusätze No. 833b

Unter den Wittenberger Druckern des 16. Jahrhunderts muß Hans Lufft hervorgehoben werden. Er ist 1495 geboren. 1522/23 kommt er nach Wittenberg, 1528 ist er bereits Vollbürger. Zunächst wohnt er in der Marstallstraße. Noch vor 1531 erwirbt er ein Haus in der Bürgermeisterstraße, baut es um und bezieht es dann. Neben der Druckerei betreibt er einen Weinausschank. Er verdient dadurch genug, um Grundstücke zu erwerben. Seine Druckerei liegt an der Ecke Fleischerstraße/Mauerstraße. Vermutlich laufen bei ihm mindestens sechs Pressen. Seit 1545 bis zu seinem Tod gehört er dem Rat an, in dem er seit 1566 das Amt eines Bürgermeisters innehat. Von 1549 bis 1553 betreibt er auf Wunsch des Herzogs Albrecht von Preußen in Königsberg (Kaliningrad) eine Druckerei. Etwa bis 1560 vermag er seinen Betrieb auf der Höhe zu halten. Durch die Verwendung wertvoller Holzschnitte, guter Schrift und guten Papiers und durch sorgfältige Ausführung verhilft er dem Wittenberger Druckerhandwerk zu hohem Ansehen. Vorzügliche, gelehrte Korrektoren arbeiten für ihn. Dem einsetzenden allgemeinen Niedergang der Buchdruckerkunst kann er sich dann aber nicht entziehen. Nach 1573 geht der Betrieb des nun alten Druckers sichtlich zurück. Schließlich wird ihm sogar das Bargeld knapp. Nach anfänglichem Reichtum nähert er sich am Ende den Vermögensverhältnissen seiner meisten Kollegen, denn oft fließt der Ertrag des Wittenberger Buchgewerbes nicht in die Taschen der Drucker, sondern in die der Verleger. Am 1. September 1584 stirbt er.[122]

Die steigende Buchproduktion läßt seit 1524 in Wittenberg den Verlagsbuchhandel entstehen. Wittenberg nimmt in seiner Entwicklung eine wichtige Stelle ein. Lucas Cranach d. Ä. und Christian Döring machen den Anfang. Sie geben ihre Druckerei auf und beschränken sich darauf, Druckaufträge zu vergeben, den Druck zu finanzieren und den Vertrieb der Bücher zu übernehmen, später beschaffen sie auch Papier.[123]

Der erfolgreichste Wittenberger Verleger und Buchhändler im 16. Jahrhundert ist Samuel Selfisch. Er ist 1529 in Erfurt geboren. Im 16. Lebensjahr tritt er in Wittenberg bei dem Buchhändler Bartholomäus Vogel in die Lehre ein, die sieben Jahre dauert. In den folgenden zwölf Jahren arbeitet er bei Konrad Rühel. Die Tätigkeit bei diesen zwei bedeutenden Buchhändlern verschafft ihm tiefe Einblicke in den damaligen Buchhandel, die er zu nutzen weiß. 1564 erwirbt er die Verlagsbuchhandlung Christoph Schramm von dessen Erben mitsamt dem Grundstück gegenüber dem Rathaus (Markt 3). Wie sehr er sie emporbringt, zeigt ein Katalog, der für den Zeitraum von 1552 bis 1637 von ihm und seinem Nachfolger 807 verlegte Titel aufführt. Fast die Hälfte sind theologische Werke, davon 49 Werke Luthers. Neben den reformatorischen Schriften sind besonders Bücher für das humanistische Grundstudium vertreten, aber auch die anderer Wissenschaften. Über die Hälfte sind in lateinischer Sprache abgefaßt. Nachdem Selfisch den Verlag erworben hat, betätigt er sich bald als Papierhändler. Dabei kauft er einen Ballen Papier zu zwölf Ries (500 Bogen) im Süden auf und verkauft ihn zu zehn Ries im Norden weiter. 1596 erwirbt er eine Druckerei hinzu. Von 1602 bis 1609 besitzt er die Buchbinderei der Familie Kammerberger. Diese Betriebe kommen in seine Hände, weil sie an ihn verschuldet sind. Selfisch entwickelt einen ausgedehnten Handel, der von der Türkei bis nach Skandinavien und Schottland reicht. Auf den Messen in Frankfurt am Main und in

77

*Am 4. Dezember 1516 erschien bei Johann Rhau-Grunenberg in Wittenberg dieser erste deutschsprachige Druck Luthers, der einen gekürzten Text der mystischen Schrift «Theologia deutsch» mit einer Vorrede Luthers enthielt. Auf dieses Exemplar der Lutherhalle hat ein Zeitgenosse Luthers sechs Bibelstellen geschrieben (1. Kor. 15, 22; ?; Röm. 8, 29; 1. Kor. 15, 44; Joh. 13, 15; Matth. 11, 29)*

Leipzig hat er eine ständige Vertretung. 1603 erwählt ihn die Universität Greifswald zu ihrem Lieferanten. Seit 1569 gehört er dem Rat an, und seit 1585 ist er im Bürgermeisteramt tätig. Selfisch ist also nicht nur ein bedeutender Verleger, sondern zugleich ein Buch- und Papierhändler, durch den Wittenberg im Fernhandel tätig wird und das Wittenberger Buchgewerbe eine große Breitenwirkung erzielt. Er selbst gelangt dadurch zu Reichtum. Als er

1615 stirbt, hinterläßt er seinen Erben ein Geschäft 3* im Wert von 50000 Gulden. Bis 1636 führt es sein Sohn Matthäus fort. Nach dessen Tod verfällt es, so daß es 1648 liquidiert wird, wobei den Erben nur noch 5671 Gulden bleiben.[124]

Wittenberg muß sich als Bewahrerin der echten Lutherbibel erweisen. Die Wittenberger Ausgaben werden angegriffen, weil sie den von Luther noch nach der Ausgabe von 1545 neugefaßten Text des

13*

*Joseph läßt seinen Bruder Simeon in Ägypten fesseln (1. Mose 42, 24), Holzschnitt (Biblia: Das ist: Die gantze heilige Schrifft Deudsch, D. Mart. Luth. Wittemberg 1572, gedruckt von Hans Krafft, 32)*

## 14

*Vorbereitungen für den Tempelbau unter Salomo (2. Chronik 2, 1–17), Holzschnitt (ebd., 280)*

Römerbriefes und der Korintherbriefe enthalten sowie geringe Änderungen und Erweiterungen im Text und in den Randglossen vornehmen. In diesen Streit greift schließlich Kurfürst August ein und beauftragt 1578 zwei Wittenberger Theologieprofessoren, den Text anhand der Ausgabe von 1545 zu prüfen. Dadurch wird die Bibelausgabe von 1545 zur Normalbibel und die Wittenberger Theologische Fakultät zur Aufsichtsbehörde über den Bibeldruck.

Energisch kämpfen die Wittenberger um ihre Pri-

vilegien. Am 11. Juni 1564 erhält ein Konsortium von drei Verlegern das zweite, unbefristete kurfürstliche Bibelprivileg. Daraufhin darf im Kurfürstentum Sachsen die Lutherbibel nur in Wittenberg gedruckt werden. Als in Frankfurt am Main 1560 mit dem Nachdruck der Lutherbibel begonnen worden ist, erwirken die Wittenberger am 20. April 1564 einen Erlaß, der verbietet, in Kursachsen Bibeln zu verkaufen, die nicht in Wittenberg gedruckt sind. Am 9. Mai wird diese Entscheidung wiederholt, um den Verkauf von Lutherbibeln aus Jena zu unterbinden. Dadurch bleiben die Konkurrenzdrucke zunächst ohne große Bedeutung. Wittenberg hat bis zur Ausgabe von 1626 eine Monopolstellung inne, durch die es kaum behindert Lutherbibeln sowohl im norddeutschen als auch im süddeutschen Raum bis in die Steiermark verbreitet. Da die Korrektoren die Drucke auch in bezug auf eine einheitliche Orthographie überwachen, geht bis zum Dreißigjährigen Krieg von Wittenberg ein starker Anstoß zur Vereinheitlichung der deutschen Schriftsprache aus, wie sonst von keinem anderen Ort in dieser Zeit.

In dem Maße, in dem der Verlag Selfisch verfällt, verlieren die Wittenberger die Möglichkeit, ihre Monopolstellung im Druck der Lutherbibel zu behaupten. Durch die Familie Stern nimmt Lüneburg aufgrund eines Privileges des Rates von Lüneburg vom 13. September 1623 zunächst die erste Stelle ein. An die zweite Stelle rückt durch die Familie Endter Nürnberg. Der Wittenberger Bibeldruck aber findet seine Fortsetzung in Frankfurt am Main. Ein Urenkel Samuel Selfischs, Balthasar Christoph Wust, kauft den übrigen Erben die Verlagsanteile an der Lutherbibel ab und läßt sich von dem sächsischen Kurfürsten Johann Georg II. das Privileg 1657 erneuern. Dabei wird er verpflichtet, als Druckort Wittenberg anzugeben und den Text von der Wittenberger Theologischen Fakultät überwachen zu lassen. Bis 1671 druckt er bereits 30 000 Lutherbibeln. 1680 schließt er sich mit dem Frankfurter Verleger Johann David Zunner zu einer Arbeitsgemeinschaft zusammen. Sie bringen es auf 100 000 «Wittenberger Lutherbibeln». Mit dem Tod der beiden im Jahre 1704 endet dieser Nachdruck in Frankfurt am Main. In Wittenberg selbst erscheint währenddessen in den Jahren 1681/82 eine dreibändige Lutherbibel mit einem Kommentar des Wittenberger Theologieprofessors Abraham Calov.

Nach dem Tod von Zunner und Wust kehrt der Druck der Lutherbibel nach Wittenberg zurück. Im Zusammenhang mit einem allgemeinen Aufschwung des Druckgewerbes werden in Wittenberg von 1712 bis 1740 385 000 Vollbibeln und 600 000 Neue Testamente der Lutherbibel gedruckt. Trotzdem kann Wittenberg das Bibelmonopol, das es bis 1626 ausgeübt hat, nicht zurückgewinnen. Der Pietismus bringt 1710 in Halle an der Saale die Cansteinsche Bibelanstalt hervor. Diese verzichtet auf finanziellen Gewinn und senkt durch die Einführung eines aus Spenden beschafften Stehsatzes die Druckkosten ungeheuer. Einer solchen Konkurrenz sind die Verleger auf die Dauer nicht gewachsen. Als seit Anfang des 19. Jahrhunderts weitere deutsche Bibelgesellschaften gegründet werden, nimmt nicht eine ihren Sitz in Wittenberg. Daher verliert die Lutherstadt jeden Anteil an der Verbreitung der Lutherbibel.[125]

Nach dem Schmalkaldischen Krieg büßt das Wittenberger Buchgewerbe zwar seine Führung in bezug auf die künstlerische Gestaltung ein, aber es nimmt doch zunächst noch einen starken Aufschwung. Die Zahl der Buchhändler steigt von sechs im Jahre 1560 auf 15 im Jahre 1600. Während aus dem Jahre 1560 27 Buchdrucker bekannt sind, beträgt ihre Zahl 1570 und 1600 37. Zwei Schriftgießer werden 1560 genannt, 1600 dagegen neun. Die Zahl der Buchbinder erhöht sich von 24 im Jahre 1560 bis zum Jahre 1600 auf 29. Während 1570 vier Papiermacher erfaßt sind, sind es 30 Jahre später 13.

Das Wittenberger Buchgewerbe ist mit der Universität nach Wittenberg gekommen und hat seine führende Position zusammen mit der Leucorea durch Luthers Wirken erworben. Solange es in Wittenberg eine Universität gibt, hat auch das Buchgewerbe einen guten Nährboden. In dem Maße aber, in dem die Leucorea zurück- und schließlich der Lutherstadt verlorengeht, verliert es Auftraggeber und Abnehmer. Daher beginnt es im 18. Jahrhundert für Berliner Verleger zu drucken.[126]

## 4. Das Gymnasium und die Universität

Das Jahr 1564 bringt für Wittenberg weitere Verbesserungen der Bildungsmöglichkeiten. Der Rat und der Landesherr lassen an der Nordwestecke des Kirchhofs an der Stelle eines Beinhauses ein Gymnasium errichten, das 1734 sowie im Winter 1827/28 umgebaut wird und bis 1887 seiner ursprünglichen Bestimmung dient.[127] Zur Förderung der Leucorea wird ein Kapital zur Verfügung gestellt, von dessen Zinsen 27 Stipendiaten aus dem Kurfürstentum Sachsen unterhalten werden können. Sie sollen in einer Gemeinschaft zusammen leben. Daher wird 1565 den Erben Luthers das Lutherhaus für 3700 Gulden abgekauft und sogleich mit dem Umbau begonnen. Dabei erhält das Lutherhaus an der Hofseite den großen Schneckenturm, der 1566 bekrönt wird. Neben den Hörsälen finden nun zwölf Studenten, der Verwalter und ein famulus communis darin Platz. Für die übrigen Stipendiaten kommt nach 1568 oder erst 1571 ein Seitenflügel an der Westseite des ehemaligen Klosterhofs hinzu. Sowohl der Umbau als auch der Erweiterungsbau liegen in den Händen des kursächsischen Baumeisters Hans Irmisch. Nach dem Bauherrn Kurfürst August erhält der Erweiterungsbau die Bezeichnung «Collegium Augusti», kurz «Augusteum». Da August plant, die Zahl der Stipendiaten auf 150 zu erhöhen, folgt 1580 bis 1582 der Bau eines Flügels parallel zum Lutherhaus an der Collegienstraße, der bis 1586 ausgebaut und 1597/98 überholt wird. Er nimmt 1598 die bis dahin im Schloß untergebrachte Bibliothek auf und schließt den Klosterhof an der Nordseite ab.

Nach der Zerstörung des Konsistoriums 1760 entschließt man sich, dieses nicht wieder aufzubauen, sondern statt dessen das Augusteum aufzustocken. Dadurch verliert der Flügel an der Collegienstraße seine Zwerchgiebel, die quer zum Dachfirst stehen. Er erhält ein zweites Obergeschoß mit einfacherer Fensterumrahmung und damit von 1781 bis 1802 im wesentlichen die heutige Gestalt.[128]

1544 hat die Universität in der Stadt ein Haus erworben, um kranke Studenten unterzubringen. 1566 wird noch außerhalb der Stadtmauer, besonders für ansteckende Krankheiten, eine weitere Krankenstation eingerichtet. Beide Hospitäler werden als «Nosoconium» bezeichnet. Die ärztliche Versorgung ist Aufgabe der Medizinprofessoren. Auch das Pflege- und Dienstpersonal wird sorgfältig ausgesucht.[129]

Alle diese Maßnahmen zur Förderung der Leucorea lassen erkennen, wie bemüht man ist, dem Ansehen dieser Universität gerecht zu werden. Tatsächlich ziehen viele Studenten in die Lutherstadt, so daß Wittenberg wieder zur meistbesuchten deutschen Universität wird. Sie wirkt als Bildungszentrum auch über die deutschen Grenzen hinaus, besonders nach Skandinavien und Südosteuropa. Diese Entwicklung wird durch Streitigkeiten um die calvinistische Abendmahls- und Prädestinationslehre unterbrochen.

Johannes Calvin hat in Genf der Reformation zum Sieg verholfen. Vieles hat er mit den Wittenbergern gemeinsam, aber in einigen Lehren unterscheidet er sich, manches will er weiterführen. Um die Glaubensgewißheit fest auf die Gnade Gottes zu gründen, betont er die Vorherbestimmung des einzelnen zur Erlösung beziehungsweise zur Verdammung. Er ist von der Vorstellung, daß Christus zur Rechten Gottes sitzt, so gefangen, daß er die von den Wittenbergern vertretene Austeilung des Leibes Christi mit der Hostie während der wirklichen Gegenwart Christi nicht zugestehen kann. Er lehrt daher, der Heilige Geist vermittle diese Gegenwart. Das könne er aber nur bei den Glaubenden. Von den liturgischen Erscheinungen aus dem Papsttum will er alles beseitigen, was nicht die Heilige Schrift gebietet. Daher beseitigt er die Bildwerke und verweist den Kirchengesang auf den Psalter. Da der Calvinismus in einem Stadtstaat entsteht, ergibt sich eine enge Verbindung zum Rat. Die politische Macht wird zur «Theokratie», die Gottes Gesetze durchzusetzen hat. Mitglieder des Rates übernehmen die Aufgaben der Ältesten, die den Lebenswandel überwachen. Der Calvinismus breitet sich in der zweiten Hälfte des 16. Jahrhunderts stark aus. Manche Theologen empfinden ihn als Fortschritt. Obgleich er vom Bürgertum ausgegangen ist, sehen einige Landesfürsten aufgrund der Einbeziehung von Vertretern der weltlichen Macht in den Vollzug des Gemeindelebens in ihm ein Mittel, die Mitregierung der Stände zu beseitigen und zu einer absolutistischen Herrschaftsform zu gelangen.

In Wittenberg werden calvinistische Gedanken nicht offen vertreten, sondern unter Heranziehung von Aussagen Luthers und Melanchthons verborgen (griechisch: kryptōs) gelehrt. Daher spricht man von Kryptocalvinismus. 1566 erscheint das «Corpus doctrinae Philippicum», in dem Bekenntnisse und Lehrschriften Melanchthons zusammengefaßt sind. Dadurch wird Luther schon ein wenig auf die Seite geschoben. Dabei bleibt es nicht. Christoph Pezel, der seit 1569 Theologieprofessor ist, müht sich um eine Synthese der Wittenberger und der Genfer Theologie. Seit 1570 wird er zum Wortführer der Kryptocalvinisten. 1571 erscheint der von ihm formulierte «Wittenberger Katechismus». Die Reformierten freuen sich, daß die Wittenberger ihnen zustimmen, die Verteidiger Luthers beschuldigen die Wittenberger, daß sie von Luther abgefallen sind. Der Kurfürst nötigt die Wittenberger, zu erklären, daß ihre Lehre sich von der der Reformierten unterscheide. Doch privat entschuldigt sich Pezel bei dem Mitverfasser des «Heidelberger Katechismus», Zacharias Ursinus, daß sie zu dieser Erklärung gezwungen worden seien, und verstärkt seine Verbindung zu den Reformierten. 1574 erscheint ohne Namens-

nennung und mit Genf als angeblichem Verlagsort «Exegesis perspicua et ferme integra controuersiae de sacra coena, ...» Bald geraten die Wittenberger in Verdacht, diese Schrift verfaßt zu haben. Tatsächlich stammt sie von dem Melanchthonschüler Joachim Curaeus. Sie scheint alle bisherigen Verdächtigungen gegen die Wittenberger zu bestätigen und löst – unterstützt von einer ganzen Anzahl von Faktoren – ein rücksichtloses Vorgehen des Kurfürsten aus. Außenpolitisch hat August zunächst Verbindung zu den reformierten Fürsten gesucht. Aber sein Bestreben, sich gleichzeitig mit Habsburg gut zu stellen, und das wachsende Mißtrauen in den Erfolg der reformierten Religionspolitik bereiten seine Abkehr vom Calvinismus vor. Innenpolitisch erlangt er 1573 die vormundliche Herrschaft über die Gebiete der ernestinischen Wettiner. Er nutzt die neuerworbene Macht, die Gnesiolutheraner zu vertreiben. Ihre Gegenpartei, die Philippisten, verliert dadurch an politischer Bedeutung. Der Ausgleich in den theologischen Streitfragen wird zum Ziel seiner Religionspolitik. Hinzu kommen die Parteiungen am Hof. Seine Frau Anna hat mit ihrem Anhang die Lehre der Wittenberger und damit der Philippisten schon lange beargwöhnt, so daß diese wiederholt erklären müssen, ihre Lehre sei lutherisch. 1574 aber erhält der Kurfürst durch einen abgefangenen Brief Einsicht in den Briefwechsel der Kryptocalvinisten, aus dem deutlich hervorgeht, daß sie August bewußt täuschen, damit er sie für Vertreter eines unverfälschten Luthertums hält. Außen- und innenpolitische Ziele, Hofintrigen und das Gefühl, persönlich hintergangen worden zu sein, treiben ihn gleichermaßen zur Vernichtung des Kryptocalvinismus. Daher läßt er vier Männer aus seiner Umgebung verhaften, von denen zwei im Gefängnis sterben. Der Schwiegersohn Melanchthons, Kaspar Peucer, Vertrauter und Leibarzt des Kurfürsten, der einer der vielseitigsten Gelehrten unter den Wittenbergern und seit 1574

Professor für Medizin ist, wird zehn Jahre gefangengehalten. Der Hofprediger Christian Schütz bleibt sogar bis zum Tod des Kurfürsten gefangen. In Wittenberg verlieren Professoren aller vier Fakultäten ihre Ämter. Die Lücken, die sie hinterlassen, sind nur schwer zu schließen. Die Zahl der Immatrikulationen geht von 1575 bis 1577 zurück. Aber nicht nur das. Viele Studenten verlassen nach kurzer Zeit die Lutherstadt, weil das Vorlesungsangebot zu gering ist.

Kurfürst August unterstützt nun energisch den Versuch, für die lutherischen Kirchen eine Lehreinheit zu schaffen. Deshalb holt er Jakob Andreä ins Land, der dafür geschickt zu wirken weiß. Schließlich kann am 25. Juni 1580, am 50. Jahrestag der «Confessio Augustana», in Dresden das «Konkordienbuch», die Sammlung der lutherischen Bekenntnisschriften mit der neu ausgehandelten Konkordienformel, vorgelegt werden. Vorher müssen die sächsischen Pfarrer sich durch ihre Unterschrift zum Lehrinhalt der Konkordienformel bekennen oder ihre Pfarrstelle verlassen. Im Januar 1581 werden auch die Professoren der Leucorea vor diese Entscheidung gestellt. Zwei Professoren der Medizin, zwei von den Juristen und ein Mathematiker ziehen es vor, Wittenberg zu verlassen. Erst allmählich erholt sich die Leucorea davon. Gebunden an die Ordnung vom 1. Januar 1580, unterliegt die Leucorea einer strengen kurfürstlichen Kontrolle in bezug auf Ablauf und Inhalt des Lehrbetriebes.[130]

Als Kurfürst August am 11. Februar 1586 gestorben ist, folgt ihm sein Sohn Christian I. nach. Unter dem Einfluß seines späteren Kanzlers Nikolaus Krell strebt er die Einführung des Calvinismus in der Form einer weiterführenden, zweiten Reformation Sachsens an. Verbunden damit ist eine Orientierung auf eine Bündnispolitik mit den Reformierten. Zunächst werden Gymnasien und Universitäten mit Freunden des Calvinismus besetzt,

die allerdings mit ihrer Überzeugung noch nicht so hervorgetreten sind, daß diese Berufungen Verdacht erwecken. So wird die Theologische Fakultät in Wittenberg von 1587 bis 1590 wieder umbesetzt. Jetzt schwingt sich an der Leucorea Urban Pierius zum Wortführer auf. Er erhält zugleich das Amt des Generalsuperintendenten von Wittenberg und nutzt diese Stellung, um die Widerstrebenden zu vertreiben. Aber diese Calvinisierung von oben löst keine Volksbewegung aus. Der Adel und die Bevölkerung lehnen sie ab. Die Zahl der Studenten geht abermals zurück. Während seit 1590 reformierte Studenten zur ehemaligen Brunnenstube der lutherischen Reformation kommen, gehen lutherische Studenten lieber nach Leipzig, wo der Calvinismus noch nicht so stark vertreten ist.

Mit dem Tod Christians I. am 25. September 1591 verliert die zweite Reformation in Sachsen ihre Stütze. Für den unmündigen Nachfolger erhalten zwei Männer die Vormundschaft, die das Konkordienbuch durchsetzen: Herzog Friedrich Wilhelm I. von Sachsen-Weimar und Kurfürst Johann Georg von Brandenburg. Die lutherische Partei erhält die Macht, wiederum folgen Verhaftungen und Absetzungen. In Wittenberg werden die Lehrkräfte ausgetauscht, die Leucorea wird auf das Konkordienbuch festgelegt. Sie wird zur Hüterin des Luthertums bestimmt, was sie dann auch bleibt. An Wittenberger Häusern werden anticalvinistische Tafeln angebracht, so 1597 im Hof von Schloßstraße 4: «GOTTES WORT LVTHERI LEHR VORGEHET [= vergehen] NVN NOCH NIMERMER VND OBS GLEICH BISSE NOCH SO SEHR DIE CALVINISTEN AN IHR EHR.» Gnadenlos ist diesmal die Verfolgung von Krell, der nach zehn Jahren Gefangenschaft hingerichtet wird.[131]

Das unbarmherzige Vorgehen gegenüber den Kryptocalvinisten erweckt heutzutage zu Recht Abscheu. Dennoch bleibt die Frage offen, ob der Sieg des Calvinismus einen Fortschritt bedeutet hätte. Lehrfreiheit bringen die Kryptocalvinisten zwar für calvinistische Lehren, doch nicht für die Philosophie oder die Naturwissenschaften. Als Giordano Bruno im August 1586 nach Wittenberg kommt, wird das augenfällig. Er hält Vorlesungen über die Logik des Aristoteles, über Mathematik, Physik und Metaphysik, wobei er sein Weltbild vorträgt, das auf den Entdeckungen von Nikolaus Kopernikus aufbaut. Vier Schriften veröffentlicht er hier. In einem Widmungsschreiben und in seiner Abschiedsrede vom 8. März 1588 rühmt er Wittenberg als das «deutsche Athen», in dem es «vollkommene philosophische Lehrfreiheit» gibt und er kollegial aufgenommen worden ist. Doch die Visitatoren beklagen am 29. Mai 1587, daß die Wittenberger Druckereien keiner strengen Zensur unterliegen. So sei Giordano Brunos «Dialectica» erschienen, die sie als eine Schande für die Leucorea ansehen. Diese unterschiedliche Einstellung zur Lehrfreiheit bestätigen die Aussagen Brunos vor der Inquisition: Die lutherische Partei habe ihn in Wittenberg gefördert; als jedoch der Kurfürst die calvinistische unterstützt habe, sei er von Wittenberg weggezogen.

Die Vertreibung des Calvinismus bedeutet zugleich eine Abkehr von der sogenannten «aktiven Religionspolitik», mit deren Hilfe reformierte Fürsten, Adlige und Bürger versuchen, die evangelische Verkündigung auf andere Gebiete auszudehnen. Mit dieser Wendung scheint Sachsen den politischen Realitäten Rechnung zu tragen und den Kreuzzugsgedanken abzulehnen, wie es Luther getan hat.[132] Für die Theologiegeschichte bedeutet die Rückkehr zum Luthertum das Festhalten an der leiblichen Gegenwart Christi im Abendmahl und einem heilsgeschichtlichen Verständnis der Prädestination, wie es nun in der «Leuenberger Konkordie» der reformatorischen Kirchen in Europa vom 16. März 1973 auch reformierte Kirchen anerkannt haben.[133]

164

Kaum hat sich die Theologische Fakultät der Leucorea neu formiert, bricht unter den Neuberufenen ein Streit über die Prädestination aus. Samuel Huber hat in der Auseinandersetzung mit den Calvinisten eine Erwählungslehre entwickelt, die nur auf die Allgemeingültigkeit der Gnadenwahl Gottes sieht und die Beziehung der Erwählung zur Rechtfertigung und zur Eschatologie vernachlässigt. Sein Kollege Aegidius Hunnius, der als Begründer der Wittenberger Orthodoxie gilt, kämpft auf der Grundlage des Konkordienbuches für eine Lösung des Problems, die zwischen Calvinisten und Huber liegt. Dieser muß 1594 Wittenberg verlassen. Sein literarischer Streit mit den Wittenbergern zieht sich bis 1597 hin, in dem sich diese als Verteidiger des Konkordienbuches bewähren. Für diese Aufgabe finden sie neben Polykarp Leyser vor allem Leonhard Hütter, der 1596 Theologieprofessor in Wittenberg wird und stärker auf Luther zurückgreift. Sein 1609 erschienenes «Compendium locorum theologicorum ex scripturis sacris et libro Concordiae collectum» erlebt zahlreiche Auflagen im 17. und 18., einige im 19. Jahrhundert und wird sogar 1961 wieder herausgebracht. Mit seinen «Loci communes theologici» begründet er erfolgreich die Reihe der ausführlichen Dogmatiken der lutherischen Orthodoxie in Wittenberg.[134]

78
*Friedrich Bernhard Werner: Wittenberg vom Süden, Kupferstich von 1750 (Lutherhalle)*
79
*Beschießung der Stadt Wittenberg am 13. Oktober 1760, Kupferstich von Johann David Schleuen nach einer Zeichnung von Christian Gottlieb Gilling (Christian Siegismund Georgi: Wittenbergische Klage-Geschichte, ... Wittenberg 1761, Taf. I)*
80
*Johann Gottfried Schadow: Wittenberg vom Süden nach dem Befreiungskrieg, Kupferstich aus dem Jahre 1825 (aus Schadows «Wittenbergs Denkmäler der Bildnerei, Baukunst und Malerei») (Lutherhalle)*

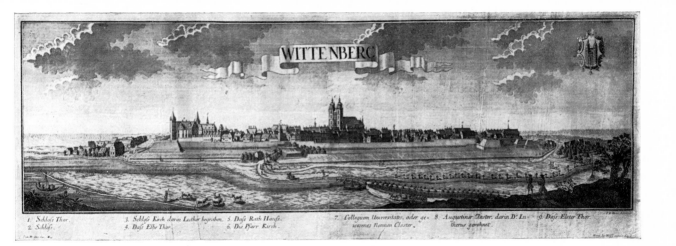

WITTENBERG

Tab. I.

Den 13. Octob. WITTENBERG An. 1760.

81
*Inneres der*
*Schloßkirche 1832,*
*Gemälde von*
*Eduard Spranger*
*(Potsdam, Sanssouci)*

82
Karl Friedrich Schinkel:
Taufe, Bronzeguß um Gußeisen-
kern, 1832 gestiftet. Die sechs Reliefs
zeigen Szenen zu der Einladung
Christi: «Lasset die Kindlein zu mir
kommen und wehret ihnen nicht;
denn solcher ist das Reich Gottes»
(Mark. 10, 14). Die drei Figuren
darunter symbolisieren 1. Kor.
13, 13: «Nun aber bleibt Glaube
[Kelch], Hoffnung [Anker], Liebe
[Kind], diese drei; aber die Liebe
ist die größte unter ihnen.»
(Schloßkirche)

83
*Inneres der Stadtkirche mit den doppelten Emporen und dem Altarumbau von Carlo Ignazio Pozzi aus den Jahren 1810 und 1811*

84

*Friedrich Müller: Wittenberger Markt mit Wachparade, farbiger Steindruck von 1853*
*(Wittenberg, Stadtgeschichtliches Museum)*
85 (folgende Seite)
*Friedrich Drake: Melanchthondenkmal, Bronzeguß, 1865 eingeweiht*
86 (übernächste Seite)
*Johann Gottfried Schadow: Lutherdenkmal, Bronzeguß, 1821 eingeweiht*

Die Zeitgenossen haben Wittenbergs Entscheidung für die lutherische Orthodoxie anerkannt. Die Zahl der Immatrikulationen steigt wieder, und die 18* Leucorea wird noch einmal die meistbesuchte deutsche Universität, bis der Dreißigjährige Krieg sie heimsucht.

## 5. Der Dreißigjährige und der Siebenjährige Krieg

Der Dreißigjährige Krieg (1618–1648) ist kein reiner Religionskrieg, trotzdem sind die Machtkonstellation und ein Teil der Kriegsziele Folgen der von Wittenberg ausgegangenen Reformation. Als 1631 die Schweden heranrücken, achtet ihr König Gustav Adolf Wittenberg als die Stadt, der die Schweden «das Licht des Evangeliums» zu danken haben. Nach seinem Tod in der Schlacht bei Lützen wird der Sarg des Schwedenkönigs auf seiner Überführung in die Heimat in der Schloßkirche aufgestellt. Die Wittenberger holen die sterblichen Reste ihres Beschützers feierlich über die Elbbrücke ein und begleiten sie am folgenden Tag durch die Vorstadt hinaus. 1635 verständigt sich der sächsische Kurfürst, Johann Georg I., durch den Prager Frieden am 30. Mai mit dem römisch-katholischen Kaiser, wodurch er den Zorn der evangelischen Schweden auf sein Land zieht. Seit 1636 verwüsten die Schweden den Kurkreis und die Vorstädte Wittenbergs, das für sie uneinnehmbar ist. 1637 verbrennen sie die unter Friedrich dem Weisen erbaute Elbbrücke. (Sie wird erst 1784 bis 1787 wiederhergestellt, 1841 vom Eisgang mitgenommen und schließlich 1842 bis 1846 durch eine steinerne ersetzt.)

Während die Schweden das Gebiet in der Umgebung von Wittenberg heimsuchen, wütet in der Lutherstadt die Pest. Im Jahre 1636 werden 1356 und 1637 sogar 2675 Menschen beerdigt. Wenn sich darunter auch einige hundert Soldaten befinden, ist dieser Verlust für Wittenberg doch erschreckend. Nur wenige wagen es, ihre Studien in dieser Stadt auf- 18* zunehmen, im Sommersemester 1637 zwölf! 1642 gelingt es der Leucorea aufgrund ihres Ansehens als Bewahrerin der Lehre Luthers, von den Schweden einen Schutzbrief für die Professoren und die Universitätsdörfer zu erhalten, der sie von den Kriegslasten befreit. Danach bessert sich die Lage der Leucorea ein wenig, nach dem Ende des Krieges bis 74 nach der Mitte des 17. Jahrhunderts sogar ganz wesentlich. Dann wird die Leucorea von Leipzig und bald auch von Jena überflügelt.[135]

Der Siebenjährige Krieg (1756–1763) bringt der Festung Wittenberg mehrmals Wechsel der Besatzung. Verhängnisvoll wird der 13. Oktober 1760, als 79 das Reichsheer die preußische Besatzung durch Beschießung zur Übergabe zwingt. Zahlreiche Häuser in der Stadt, so auch das Cranachhaus, und vor allem in den Vorstädten werden vernichtet oder schwer beschädigt. Das Schloß wird verwüstet. Die Schloßkirche brennt bis auf die Umfassungsmauern nieder, wobei Stücke der Innenausstattung aus der Zeit Friedrichs des Weisen und die Thesentür ein Raub der Flammen werden. Zugrunde gehen auch das Graue Kloster und die daneben stehende Barbarabeziehungsweise Hospitalkirche, das Konsistorium, die Propstei gegenüber der Schloßkirche und das Heilig-Kreuz-Hospital vor dem Elstertor. Die Stadtkirche wird durch ein Geschoß im Nordturm in Brand gesetzt, doch der Schuhmacher Hildebrand ersteigt unter Lebensgefahr den Turm und löscht das Feuer.

Eine so sehr zerstörte Stadt, die von den Preußen, die das Reichsheer bald wieder vertreiben, als Lazarettstadt verwendet wird, übt keine Anziehungskraft auf die Studenten aus. Vor allem aber gelingt es der Leucorea nicht, angesichts der im 17. Jahrhundert aufkommenden Aufklärung und des sich im

*Gerhard Janensch: Bugenhagendenkmal, Bronzeguß*
*von 1894, im Hintergrund Bugenhagenhaus*

18. Jahrhundert ausbreitenden Pietismus das Erbe Luthers neu verarbeitet und überzeugend darzubieten. Daher kann sich die Wittenberger Universität von den Folgen des Siebenjährigen Krieges nur bis zum durchschnittlichen Besuch einer deutschen Universität erholen, während in ihrer Nähe die 1694 gegründete Universität Halle durch August Hermann Francke zu einer der bedeutendsten Universitäten emporgewachsen ist.[136]

Den sehr raschen, geradezu flüchtigen Wiederaufbau der Schloßkirche leitet der sächsische Landesbaumeister Christian Friedrich Exner. Zu den Kosten tragen außersächsische Fürsten, ja selbst die russische Zarin Katharina II., bei. Exner läßt ein hölzernes Gewölbe einsetzen und verputzen. Die Ausstattung der Kirche ist dem Zopfstil verpflichtet. Im Chor erhebt sich ein mächtiger Kanzelaltar. Die Einweihung findet 1770 statt. Der nordwestliche Schloßturm wird nun in die Kirche einbezogen. Er erhält 1771 einen zweistöckigen barocken Aufbau. So entsteht ein weder historisch getreu restauriertes noch zeitgenössisch wertvolles Bauwerk. Die wiederhergestellte Barbara- beziehungsweise Hospitalkirche wird 1771 eingeweiht.[137]

Als 1795 die Türme der Stadtkirche erneuert werden, gelangt unter anderem eine Beschreibung der Gegenwart in einen der Knäufe. Danach hat 1794 Wittenberg 4617 Einwohner, 448 Häuser, die dem Rat der Stadt, und 121, die dem Kreisamt unterstehen. Während in den Bereich des Kreisamtes nur 18 wüste Stellen fallen, sind auf dem Gebiet der Ratsverwaltung 124 wüste Stellen als Folge der Zerstörung von 1760 und 68 noch aus dem Dreißigjährigen Krieg vorhanden. In Wittenberg befinden sich am 1. August 1795 nur 366 Studenten. Drei Buchdruckereien arbeiten zwar noch «viel für ausländische, besonders Berliner Buchhändler», aber zum Hauptgewerbe sind inzwischen die Tuchmacher, Hutmacher und Lohgerber aufgestiegen.[138]

## 6. *Der Napoleonische Krieg und das Ende der Leucorea*

Kaum sind die Folgen des Siebenjährigen Krieges einigermaßen überwunden, naht neues Unheil. Die zum Schutz der Reformation Luthers verstärkte Befestigung, die in der Zwischenzeit erneuert und entgegen dem Beschluß von 1764 noch nicht eingeebnet ist, wird der Stadt und der Leucorea zum Verhängnis. 1806 kommt das französische Heer nach seinem Sieg bei Jena und Auerstedt am 14. Oktober in die Stadt und bezieht Wittenberg als Festung in seinen Krieg ein. Die Stadtkirche muß als Lazarett und als Magazin dienen, wobei die Altargeräte verschwinden. Die Gemeinde kann die Stadtkirche vom 20. Oktober an nicht mehr gottesdienstlich nutzen. Sie versammelt sich vier Monate im Bugenhagenhaus, bis die sonst wenig in Mitleidenschaft gezogene Schloßkirche von den dort eingelagerten Mehlsäcken befreit ist. 1807 siedelt die Pfarrgemeinde in die Schloßkirche um. Sie nutzt die günstigen Raumverhältnisse, noch im selben Jahr die erste öffentliche Konfirmation in Wittenberg zu feiern. Bei der Konfirmation von 1810 werden die neuen goldenen und silbernen Altargeräte zum erstenmal verwendet, die die Wittenberger Kaufleute inzwischen gestiftet haben. Das Lutherhaus dient in dieser Zeit als Lazarett.

Nach seinen Siegen über die deutschen Länder und dem Tilsiter Frieden im Juli 1807 befiehlt Napoleon, die Festung Wittenberg zu schleifen. Doch die Wittenberger führen diesen Befehl nicht aus – wodurch sie wiederum eine Gelegenheit versäumen, sich ihrer verhängnisvollen Befestigung zu entledigen –, sondern wenden sich zunächst den von den Franzosen verlassenen Räumen zu. Dem in der Schweiz geborenen Italiener Carlo Ignazio Pozzi, Rat des Herzogs in Dessau, übertragen sie die innere Erneuerung der Stadtkirche. Er führt sie 1811 unter

81

83

174

Berücksichtigung der Vorschläge des Wittenberger Generalsuperintendenten Carl Ludwig Nitzsch in klassizistischer Grundhaltung unter Verwendung gotischer Formen aus. Nitzsch hält die griechischen Formen zwar für schöner, aber auch weltlicher, die gotischen hingegen dem «ernsten christlichen Religionssinn angemessener». An die Stelle der Empore von 1516 treten zwei Emporen übereinander. Der Orgelprospekt und die Kanzel werden neu geschaffen. Die Neuordnung der Epitaphe versetzt selbst das Schulenburgische an eine andere Stelle. Den Altar rückt man weiter von der Wand ab, um dahinter einen ungestörten Raum für die Beichte zu gewinnen. Er erhält ein gewaltiges, gemauertes Rahmenwerk, mit poliertem marmoriertem Gips überzogen. In seine Felder werden die Tafeln des Cranachaltars eingefügt, wodurch die ursprüngliche Schlichtheit verlorengeht. Die Rückseiten der Tafeln, die ebenfalls bemalt sind, verbirgt eine Mauer. So entsteht ähnlich wie 1770 in der Schloßkirche ein monumentaler Abschluß des Kirchenraumes im Chor, wobei allerdings die gottesdienstliche Funktion eine bedeutende Rolle spielt. Der Fußboden des Chores wird erhöht und bis an das Schiff verlängert, um eine für die Gemeinde gut überschaubare Fläche zu gewinnen, auf der zweimal im Jahr die Konfirmationsfeier stattfindet. Ein Gitter trennt den Chor vom Schiff. Die Taufe von 1457 ist in den Boden gesenkt worden, um bequemer taufen zu können. Jetzt wird sie wieder frei aufgestellt. Am Neujahrstag 1812 hält die Wittenberger Gemeinde die Einweihung ihrer wiederhergestellten Pfarrkirche, ohne zu ahnen, daß in dem neuen Jahr Napoleon einen Feldzug beginnt, der auch ihr neue Verluste bereiten wird.[139]

Als Napoleon 1813 geschlagen aus Rußland zurückkommt, findet er die Befestigung Wittenbergs noch so gut, daß er die Lutherstadt wiederum zur Festung erhebt. Wittenberg leidet unter den über-

mäßigen Einquartierungen. Die Hörsäle werden beschlagnahmt. Die Universitätsangehörigen ziehen sich in das nahe gelegene Schmiedeberg zurück. Am 13. Juli 1813 beantragen die Wittenberger Professoren bei König Friedrich August I. von Sachsen, die Leucorea entweder nach Dresden, Meißen, Freiberg zu verlegen oder mit Leipzig zu vereinigen. Der Rechtsprofessor Ernst Gottfried Klügel, der diesem Beschluß allein nicht zustimmt, wirft ihnen Bequemlichkeit und Sicherheitsbedürfnis sowie Mangel an dem Vertrauen Luthers vor. Wittenberg muß das Schicksal einer Festung auskosten. Vom 25. bis zum 30. September 1813 wird die Stadt von den Preußen beschossen. In der belagerten Stadt werden Mehl und Brennholz knapp. Daher errichten die Franzosen in der Schloßkirche zwei Roßmühlen und verheizen die Dachsparren des Schlosses und Teile der Inneneinrichtung. Die Stadtkirche wird wieder beschlagnahmt, die Gemeinde versammelt sich zum Teil unter Beschuß in einem «düsteren Hörsaal». Nach der Völkerschlacht bei Leipzig im Oktober 1813 bedrängen die Preußen die Stadt aufs neue und stürmen sie nach Beschuß in der Nacht zum 13. Januar 1814. Dabei werden die Vorstädte vernichtet, Häuser in der Stadt zerstört oder beschädigt. Das Schloß ist stark mitgenommen, ebenso der Turm an der Westseite der Schloßkirche, die selbst beschädigt ist. Die Zahl der Sterbefälle steigt aufgrund einer Typhusepidemie unter den Einwohnern auf das Siebenfache.[140]

Durch den Wiener Kongreß von 1814 bis 1815 kommt Wittenberg mit den von Sachsen abgetrennten Gebieten zu Preußen. Die preußische Regierung steht vor der Frage, ob sie die Leucorea wieder aufrichten soll. Da ihre Professoren selbst nicht entschieden darum kämpfen und das Land nach dem Befreiungskrieg viel Unterstützung braucht, scheut man sich, umfangreiche Mittel zur Wiederherstellung der Leucorea aufzuwenden. So wird am 6. März

1816 entschieden, die Wittenberger Universität mit der Hallenser zu vereinigen. 1933 erhält sie den Namen Martin-Luther-Universität. Durch diese Verlegung ist für Wittenberg die Chance vergeben, mit der Neubelebung der Luthertums im 19. Jahrhundert zu neuer Blüte zu gelangen. Ihm erwachsen akademische Zentren in Erlangen und Leipzig. Wittenberg bekommt als Entschädigung 1817 ein evangelisches Predigerseminar, das in das Augusteum zieht. Die Universitätsbibliothek wird geteilt. Ihr hat es seit 1547 an einer bewußten Leitung und an geordneten finanziellen Grundlagen gefehlt. Sie ist aus Schenkungen und Nachlässen der Professoren, aus

geringen Ankäufen und seit 1624 auch aus Pflichtexemplaren zusammengewachsen. Als Johann August von Ponickau ihr 1789 etwa 15 000 Bände stiftet, verdoppelt er ihren Bestand. 1813 rettet sie unter abenteuerlichen Umständen ihr Kustos. 1822 wird sie der Universitätsbibliothek Halle einverleibt, die theologischen und philologischen Abteilungen jedoch dem Predigerseminar überlassen.[141]

Mit der Verlegung der Leucorea nach Halle und dem Rückgang des Buchgewerbes hat die Stadt Wittenberg zunächst aufgehört, als lebendige Bewahrerin der lutherischen Lehre über ihre Mauern hinaus zu wirken.

# Das Pflegen der reformatorischen Erinnerungen

Als Wittenberg 1815 an die Hohenzollern fällt und 1816 die Leucorea verliert, sinkt es von einer Universitätsstadt zu einer preußischen Provinzstadt des Regierungsbezirkes Merseburg herab und wird Garnisonstadt. 1819 beginnt der Ausbau des Schlosses zur Kaserne. Anstelle des zerstörten Daches erhält es eine «bombensichere» Decke. Fenster werden zugemauert und Kellergewölbe beseitigt. Die Zeichnung von Johann Gottfried Schadow läßt diesen Umbau des Schlosses ausgezeichnet erkennen. Die Schloßkirche, zunächst dem Predigerseminar als Nachfolger der Leucorea zugewiesen, erhält 1826 noch die Aufgabe einer Garnisonkirche. 1842/43 entsteht an der Stelle des Neuen Kollegiums die Fridericianumkaserne, der weitere Kasernenbauten folgen. 1873 wird die Entfestigung befohlen. Die Befestigung verschwindet, an ihrer Stelle dehnen sich Parkanlagen aus. Nun kann die Stadt ungehindert wachsen. Sie wird sogleich von der Industrialisierung im mitteldeutschen Raum erfaßt. Auf eine

84

80

Sprit- und eine Maschinenfabrik sowie eine Eisengießerei folgt seit 1891 die chemische Industrie. Von 1890 bis 1910 steigt die Zahl der Arbeiter von 500 auf 5000. Die Einwohnerzahl verdoppelt sich von 11 667 (1871) auf 23 074 (1913) – 1977 sind es 52 471. Wittenberg entwickelt sich zu einer modernen Industriestadt, die nicht mehr vorrangig Gedanken der lutherischen Reformation, sondern Industrieprodukte ausführt. Während sich im 16. Jahrhundert Luthers Wirken günstig auf die wirtschaftliche Entwicklung Wittenbergs ausgewirkt hat, sind es nach 1873 vorteilhafte Standortfaktoren: billige Arbeitskräfte, billiger Baugrund, billiger Transport (Elbe), Kohle und Wasser sowie landwirtschaftliche Produkte.

Was hat unter diesen Umständen den Magistrat im Mai 1922 zu dem Beschluß bewogen, die offizielle Bezeichnung «Lutherstadt Wittenberg» einzuführen? Warum weist der Evangelische Oberkirchenrat in Berlin danach seine Dienststellen an, diese

Benennung zu verwenden – wodurch sie sich rasch verbreitet –, ohne die Genehmigung des preußischen Innenministeriums abzuwarten? Der Grund dafür liegt in dem Pflegen der reformatorischen Stätten und der Erinnerungen an Personen und Ereignisse der Reformation. Dadurch wird Wittenberg zum Tagungsort zentraler Feiern und lockt zunehmend Besucher aus aller Welt herbei. Der Evangelische Bund organisiert Wittenbergfahrten, zu denen Besichtigungen in der Schloß- und in der Stadtkirche gehören. Ein Lutherhospiz wird geplant, das den Besuchern der Lutherstätten eine preisgünstige Übernachtung ermöglichen soll. Der anwachsende Tourismus beeinflußt die Verkehrsführung und die Erhaltung der historischen Bauwerke.[142] Vom Aufbau eines gut organisierten Fremdenverkehrs hängt es nun mit ab, in welchem Ausmaß Wittenberg als Lutherstadt Interessenten für die lutherische Reformation aus aller Welt anzieht.

Der Ausbau Wittenbergs zu einer Gedenkstätte der Reformation durchläuft ebenfalls eine geschichtliche Entwicklung. Sie beginnt mit Gedächtnisfeiern. Dann werden Denkmäler errichtet, das heißt reformatorische Stätten markiert, Standbilder aufgestellt, neue Einrichtungen nach Reformatoren benannt und Gebäude aus der Reformationszeit in Erinnerungsbauwerke nach den Vorstellungen der eigenen Zeit umgebaut. Im 20. Jahrhundert beginnt ein neuer Abschnitt, in dem mit historischem Verständnis versucht wird, den ursprünglichen Zustand wiederherzustellen und dem Besucher einen unmittelbaren Eindruck von den Vorgängen im 16. Jahrhundert zu vermitteln.

## 1. Gedächtnisfeiern

Bereits im 16. Jahrhundert nehmen Prediger die Gelegenheit wahr, an Jubiläumstagen auf Ereignisse der Reformationszeit, zum Beispiel auf den Tod Luthers, hinzuweisen. 1617 schlägt die Theologische Fakultät der Leucorea dem Dresdener Oberkonsistorium ein örtliches Reformationsjubiläum vor. Doch dieses erweitert den Plan zu einem Fest, das im ganzen Land gefeiert werden soll. Schließlich werden sogar andere evangelische Fürsten von Sachsen aus aufgefordert, diesem Vorschlag zu folgen. So hat Wittenberg den Anstoß gegeben, das Reformationsjubiläum festlich zu begehen. In Wittenberg selbst wird vom 31. Oktober bis zum 2. November gefeiert. Am Reformationstag früh 5 Uhr treffen sich die Angehörigen der Leucorea im Lutherhaus, der Lehrkörper in der Lutherstube. Sie ziehen zur Schloßkirche durch die Collegienstraße. Auf dem Markt schließt sich der Rat der Stadt an. Nach dem Gottesdienst ziehen alle mitsamt der Bürgerschaft in die Stadtkirche, um eine weitere Predigt zu hören. Am 3. November beginnt in der Schloßkirche der eigentliche akademische Teil, der sich bis zum 8. November hinzieht und neben Reden und Disputationen auch Promotionen bringt. Damit ist ein Festablauf geschaffen, der für die folgenden Feiern zum Vorbild wird.

1630 begeht man feierlich trotz des Dreißigjährigen Krieges den 100. Jahrestag des Verlesens der «Confessio Augustana», 1646 findet zum 100. Todestag Luthers eine Gedächtnisfeier statt, die sich von seinem Todestag, dem 18. Februar, bis zu dem Tag, an dem er in der Schloßkirche beigesetzt wurde, dem 22. Februar, hinzieht. 1655 wird der 100. Jahrestag des Augsburger Religionsfriedens begangen, 1667 das 150. Jubiläum des Thesenanschlages.

Im 18. Jahrhundert wiederholen sich diese Feiern. Sehr ausführlich und mit Illustrationen wird über die Feier von 1755 berichtet. Sie findet ein Jahr vor Ausbruch des Siebenjährigen Krieges statt, der 1760 die große Verheerung über Wittenberg bringt.

Diese Jubiläen werden nicht nur in Wittenberg begangen, aber sie erhalten in Wittenberg auch für

15*, 16*

*Neues Kollegium und Cranachhaus mit Renaissancegiebel (nach einem Kupferstich von Johann Daniel Schleuen, der den Festzug am 29. September 1755 zur 200-Jahr-Feier des Augsburger Religionsfriedens vom Augusteum bis zum Schloß darstellt und sich in «Christian Siegismund Georgi: Wittenbergische Jubel-Geschichte, ...Wittenberg 1756», zwischen den Seiten 48 und 49 befindet)*

die Feiern außerhalb dieser Stadt eine besondere Bedeutung, weil sie mit Luthers Wirken in Wittenberg in Beziehung stehen. Ebenso stehen die Jubiläen der Leucorea mit Luther in Verbindung.[143]

Das 19. Jahrhundert mit seinem wachsenden historischen Interesse bringt eine Vermehrung der Jubiläen, die sich im 20. Jahrhundert fortsetzt.

1858 wird das Gedächtnis an Bugenhagen belebt, 1860 an Melanchthon, 1872 an Cranach. 1760 hat zwar die Philosophische Fakultät der Leucorea ihres bedeutendsten Lehrers gedacht, 1860 aber wird daraus eine Veranstaltung mit großer auswärtiger Beteiligung. Seitdem haben die Melanchthonjubiläen ihren Platz im Wittenberger Festkalender, wie die Veranstaltungen von 1910 und 1960 zeigen. Das wachsende Interesse für Geburtstage läßt 1883, 1885 und 1897 den 400. Geburtstag von Luther, Bugenhagen und Melanchthon zu großen Feiern werden.[144]

Nach dem ersten Weltkrieg häufen sich die Veranstaltungen in Wittenberg. 400-Jahr-Feiern gedenken 1920 der Verbrennung der Bannandrohungsbulle durch Luther (Niederlegung eines Lorbeerkranzes an der Luthereiche), 1921 des Reichstages zu Worms, 1922 der Rückkehr Luthers von der Wartburg und seiner Invokavitpredigten, 1925 des Todes Friedrichs des Weisen und der Eheschließung Luthers. Der Hochzeitstag Luthers wird als Katharinentag bezeichnet und stellt Luther als den Begründer des evangelischen Pfarrhauses heraus. Obgleich das für die theologische Begründung zutrifft und sein gastfreies Haus vielen zum Vorbild geworden ist, hat die Verbindung mit Luthers Heirat oft vergessen lassen, daß er keineswegs das erste evangelische Pfarrhaus gegründet hat, sondern ihm darin schon seit etwa 1521 andere vorangegangen sind. Schließlich wird auch das Jubiläum der «Deutschen Messe» Luthers zum Anlaß genommen, sie zum Re-

69

formationstag 1926 zu feiern, wodurch Wittenberg auch einen Platz in der liturgischen Erneuerungsbewegung des 20. Jahrhunderts erhält.[145]

Diese Wittenberger Reformationsjubiläen ziehen zahlreiche auswärtige Gäste an. Nachdem Wittenberg 1841 seinen ersten Bahnhof erhalten hat, wird die Stadt zu einem Tagungsort für zentrale Veranstaltungen des Protestantismus. So findet 1848 der erste deutsche evangelische Kirchentag in der Schloßkirche statt, wo Johann Hinrich Wichern eine Stegreifrede hält, die im Jahre 1849 zur Gründung des Central-Ausschusses für die Innere Mission der Deutschen Evangelischen Kirchen führt. Da die Innere Mission für ihre Organisation in Wittenberg den entscheidenden Anstoß erhalten hat, kehrt sie zu ihren Jubiläen in die Lutherstadt zurück. Als nach Beseitigung der Monarchie 1918 die evangelischen Kirchen von der Bevormundung seitens der Landesherren befreit sind, kann endlich der 1848 beschlossene Deutsche Evangelische Kirchenbund 1922 im Entstehungsort der Reformation gegründet werden. Am Himmelfahrtstag unterzeichnen die Vertreter der einzelnen Landeskirchen die Gründungsurkunde an dem Tisch Luthers, den man aus dem Lutherhaus geholt und auf Luthers Grab in der Schloßkirche gestellt hat. 1918 entsteht in Wittenberg die Luther-Gesellschaft, die es sich zur Aufgabe macht, das Gedankengut Luthers den Zeitgenossen nahezubringen. Sie tut es neben ihren Tagungen durch die Zeitschrift «Luther» und das «Lutherjahrbuch», das zum Hilfsmittel der Lutherforschung geworden ist. 1922 entsteht in Wittenberg die Vereinigung für Volkstümliche Reformationsspiele. Dabei kann ebenfalls an eine Tradition angeknüpft werden. Zum Reformationsfest 1886 ist in Wittenberg unter der Teilnahme «von Tausenden» das Lutherfestspiel von Hans Herrig aufgeführt und 1892 wiederholt worden.[146]

So ist Wittenberg trotz des Verlustes der Leucorea ein Ort geblieben, an dem geistige Bewegungen, die mit der Reformation in Beziehung stehen, Gestalt annehmen und an dem versucht wird, Luthers Erbe für die Gegenwart fruchtbar zu machen. Daraus ergeben sich für die Stadt große Aufgaben. Mit der wachsenden Bedeutung Wittenbergs für Gedächtnisfeiern und zentrale Veranstaltungen der evangelischen Kirchen erhöhen sich auch die Ansprüche an die Instandhaltung der historischen Stätten. Sowohl staatliche als auch kirchliche Stellen nehmen sich dieser Aufgabe an. So wirkt sich Luthers Auftreten in Wittenberg bis zum heutigen Tag auf die Gestaltung dieser Stadt aus.

## 2. *Gedenkstätten und Denkmäler*

Die Stätte, an der zuerst eine bestimmte Erinnerung an Luther wachgehalten wird, liegt außerhalb der Mauern Wittenbergs in der Nähe von Wiesigk, südlich der Straße nach Dresden (F 187). Hier soll Luther im Wald eine Quelle entdeckt und auf seinen Spaziergängen oft besucht haben. Der Melanchthonschüler Balthasar Mentz behauptet sogar, Luther habe dort mit Melanchthon, Caspar Cruziger, Matthäus Aurogallus und anderen an der Bibelübersetzung gearbeitet. Für die Mitglieder der Leucorea wird dieser Ort zu einem beliebten Ausflugsziel. Die Quelle erhält eine steinerne Fassung und ein Gitter sowie die Bezeichnung «Luthersbrunnen». Doch die Anlage wird wieder zerstört. Kurfürst August der Starke bemerkt wahrscheinlich auf seiner Huldigungsfahrt 1694 den verfallenen Zustand dieses Brunnens und fordert den Rat von Wittenberg auf, ihn in Ordnung zu bringen. Das geschieht aber erst 1717 zur 200-Jahr-Feier der Reformation. Die Quelle wird neu gefaßt, überwölbt und mit einem Gitter verschlossen.

Über dem Zugang zum Brunnengewölbe sind zwei Tafeln angebracht. Auf der oberen Tafel haben sich der Bürgermeister und der Baumeister verewigt. Die untere Tafel weist mit ihrem lateinischen Spruch auf Luthers Werk als geistlichen Brunnen:

«Wer du auch immer, lieber Leser, hierher deinen Schritt lenkst, / Weigere dich nicht, mit dem Mund Gott Dank darzubringen. / Mehr wert ist es, die lebendige Quelle des göttlichen Luthers zu kosten, / Als mit den Augen alle Buchten des Meeres zu schauen.»

Damit sind zwei Hauptgedanken des Reformationsgedächtnisses in Wittenberg festgehalten: Die Erinnerungsstätten führen zur Dankbarkeit gegen Gott für das wiederentdeckte Evangelium und regen zur eigenen Beschäftigung mit Luthers Werk an. Die Ortschaft, zu der diese Erinnerungsstätte gehört, heißt heute «Luthersbrunnen-Wiesigk».[147]

Die mutmaßliche Stelle, an der Luther am 10. Dezember 1520 die Bannandrohungsbulle und das römische Kirchenrecht verbrannt hat, wird durch das Pflanzen einer Eiche gekennzeichnet. Diese fällen 1813 die Franzosen. Zur 300-Jahr-Feier der «Confessio Augustana», am 25. Juni 1830, wird an dieselbe Stelle eine neue Eiche gepflanzt, die noch heute stehende «Luthereiche». 1925/26 wird die Grünanlage um sie neu gestaltet und ein Zierbrunnen aufgestellt.[148]

69

Das erste Denkmal auf öffentlichen Plätzen, das in deutschen Ländern nicht Herrschern oder Feldherrn gilt, wird für Gottfried Wilhelm Leibniz 1790 in Hannover, und zwar als Rundtempel mit einer Büste, errichtet. Zum entscheidenden Durchbruch, Denkmäler für Gelehrte, Künstler und später auch Erfinder zu errichten, kommt es durch das Lutherdenkmal in Wittenberg, das zugleich einem neuen Typ zum Siege verhilft, nämlich dem Standbild für diese Schichten.

Der geistige Ursprung für dieses Denkmal liegt nicht in Wittenberg. Um 1800 vermag die Leucorea

ihren Zeitgenossen kein überzeugendes Lutherbild zu bieten. Vielmehr entsteht eine neue Lutherverehrung am Ende des 18. Jahrhunderts unter starkem Einfluß von Johann Gottfried Herder. Er hebt Luthers Wirken für die deutsche Sprache hervor und stellt ihn als «Lehrer der deutschen Nation» heraus. Sein Kampf gegen die feudalistische Hierarchie wird als Befreiung verstanden und seine geniale Persönlichkeit bewundert. Luther dient als Leitbild für eigene Bestrebungen und Wünsche dieser Zeit, besonders nach der Französischen Revolution.

86

Den Anstoß zu einem Lutherdenkmal gibt schließlich der Pastor Gotthilf Heinrich Schnee aus Großörner in der Grafschaft Mansfeld, der Heimat Luthers. Der Mansfeldsche Verein wird seit 1801 zum literarischen Verfechter dieser Idee und sammelt dafür Spenden. Er wendet sich an das ganze deutsche Volk. Schließlich sucht er einen Schutzherrn und gerät dadurch in Abhängigkeit. Der Mansfeldsche Verein will das Denkmal in Eisleben oder Mansfeld errichten, doch der preußische König bestimmt schließlich dafür Wittenberg. 1806 erhält Johann Gottfried Schadow von Friedrich Wilhelm III. den Auftrag. Er greift einen in der Malerei bereits ausgeprägten Typus auf, nämlich den älteren Luther mit der Heiligen Schrift in der Hand. Dafür zeichnet er unter anderem das Lutherbild von Cranach d. Ä. vom Weimarer Flügelaltar aus dem Jahre 1553 ab. Die Napoleonischen Kriege verzögern die Ausführung, so daß erst zur 300-Jahr-Feier der Reformation am 1. November 1817 der Grundstein gelegt werden kann. Am 31. Oktober 1821 wird das Denkmal an seinem heutigen Standort vor dem Rathaus enthüllt. Es steht auf einem einheimischen Granitblock, der aus Bad Freienwalde stammt. Dieser soll die «unerschütterliche Festigkeit» Luthers symbolisieren. Zehn Steinmetzen und 30 Schleifer arbeiten zwölf Monate, um ihn herzurichten. Das Standbild ist überlebensgroß. 2,85 m. Schadow will durch den Ausdruck, den er Luther verliehen hat, festhalten, «daß er das Wort Gottes, welches päpstlicher Zwang an Ketten angeschlossen, dem Volk zum Trost und zur Belehrung wieder frei gemacht hat». Die auf die Heilige Schrift weisende Haltung wird von der Inschrift an der Vorderseite «Glaubet an das Evangelium» unterstrichen. Die linke Inschrift erinnert an Luthers entschlossenes Auftreten in Worms 1521, die rechte an sein Liedschaffen. Ein Baldachin, den Karl Friedrich Schinkel entworfen hat, läßt an die Skulpturen in den Kirchen während der Gotik denken, rückt Luther in den Raum der Kirche und läßt ihn zum Gegenstand verehrender Frömmigkeit werden.[149]

85 Die weltlichen und geistlichen Honoratioren Wittenbergs knüpfen 1857 an die Entstehung des Lutherdenkmals an und rufen alle Evangelischen des Inlandes und des Auslandes zu Spenden auf, mit denen sie ihren Dank für die Wiederentdeckung des Evangeliums, der Wissenschaft und der Bildung zum Ausdruck bringen sollen, so daß zum 300. Todestag Melanchthons am 19. April 1860 ein Denkmal für ihn eingeweiht werden könnte. Friedrich Drake, ein Schüler von Christian Daniel Rauch, entwirft das Standbild, Johann Heinrich Strack, ein Schüler Schinkels, den Baldachin. Am 19. April 1860 kann nur der Grundstein gelegt werden. Die Einweihung des Denkmals wird am 31. Oktober 1865 in Gegenwart des preußischen Hofes vollzogen. Das Melanchthondenkmal ist als Gegenstück zum Lutherdenkmal ausgeführt, Melanchthon als Lehrer Deutschlands dargestellt. In seiner Rechten hält er die von ihm abgefaßte «Confessio Augustana» von 1530, die zur Bekenntnisschrift vieler evangelischer Kirchen geworden ist. Die Inschrift der Südseite hebt seinen Bekennermut vor dem Reichstag hervor, stellt also sein Auftreten neben dasjenige Luthers in Worms. Auf der Westseite wird mit Eph. 4, 3 sein Streben nach Aussöhnung und Verständigung festgehalten, auf der Ostseite sein humanistisches Wissenschaftsprinzip, das zu den Quellen strebt, treffend mit seiner Theologie in enge Verbindung gebracht.[150]

Neben die Erinnerung an Luther und Melanchthon tritt die an andere Zeitgenossen der Reformation. Zum 300. Todestag Bugenhagens erhält das Bugenhagenhaus am 20. April 1858 eine Gedenktafel. Zum 400. Geburtstag Lucas Cranachs d. Ä. wird am 31. Oktober 1872 an seinem Haus Schloßstraße 1 eine Erinnerungstafel angebracht, um die Erinnerung an das Cranachhaus lebendig zu halten. Als 1885 der 400. Geburtstag von Johann Bugenhagen gefeiert wird, entsteht der Plan, ihm neben Luther und Melanchthon ein Denkmal zu errichten. Da die Spenden bescheiden bleiben, müssen sich die 87 Wittenberger mit einer Büste Bugenhagens begnügen, die 1894 gegenüber dem Nordportal der Stadtkirche aufgestellt wird. An den Häusern werden – vor allem 1956 – weitere Gedenktafeln angebracht, um festzuhalten, wo berühmte Männer der Reformationszeit – einschließlich der Buchdrucker und Verleger – und der folgenden Jahrhunderte gewohnt haben.[151]

### 3. Namensverleihungen

Die Benennung von Einrichtungen und Straßen nach Personen der Wittenberger Reformation beginnt mit der Lutherschule. Sie wird 1834 als Armenfreischule gegründet, um den Kandidaten des Predigerseminars als Übungsschule zu dienen, und im Lutherhaus rechts vom Katharinenportal untergebracht. Der Erste Lehrer erhält seine Wohnung im zweiten Obergeschoß des Lutherhauses, der Zweite Lehrer in dem 1847 aus Privatbesitz zurückgekauften Melanchthonhaus. Während der Zeit des Faschismus wird die Lutherschule von der bewußt evangelischen Erziehung des Predigerseminars getrennt und in die Wallstraße verlegt. Inzwischen ist eine Sonderschule daraus geworden, die den Namen «Pestalozzischule» trägt.[152]

Im Anschluß an die Feier des 300. Todestages Luthers am 18. und 19. Februar 1846 wird die Lutherstiftung ins Leben gerufen. Die Spenden reichen freilich nur dazu, Familien zu unterstützen, die Waisenkinder aufziehen. 100 Jahre später wird der Todestag Luthers zum Anlaß genommen, in Wittenberg einen Briefmarkenblock herauszubringen, um mit dessen Ertrag im Schloß Kropstädt ein Mütter- und Säuglingsheim für infolge des zweiten Weltkrieges heimatlos Gewordene einzurichten. Das geschieht allerdings ohne Zustimmung der damaligen Zentralverwaltung für Post- und Fernmeldewesen, so daß dieser Block nicht in die Briefmarkenkataloge aufgenommen worden ist. Tatsächlich kann das Heim aufgrund der eingenommenen Mittel am 1. August 1946 eröffnet werden.[153]

Nachdem die Entfestigung begonnen worden ist, werden in dem Gelände vor der ehemaligen Mauer 18 neue Straßen angelegt und 1878 benannt. Dabei wird der Reformation gedacht: Wittenberg erhält eine Bugenhagenstraße, Lucas-Cranach-Straße, Lutherstraße und Melanchthonstraße. 1907 folgen die Hans-Lufft-Straße und, nach Luthers Frau benannt, die Katharinenstraße. Nach der Vernichtung des Faschismus wird die Kurfürstenstraße in Thomas-Münzer-Straße umbenannt.[154]

1888 wird an der Ecke Neustraße (Dr.-Wilhelm-Külz-Straße)/Lutherstraße das neuerrichtete Gymnasium eröffnet, das 1897, also zum 400. Geburtstag des Praeceptors Germaniae, die Bezeichnung «Melanchthongymnasium» erhält (heute Erweiterte Oberschule «Philipp Melanchthon»). Die Aula wird mit einem Wandgemälde geschmückt. Es stellt Luther auf dem Reichstag zu Worms dar, nachdem er den Widerruf abgelehnt hat.[155]

1907 wird als erstes Gebäude im heutigen Gelände der Paul-Gerhard-Stiftung, die 1883 in der Fleischerstraße eröffnet worden ist, das Katharinenstift – benannt nach Luthers Frau – an der Ecke Paul-Gerhard-Straße/Sternstraße (Ernst-Thälmann-Straße) erbaut. 1912 zieht die 1908 in Münster gegründete «Frauenhilfe fürs Ausland» ein, wodurch Wittenberg ein Diakonissenmutterhaus und das seit 1910 daneben gelegene Paul-Gerhard-Stift eine bessere Schwesternversorgung erhält. Als die Frauenhilfe fürs Ausland ihr Mutterhaus nach Groß-Burgwedel (Hannover) verlegt, verliert Wittenberg sein Mutterhaus. Heute beherbergt das Katharinenstift Rekonvaleszenten.[156]

1899 entstehen an der Ecke Falkstraße/Adlerstraße (Geschwister-Scholl-Straße) eine Mädchen- und eine Knabenschule. Mit der Anerkennung als Lyzeum erhält die Mädchenschule 1914 ebenfalls nach Luthers Frau den Namen «Katharinenlyzeum». Die Knabenmittelschule wird «Lucas-Cranach-Schule» genannt.[157] Als nach dem zweiten Weltkrieg das in den Schulgebäuden untergebrachte Heimkehrerlazarett aufgelöst wird, tritt an die Stelle der Lucas-Cranach-Schule eine gewerbliche Berufsschule und an die Stelle des Katharinenlyzeums die Diesterweg-Oberschule. Dafür gibt es seit 1953 in Piesteritz eine Erweiterte Oberschule «Lucas Cranach». Die alte Adler-Apotheke im Cranachhaus erhält im Jahr 1960 die Bezeichnung «Lucas-Cranach-Apotheke».

Die Benennung von Einrichtungen und Straßen zu Ehren von Personen der Wittenberger Reformation ist also erst im 19. Jahrhundert aufgekommen und scheint im Abklingen zu sein. Vorher werden sogar die Wohnhäuser der Reformatoren oft nicht mehr nach ihnen benannt. Im Stadtplan von 1623 wird das Lutherhaus entsprechend seiner Funktion als «Convictorium» bezeichnet. Die selbstverständliche Verwendung der Namen «Lutherhaus», «Melanchthonhaus», «Cranachhaus» und «Bugenhagenhaus» sowie

103

die aufgeführten Benennungen bezeugen ein verstärktes Interesse für die Persönlichkeiten der Reformation.

## 4. *Lutherhaus, Schloßkirche und Melanchthonhaus als Denkmäler*

Genauso wie Wittenberg den Anstoß zum Errichten von Denkmälern für die Reformation von außen erhalten hat, wecken Auswärtige die Sorge um die Gebäude, die Zeugen der Reformation waren.

Das Mühen um diese Bauwerke beginnt bei der 25-Jahr-Feier des Predigerseminars im Jahre 1842. Den
89 Besuchern fällt der schlechte Zustand des Lutherhauses auf. Die Lutherstube ist zwar in der Zwischenzeit hin und wieder besucht worden und der Ausgangspunkt für Festumzüge gewesen. Es sind aber Klagen überliefert, nach denen sie als Abstellraum benutzt wurde und Mehlsäcke umherstanden. 1844 wird der Berliner Baumeister Friedrich August Stüler, ein Schüler von Schinkel, beauftragt, das Lutherhaus «würdig» umzugestalten. Er verfolgt daher nicht das Ziel, den ursprünglichen Zustand herzustellen, sondern bemüht sich, den Vorstellungen seiner Zeit entsprechend ein schönes gotisches Gebäude zur Erinnerung an Luther zu erstellen. Zwischen 1853 und
88, 1856 erhält das Lutherhaus anstelle der glatten Gie-
90 bel Ziergiebel. Unter der Traufe werden die Wände hochgemauert, um dem steilen Dach eine sanftere Neigung zu geben. Abgestufte Zwerchgiebel ersetzen die einfachen Schleppluken. Die Wendeltreppe erhält einen Abschluß, der an eine Krone erinnert. In den Putz eingedrückte Fugen täuschen eine Mauer von regelmäßigen Quadern vor. In der Höhe des ersten Obergeschosses fügt man einen Erker ein. Von 1861 bis 1867 und danach wird ein Teil des Inneren gotisiert, dabei der Flur hinter dem Katharinenportal mit einem Gewölbe versehen. Diese Innenerneuerung erfaßt nicht alle Räume, wodurch

die Lutherstube vor einer Umgestaltung in diesem Sinne verschont bleibt. 1876 wird von Emil Schober in Halle ein Baldachin mit Luthers Brustbild angefertigt und an der Außenwand zwischen den beiden Fenstern der Lutherstube angebracht. Dadurch soll die Erinnerung an Luthers Aufenthalt in diesem Gebäude wachgehalten werden, wie die dazugehörige und durch ihre Kürze nicht ganz zutreffende Inschrift «Hier lebte und wirkte D. Martin Luther von 1508 bis 1546» bezeugt.

1877 kommt es zu einem weittragenden Entschluß, durch den das Lutherhaus eine neue Aufgabe erhält. Der Regierungspräsident von Merseburg und der Bürgermeister von Wittenberg gründen ein Kuratorium, das den Aufruf ergehen läßt, «durch Sammlungen aller auf den Reformator bezüglichen Erinnerungen» zur Errichtung eines geschichtlichen Museums beizutragen. Da diese Aufforderung Gehör findet, zum Teil durch das Überlassen von Leihgaben, kann 1883 zur 400-Jahr-Feier der Geburt Luthers ein reformationsgeschichtliches Museum eröffnet werden: die Lutherhalle.[158]

Die Bemühungen um die Schloßkirche beginnen sehr bald nach ihrer Beschädigung von 1813. Keinem Geringeren als Preußens bedeutendstem Baumeister und Sachverständigen für Gotik, Karl Friedrich Schinkel, wird der Entwurf anvertraut. In seinem Bericht vom 17. August 1815 schlägt er vor, die Schloßkirche wieder mit einer steinernen Decke zu versehen und die Kirche in die Gestalt zu bringen, in der sie zu Luthers Zeit war. Zugleich fordert er eine staatliche Denkmalpflege, die historisch wichtige Gebäude in ihren ursprünglichen Zustand versetzt. Weil Luthers Thesenanschlag das Interesse an einem geschichtlichen Ort in besonderer Weise weckt, wird die Schloßkirche zum Anlaß, die Forderung nach dem historisch verantwortlichen Bewahren von Bauwerken zu formulieren. Dieser Gedanke ist für die Wittenberger zu neu. Sie haben ihre Stadtkirche gerade erst «modernisiert». Die Beseitigung des Kanzelaltars aus dem Jahre 1770 empfinden sie als calvinistische Umgestaltung des gottesdienstlichen Raumes durch den reformierten Preußenkönig. Als lutherische Sachsen, die gegen ihren Willen unter Preußens Herrschaft gekommen sind, widersetzen sie sich den Plänen Schinkels, so daß nur Ausbesserungen vorgenommen werden. 81

Ein Werk Schinkels kommt trotzdem noch in die Schloßkirche. Friedrich Wilhelm III. stiftet 1832 der Garnisongemeinde ein künstlerisch wertvolles Taufbecken im Stil der Neugotik. Die sechs Reliefs zeigen Szenen zu der Einladung Christi: «Lasset die Kindlein zu mir kommen und wehret ihnen nicht; denn solcher ist das Reich Gottes» (Mark. 10, 14). Die drei Figuren darunter symbolisieren 1. Kor. 13, 13: «Nun aber bleibt Glaube (Kelch), Hoffnung (Anker), Liebe (Kind), diese drei; aber die Liebe ist die größte unter ihnen.» 82

Unter den Soldaten, die durch die Preußen nach Wittenberg kommen, befinden sich auch welche mit römisch-katholischem Bekenntnis. In den dreißiger Jahren des 19. Jahrhunderts beginnen ihre Gottesdienste in der Stadtkirche, die der römisch-katholische Militärpfarrer von Berlin hält. So kommt die römisch-katholische Messe in Luthers Predigtkirche zurück, ohne daß es ein großes Aufsehen gibt. Trotzdem strebt naturgemäß diese Gemeinde ein eigenes Gebäude an. 1857 kann sie eine Römisch-katholische Kirche in der Bürgermeisterstraße einweihen.[159]

Da die Schloßkirche 1817 nur ausgebessert wird, entstehen wiederholt Pläne, ihren baulichen Zustand grundsätzlich zu ändern. Ein Teil eines solchen Planes wird 1858 abgeschlossen. Nach dem Entwurf des ersten preußischen Konservators für Kunstdenkmäler, Ferdinand von Quast, wird das Nordportal gestaltet, so daß es zu einem Denkmal

des Thesenanschlages von 1517 wird. Es soll nun ein «Ehrenmonument der Reformation» sein, das 93 ihre Hauptpersonen und Haupttaten vor Augen treten läßt. Die Stelle zweier Heiligen nehmen die Kurfürsten Friedrich der Weise und Johann der Beständige mit den Kurschwertern ein, weil sie die Reformation beschützt haben. Die Modelle für diese Standbilder fertigt Drake an. Der Berliner Bildhauer Friedrich Wilhelm Holbein führt sie in pirnaischem Sandstein aus. Für das Tympanon schafft der Berliner Maler August Klöber 1850 ein Lavagemälde, bei dem die Farben in Lavagestein eingebrannt werden, um sie wetterbeständiger zu machen. Vor einer Stadtsilhouette Wittenbergs ist der Kreuzestod Jesu dargestellt, um die Lehre von der freien Gnade Gottes in Christus dem Gekreuzigten zu veranschaulichen. Davor knien Luther mit der Heiligen Schrift und Melanchthon mit der «Confessio Augustana». Die beiden Bronzetürflügel werden mit Säulchen und Laubwerk sowie neun singenden Knaben verziert, die Drake modelliert. Zwi- 94 schen den Säulchen ist der Wortlaut der 95 Thesen Luthers über den Ablaß zu lesen, geschrieben mit den Kürzungen des Originals in Minuskeln, wie sie sich in den ältesten Drucken von Johann Gutenberg finden. Ausgeführt wird die Tür von Holbein, gegossen von Ludwig Friebel in den Lauchhammerwerken. In dem Steinbalken über der Tür hat sich Friedrich Wilhelm IV. als Urheber dieser Thesentür verewigen lassen, wobei die Schloßkirche, die staatlich ist, den preußischen Adler gewissermaßen als Hausmarke erhält. Die feierliche Einweihung dieser Thesentür erfolgt zu Luthers 375. Geburtstag am 10. November 1858.[160]

Die Schloßkirche weckt das besondere Interesse des Kronprinzen Friedrich Wilhelm, der 1888 als Kaiser Friedrich III. regiert. Das fördert ihren Umbau, aber auch ihre Umgestaltung zu einem dem Zeitgeschmack entsprechenden Prachtbau. 1880 wird

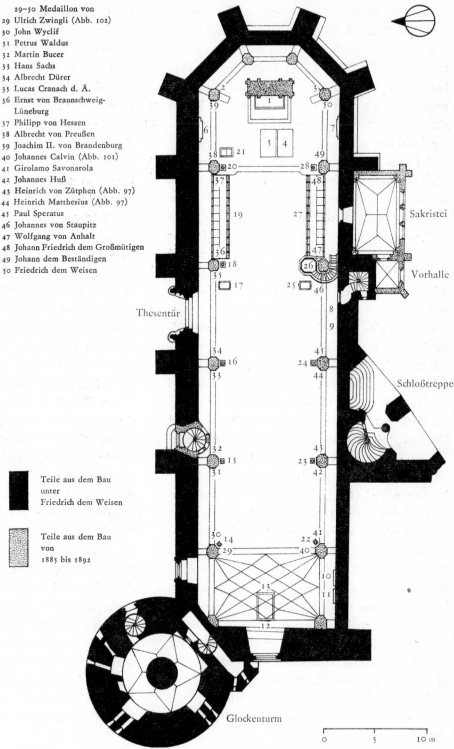

Teile aus dem Bau unter Friedrich dem Weisen

Teile aus dem Bau von 1885 bis 1892

Thesentür

Sakristei

Vorhalle

Schloßtreppe

Glockenturm

0    5    10 m

17*
*Grundriß der Schloßkirche*

der Berliner Regierungsbaumeister und Architekturhistoriker Friedrich Adler beauftragt, Entwürfe vorzulegen. 1884 bewilligt das preußische Abgeordnetenhaus die finanziellen Mittel, so daß der Bau 1885 beginnen kann. Am Reformationstag 1892 wird die neue Schloßkirche prunkvoll eingeweiht. Es ist 92 ein vom gründerzeitlichen Historismus geprägtes 104 Denkmal der lutherischen Reformation entstanden.

Bei dem Umbau wird die Holzempore aus dem 95, 18. Jahrhundert entfernt, die neue tiefer angesetzt 96 als die des 15. Jahrhunderts. In der Fluchtlinie der Empore werden Strebepfeiler aufgeführt, die ein vielgliedriges Netzgewölbe tragen. Dadurch wirkt der Raum höher, der ursprünglich mehr einem Saal glich. Der Fußboden wird mit hellgrauen und rötlichen Platten des Solinger Buntsandsteingebirges und im Chor mit Mettlacher Fliesen ausgelegt. Dadurch wird eine kühle Vornehmheit erzielt. Der Altar ist filigranhaft im gotischen Stil aus französischem Kalkstein gearbeitet. Unter den Maßwerkarkaden steht Christus mit den Aposteln Petrus und Paulus. Drei Berliner Bildhauer wirken mit: Gerhard Janensch schafft den segnenden Christus, Carl Dorn die beiden Apostel. Die acht Apostelstatuetten am Altar stammen von Richard Grüttner. Die Altarfenster zeigen nach Holzschnitten von Dürer im oberen Teil Geburt, Kreuzigung und Auferstehung Christi, im unteren Teil die Anbetung durch die drei Weisen und die Ausgießung des Heiligen Geistes. Die Holzarbeiten aus der Werkstatt des Wittenberger Holzbildhauers Wilhelm Lober geben dem Bau eine gewisse Wärme. Die Kanzel gestaltet er in Anlehnung an die Kanzel in der Annenkirche zu Annaberg im Erzgebirge. In der Brüstung befinden sich die Reliefs der vier Evangelisten Matthäus (Engel), Markus (Löwe), Lukas (Stier) und Johannes (Adler), darunter die Wappen von Städten, die für Luther bedeutungsvoll waren: Eisleben, Erfurt, Wittenberg und Worms. Die 1863 von Friedrich

Ladegast aus Weißenfels erbaute Orgel mit 2800 Pfeifen, 50 Registern und 3 Manualen umgibt Lober mit einem neuen Prospekt in gotischen Formen. Im Chor stehen der Kaiserstuhl und das Fürstengestühl, in dem die einzelnen Sitze die Wappen der protestantischen Fürsten und freien Reichsstädte im ausgehenden 19. Jahrhundert tragen, die bei der Einweihung auf diesen Plätzen vertreten sind.

Vor den Strebepfeilern werden auf ziselierten Kandelabersäulen aus Kalkstein überlebensgroße Standbilder der Wittenberger Reformatoren und 97 von Johannes Brenz sowie Urbanus Rhegius aufgestellt. Wenn die beiden Letztgenannten auch nicht in Wittenberg wirkten, waren sie doch entschiedene Vertreter der lutherischen Theologie. Diese neun Statuen hat der Schöpfer des Lutherdenkmals in Eisleben, der Bildhauer Rudolf Siemering, entworfen. Über den Standbildern befinden sich in den Zwickeln der Empore 22 bronzene Medaillons mit Köpfen von Männern, die die Reformation vor allem mit geistigen Mitteln verbreitet oder gefördert haben. Da die Forschung dieser Zeit sich sehr mit den sogenannten Vorreformatoren befaßt, werden Petrus Waldus, John Wyclif, Johannes Huß und Girolamo Savonarola mit aufgenommen. Nach einer längeren Debatte finden selbst ein Gegner Luthers, der Züricher Reformator Ulrich Zwingli, und der 102 Genfer Reformator Johannes Calvin Aufnahme. 101 Ihre Medaillons erhalten die bevorzugte Stelle an der Orgelempore und werden ein wenig größer als die übrigen ausgeführt. Sowohl bei den Standbildern als auch bei den Medaillons wird die Absicht verfolgt, Porträts zu schaffen. In der Emporenbrüstung werden die Wappen von 22 Fürsten und 30 Adligen angebracht, die die Reformation vorwiegend mit politischen Mitteln unterstützt haben.

Die Erinnerung an die Reformation setzt sich in den Glasfenstern fort. Nach Landschaften geordnet, 98 werden 198 Wappen von Städten eingefügt, die für die Geschichte der Reformation Bedeutung haben. (Mehrere Sprengstoffunglücke – zuletzt 1935 – und andere Einwirkungen haben diese Glasfenster so beschädigt, daß sie von 1960 bis 1962 neu eingesetzt werden müssen. An die Stelle des farbigen Glases, wie es noch in den obersten Teilen der Fenster zu sehen ist, tritt einfaches. Von den Städtewappen sind nur noch 128 verwendbar, die ihre Anordnung nach künstlerischen Gesichtspunkten erhalten. Die Restaurierung vor dem Reformationsjubiläum 1967 verzichtet darauf, die schadhafte Wand unter der Empore nach ihrer Ausbesserung wieder mit einer Bemalung zu versehen, die einen Vorhang vortäuscht. Beide Maßnahmen haben den Raum aufgehellt.)

99, 100 Die Umgestaltung der Schloßkirche erfaßt auch die Gräber Luthers und Melanchthons. Nach der Zerstörung 1760 hat man den Fußboden erhöht und die Grabplatten mit Holztüren abgedeckt, um den Höhenunterschied auszugleichen. Nun wird über den Grabstellen ein steinerner Sockel errichtet, auf dem die Grabplatten des 16. Jahrhunderts angebracht werden. In der Nähe von Luthers Grab wird der Nachguß der ursprünglich für dieses vorgesehenen Grabplatte an der Wand aufgestellt. Gestiftet hat ihn 1892 das Kloster Loccum (ein evangelisches Predigerseminar). Das Original hat Heinrich Ziegler 1548 in Erfurt gegossen. Als die ernestinischen Wettiner Wittenberg durch den Schmalkaldischen Krieg verlieren, halten sie diese Grabplatte zurück. Sie wird 1571 in der Michaeliskirche in Jena aufgestellt.

17* Der Raum unter der Orgelempore wird zu einer Grabkapelle umgestaltet. Die Überreste von 23 Askaniern werden in einem Gewölbe darunter in eichenen Särgen aufgestellt. Sie sind 1883 aus ihrer ursprünglichen Bestattungsstelle im ehemaligen Franziskanerkloster nach der Schloßkirche übergeführt worden.

92 Der Schloßturm wird weitgehend abgetragen und auf dem verbleibenden Stumpf mit geringerem Durchmesser neu aufgebaut. Als Abschluß erhält er einen Helm aufgesetzt, für den der Holzschnitt von 5* Lucas Cranach d. Ä. von 1509 als Vorbild dient. Unter dem Helmansatz wird aus Mosaiksteinen ein Schriftband mit dem Anfang des Lutherliedes «Ein feste Burg ist unser Gott» zusammengefügt.[161]

Wer heute die Schloßkirche betritt, um einen historischen Ort zu besuchen, der findet außer den Außenmauern und den Gräbern der Reformatoren sowie der beiden Kurfürsten und einigen Ausstattungsstücken des 16. Jahrhunderts kaum Zeugen der Lutherzeit. Der Besucher wird aber einen Zugang zu diesem Bauwerk finden, wenn er sein Augenmerk auf die Absicht richtet, den geistigen und politischen Kräften der lutherischen Reformation eine Gedächtnisstätte zu errichten.

Nach dem Lutherhaus und der Schloßkirche erfährt zu Melanchthons 400. Geburtstag 1897 dessen Arbeits- und Sterbezimmer eine Umgestaltung. Dabei wird es mit Wappen geschmückt. Melanchthons eigenes Wappen und das seiner Frau verbindet ein Spruchband, auf dem sein Wahlspruch steht: «Ist Gott für uns, wer mag wider uns sein?» (Röm. 8, 31) Hinzu kommen die Wappen seiner Freunde und seines Schwiegersohnes: Johannes Bugenhagen, Joachim Camerarius, Martin Luther, Justus Jonas und Kaspar Peucer. Diese Wappen sollen Melanchthons Überzeugung und Beziehungen vergegenwärtigen. Dadurch erhält auch das Melanchthonhaus einen Denkmalscharakter.[162]

## 5. Darstellung des Geschichtlichen

Im 20. Jahrhundert verändert sich die Einstellung zu den Zeugen der Geschichte. Die historischen Bauwerke werden nicht mehr mit Hilfe neuentworfener Konzeptionen in Denkmäler verwandelt, sondern –

soweit noch möglich – in ihre ursprüngliche Form gebracht. Seit den Jahren nach dem ersten Weltkrieg bestimmt diese Richtung auch in Wittenberg die Pflege der reformatorischen Stätten. 1956 wird die «Ortssatzung über die Erhaltung nationaler Kulturdenkmäler der Lutherstadt Wittenberg» erlassen. Sie führt unter anderem die einzelnen Gebäude auf, die Denkmalsschutz genießen sollen. Dadurch erhält die Pflege der Zeugen der Reformation eine rechtliche Grundlage, die eine wichtige Hilfe für ihre sachgemäße Erhaltung darstellt.[163] Wittenberg bleibt ein Ort für zentrale Zusammenkünfte, um Jubiläen der lutherischen Reformation zu begehen. In der neueren Zeit nehmen sie zum Teil den Charakter internationaler Forschungskongresse an.

Die Rekonstruktion des Rathauses von 1926 bis 1928 leitet Landesbaurat Petry. Nur die Außenmauern bleiben stehen, alles andere wird abgetragen. Die Fensterumrahmungen und die Werkstücke an den Giebeln und Gesimsen läßt er nach den alten Formen aus Sandstein erneuern. Während so außen die historische Gestalt bewahrt wird, erfolgt innen ein vollständiger Neubau, der die Raumeinteilung nach den modernen Anforderungen vornimmt. Das Amtszimmer des Bürgermeisters schmücken die Ansicht Wittenbergs von 1611 (die Jahreszahl 1691 im Spruchband bezieht sich auf den Nachdruck) und die Bildnisse Luthers und Melanchthons aus der Cranachschule.[164] 1974 wird die Fassade des Rathauses wieder erneuert. [70–72]

Die Restaurierung der Stadtkirche von 1928 bis 1931 ist bestrebt, sich dem ursprünglichen Zustand zu nähern. Darum wird die obere Empore herausgenommen, die untere terrassenförmig erhöht. Der Altarumbau wird entfernt, so daß der Cranachaltar schlichter wirkt. Man wählt eine einfache Ausmalung. Die Epitaphe erhalten zum Teil einen neuen Standort. In den Prospekt von 1811 baut die Firma Furtwängler & Hammer aus Hannover eine Orgel [6, 7]

mit drei Manualen, 51 Registern und rund 5000 Pfeifen ein. Die nächste Renovierung in den Jahren 1955/56 verfolgt diese Linie von 1928 weiter. Dadurch ist in der Stadtkirche möglich, was in der Schloßkirche nicht mehr möglich ist, nämlich bis zu einem gewissen Grade einen Raumeindruck aus dem 16. Jahrhundert zu gewinnen.[165]

Das Melanchthonhaus geht 1954 in die Hände der Stadt Wittenberg über. Diese müht sich um eine Erneuerung im Sinne der modernen Denkmalpflege. Die 1897 eingebrachten Wappen werden entfernt, 1959 wird der Putz erneuert. Das Melanchthonhaus enthält ein Heimatmuseum und einige Räume, die dem Gedächtnis Melanchthons gewidmet sind. Als 1960 eine staatliche Melanchthonehrung in Wittenberg und Halle stattfindet, wird diese Einrichtung als unangemessen empfunden. Daher entwickelt man den Plan, das Melanchthonhaus in ein «Memorialmuseum für den großen Humanisten und Praeceptor Germaniae» umzugestalten. Der Konzeption werden die Untersuchungen zur deutschen frühbürgerlichen Revolution zugrunde gelegt. Melanchthon wird als «Humanist, Reformator und Lehrer Deutschlands» in den Kampf der Bauern, Handwerker, Bürger und Plebejer gegen die Ausbeutung durch den Feudalismus hineingestellt. Er erscheint als Professor der Leucorea, der er zusammen mit Luther zu europäischer Geltung verhalf, wobei man seine Bedeutung als Lehrer der griechischen Sprache, als Systematiker der Lehren Luthers und als Organisator des Bildungswesens hervorhebt. Bis 1967 wird das Haus von Fremdnutzern geräumt und durchgehend renoviert. Selbst der Garten wird in die Gestaltung einbezogen. Melanchthons Studierstube und das Scholarenzimmer erhalten ihren ursprünglichen Charakter.[166] [60, 61]

88
*Ost- und Südseite des Lutherhauses,*
*1504 bis 1508 erbaut, 1853 bis 1856 neugotisch umgestaltet,*
*1932 und 1967 restauriert*

Das hintere Gebäude des Augustei, worin Luthers Wohnung
zu Wittenberg.

89
*Eduard Dietrich: Lutherhaus, Lithographie von 1826/1829 (Lutherhalle)*

*Nordseite des Lutherhauses mit dem 1565/1566 errichteten Treppenturm*

91
Augusteum von Südosten, 1564 bis 1583 erbaut,
1781 bis 1802 während des Umbaus ein zweites
Obergeschoß hinzugefügt,
1900 Ostgiebel neu gestaltet

92
Nordseite der Schloßkirche nach der Neugestaltung
von 1885 bis 1892 mit dem 1894 eingeweihten bronzenen Denkmal
für Kaiser Friedrich III., das Hans Arnold schuf
(Halle, Institut für Denkmalpflege)

93
*Nordportal
der Schloßkirche
mit der
1858 eingeweihten
Thesentür*

94
*Musizierende Knaben der Thesentür*
95 (folgende Seite)
*Inneres der Schloßkirche mit Blick zum Altar, 1885 bis 1892 neu gestaltet*
96 (übernächste Seite)
*Inneres der Schloßkirche mit Blick zur Orgel, 1885 bis 1892 neu gestaltet*

97

*Ausschnitt aus der von 1885 bis 1892 neu gestalteten Südwand der Schloßkirche: Das mittlere Feld mit dem Gemälde Johann Hinrich Wicherns enthält Standbild des Justus Jonas (Mitreformator und seit 1521 Propst des Allerheiligenstiftes) und des Johannes Brenz (lutherischer Theologe und Reformator von Schwäbisch-Hall sowie Württemberg), Medaillons mit Johannes Matthesius (Pfarrer von St. Joachimsthal und erster evangelischer Lutherbiograph) und Heinrich von Zütphen (Augustinereremit, der am 10. Dezember 1524 wegen seines evangelischen Glaubens zu Tode gemartert wurde), Wappen von Hans von der Planitz, Assa von Cramm, Georg von Polenz, Hans von Minkwitz und Hans von Taubenheim, die als sächsische Räte (von Polenz als Bischof von Samland) für die Reformation wirkten*

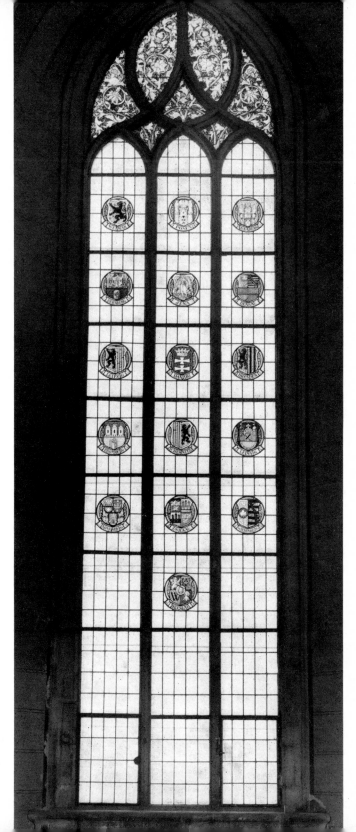

98

*Fenster in der Südwand der Schloßkirche mit Stadtwappen, 1892 geschaffen, 1960 bis 1962 neu gestaltet*

99
*Martin Luthers Grab in der Schloßkirche, Bronzeplatte aus dem 16. Jh., Sandsteinsockel von 1885 bis 1892;*
*rechts neben der Tür zur Emporentreppe Nachguß von 1892 des 1548 von Heinrich Ziegler in Erfurt gegossenen Epitaphs*
*sowie Bronzeepitaph für Henning Göde (Abb. 52)*

100
*Philipp Melanchthons*
*Grab*
*in der Schloßkirche,*
*Bronzeplatte*
*aus dem 16. Jh.,*
*Sandsteinsockel*
*von 1885 bis 1892*

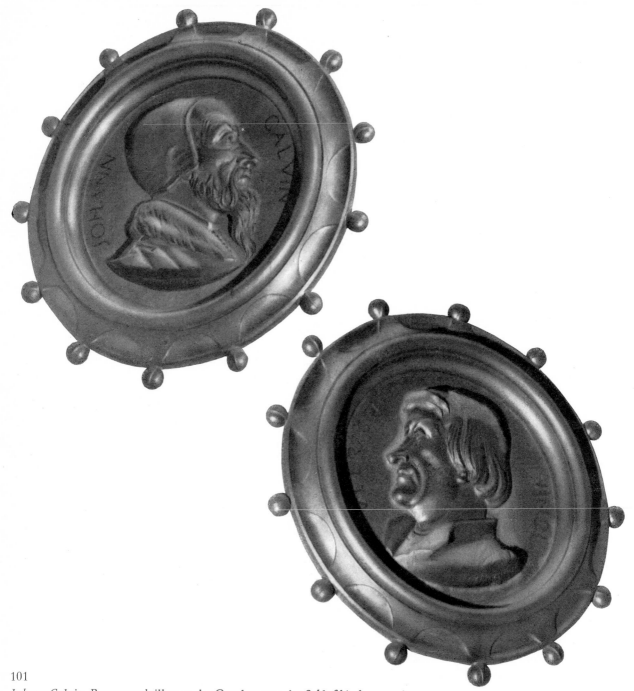

101
*Johann Calvin, Bronzemedaillon an der Orgelempore der Schloßkirche von 1892*
102
*Ulrich Zwingli, Bronzemedaillon an der Orgelempore der Schloßkirche von 1892*

ICH BIN HINDVRCH

103

*Woldemar Friedrich: Luther auf dem Reichstag zu Worms, Wandgemälde von 1898*
*(Wittenberg, Erweiterte Oberschule «Philipp Melanchthon»)*

Obgleich am Lutherhaus ebenfalls Renovierungen vorgenommen werden, steht eine mit dem Melanchthonhaus vergleichbare Umgestaltung noch aus. 1932 wird die Turmhaube vereinfacht und die Außenwand mit einem hellen Kellenputz versehen. Dadurch verschwindet die Quadereinteilung des 19. Jahrhunderts, und es wird ein ursprünglicherer Eindruck gewonnen. Die teilweise Erneuerung für das Reformationsjubiläum 1967 verfolgt die gleiche Linie. Ebenso versucht die Renovierung der Fassade des Augusteums in den Jahren 1966/67, dem Betrachter einen Eindruck von dem ursprünglichen Charakter dieses Gebäudes zu vermitteln.

Die Lutherhalle hat 1883 zwar einen guten Start, aber zunächst keine rechte Weiterentwicklung. Ihren wichtigsten Grundstock bilden die Sammlungen des Halberstädter Dompredigers Christian Friedrich Bernhardt Augustin und des Begründers der Weimarer Lutherausgabe Joachim Karl Friedrich Knaake. Erst 1907 beginnen systematische Neuanschaffungen. Es wird das Ziel verfolgt, in umfassender Weise Zeugnisse der lutherischen Reformation zu sammeln: Handschriften und Bücher, Flugschriften und Flugblätter, Holzschnitte und Gemälde, Münzen und Medaillen. Diese Sammlung beschränkt sich nicht auf kirchliche Dinge, sondern ist für alle Äußerungen der Reformationszeit offen. Neben den Reformatoren werden auch ihre Gegner berücksichtigt. Hinzu kommen spätere Darstellungen dieser Zeit. Eine ganze Geschichte des Lutherbildes kann zusammengestellt werden. Als Julius Jordan 1912 Direktor des Predigerseminars und damit zugleich Konservator der Lutherhalle wird, beginnt er die Sammlungen zum Teil wissenschaftlich zu erschließen. Er gewinnt weitere Räume für die Ausstellung, die er bis zum Reformationsjubiläum 1917 neu gestaltet. Das wachsende Interesse für die Originale der Reformationszeit vergrößert den Besucherstrom und die Zahl der wissenschaftlichen Anfragen, so daß die Lutherhalle nicht mehr im Nebenamt geleitet werden kann. Darum wird 1930 eine hauptamtliche Stelle geschaffen. Neue Räume können für die Sammlungen und für Veranstaltungen im Lutherhaus frei gemacht werden. Der Bestand der Lutherhalle umfaßt etwa 12 000 Bände, 8000 Grafiken und Bilder (davon 2500 Luthergrafiken), 4000 Handschriften, Erinnerungsstücke und Raritäten sowie 1574 Medaillen und Münzen. Daneben sind zahlreiche Fotos und Negative vorhanden. Der Raum reicht bei weitem nicht aus, um all diese Stücke zu zeigen. Bei besonderen Anlässen werden Sonderausstellungen veranstaltet.[167]

Von den neueren Veranstaltungen zu Jubiläen der Reformationszeit verdienen folgende hervorgehoben zu werden.

1960 führen sowohl das Melanchthon-Komitee der DDR als auch die für die Wittenberger Kirche zuständige Kanzlei der Evangelischen Kirchen der Union je eine Melanchthonehrung durch.[168]

1967 wird Wittenberg anläßlich der 450. Wiederkehr des Thesenanschlages der Mittelpunkt großer internationaler Feierlichkeiten.

Unter dem Thema «Weltwirkung der Reformation» findet vom 24. bis zum 26. Oktober ein internationales Symposium statt, auf dem die Persönlichkeit Luthers und seine Schriften in die sozialen Spannungen seiner Zeit hineingestellt und die Auswirkungen der von ihm angestoßenen reformatorischen Bewegung auf die Gesellschaft in den Vordergrund gerückt werden.

Darüber hinaus gehen mehrere Beiträge diesem Zusammenhang von sozialen Reformbestrebungen und reformatorischer Theologie in verschiedenen europäischen Gebieten und bei einzelnen Persönlichkeiten nach.

104
*Schloßkirche vom Südosten*
*mit der nördlichen Schloßtreppe*

Die zentralen kirchlichen Veranstaltungen dauern in Wittenberg vom 30. Oktober bis zum 3. November und gliedern sich in einen ökumenischen Tag, den Festtag am 31. Oktober und anschließende Studientage. Über 500 offizielle kirchliche Gäste finden sich ein.

Am Reformationstag beginnt der Festzug im Lutherhaus und endet teils in der Stadtkirche und teils in der Schloßkirche. Seine Vielfalt verkörpert anschaulich, wie Luthers Theologie weltweit in den christlichen Kirchen lebendig ist. Die Beiträge der Studientagung, die zum größten Teil von Gästen aus der Ökumene gehalten werden, behandeln den Stand der Lutherforschung, Luthers Bedeutung für den südosteuropäischen Raum und vor allem Probleme seiner Theologie.[169]

Den Reigen der 500-Jahr-Feier eröffnet ein Kolloquium zu Ehren von Lucas Cranach d. Ä. vom 1. bis 3. Oktober 1972. Auf Einladung des Cranach-Komitees der DDR versammeln sich 120 Kunstwissenschaftler, Historiker und Kunsterzieher aus der DDR, der Sowjetunion, der ČSSR, Polen, Frankreich, Großbritannien und der BRD.[170]

1973 kommen aus Europa vom 21. bis 23. September etwa 350 Gäste nach Wittenberg zu einer Diakonischen Tagung zusammen. Veranlaßt wird sie von der 125. Wiederkehr des ersten deutschen Kirchentages, von dem die Gründung des Deutschen Zentralausschusses der Inneren Mission ausgegangen ist. Es haben zwar bereits 1898, 1923 und 1948 «Jubelfeiern» stattgefunden, jetzt aber wird daraus eine Arbeitstagung, die der Diakonie helfen will, ihre Anliegen in der Gegenwart zu verwirklichen.[171] Auch diese Tagung fügt sich den Bestrebungen ein, das Historische zu erfassen und davon Anwendungen für die Gegenwart abzuleiten.

Dem Rat der Stadt Wittenberg erwachsen aus der Instandhaltung der Gebäude und Denkmäler sowie der Durchführung dieser internationalen Tagungen ständig große Aufgaben. Das Lutherdenkmal und das Melanchthondenkmal werden restauriert, dabei ihre Baldachine 1949 beziehungsweise 1966 neu gegossen. Große Anstrengungen sind erforderlich, um die Stadt für das Reformationsjubiläum 1967 herzurichten. Nach der Umgestaltung des Melanchthonhauses wird im Schloß das Stadtgeschichtliche Museum eingerichtet und 1969 eröffnet. Seit 1969 verleiht der Rat der Stadt jährlich den Lucas-Cranach-Preis (1000 Mark) an Personen oder Kollektive, die sich um die Entwicklung des Kulturlebens in der Lutherstadt besonders verdient gemacht haben. Die dabei überreichte Plakette aus Bronze zeigt auf der Vorderseite ein Cranachporträt mit der Umschrift «Lucas-Cranach-Preis» und der jeweiligen Jahreszahl, auf der Rückseite das Stadtwappen Wittenbergs und die Inschrift «Für Kunst und Kultur».

Reformationsgeschichtliche Jubiläen nimmt die Lutherhalle zum Anlaß, ihren Besuchern Sonderausstellungen anzubieten. So wird im Zusammenhang mit der Cranachehrung 1972 vom 9. September bis zum 31. Dezember die Dokumentationsausstellung des Cranach-Komitees der DDR gezeigt. Darstellungen, Münzen, Jagdgeräte, Waffen und andere Gegenstände sowie Urkunden aus dem 15. und 16. Jahrhundert veranschaulichen das Weltbild und die Lebensweise um Cranach d. Ä., sein Leben und Werk. Über 300 Ausstellungsstücke aus fast 50 Sammlungen in der DDR dokumentieren die einzelnen Lebensabschnitte des Wittenberger Künstlers und Unternehmers.[172] 1975 gestaltete die Direktorin der Lutherhalle, Elfriede Starke, unter dem Thema «Grafik und Bauernkrieg» eine Dialogausstellung. Den Grafiken und Büchern des 16. Jahrhunderts werden Grafiken zum Bauernkrieg von Künstlern unserer Zeit gegenübergestellt. Dadurch entsteht zusammen mit den interpretierenden Texten eine belebende Spannung.[173] Die hohe Bedeutung, die dem Lutherjubiläum im Jahre 1983 zum 500. Geburtstag des Reformators von seiten der Regierung der DDR und dem Bund der Evangelischen Kirchen in der DDR beigemessen wird, bewirkt dank staatlicher Förderung eine großzügige Renovierung bzw. Neugestaltung der reformatorischen Stätten auch in Wittenberg.

Von Wittenberg ausgehend, haben sich Luthers Lehren und seine Werke über die gesamte Erde verbreitet. Luthers Gedanken wirken an vielen theologischen Lehrstätten und in der Verkündigung vieler, nicht nur lutherischer Kirchen nach. Weltweit wird an Universitäten und kirchlichen Ausbildungsstätten Lutherforschung getrieben.

Das Fortleben von Luthers Tätigkeit läßt den Wirkungsort des Reformators bis zum heutigen Tag auf allen bewohnten Kontinenten im Bewußtsein bleiben. Es weckt bei vielen den Wunsch, die Zeugen der Ereignisse zu sehen, unter deren Nachwirkung sie stehen. Und wenn es auch an vielen Orten eine Beschäftigung mit Luther gibt, so kann doch keiner eine solche Anschauung vermitteln wie Wittenberg. Daraus erwachsen für Wittenberg verantwortungsvolle Aufgaben, für alle, denen diese Zeugen anvertraut sind, aber auch eine wachsende Beachtung. Heute erweist sich Wittenberg als Lutherstadt, indem es durch seine historischen Bauten und Denkmäler, seine Ausstellungsstücke und Sammlungen Luther und dessen Reformation vergegenwärtigt.

# Anhang

## Anmerkungen

1 *Die Slawen in Deutschland*/ hrsg. von Joachim Herrmann. Berlin 1972, 313–338. 352 f.; Karl *Bischoff*: Sprache und Geschichte an der mittleren Elbe und der unteren Saale. Köln, Graz 1967, 111–218, bes. 126–128.

2 Arthur *Schroeder*: Grundzüge der Territorialentwicklung der anhaltischen Lande von den ältesten Zeiten bis zur Begründung der Landesherrschaft unter Heinrich I. Anhaltische Geschichtsblätter 2 (1926), 5–92, bes. 31 f.; Christian Friedrich *Zeibich*: Von dem Alter der Stadt Wittenberg. Wittenberg 1746.

3 Schroeder a. a. O., 17 f.; Wolf-Dieter *Mohrmann*: Lauenburg oder Wittenberg? Hildesheim 1975.

4 J(ohann) *Siebmacher's* großes und allgemeines Wappenbuch. Bd. 1 I: Die Wappen der Souveraine der deutschen Bundesstaaten. Nürnberg 1856, 18–20; Taf. 24–27.

5 *Germania sacra*. Abt. 1: Die Bistümer der Kirchenprovinz Magdeburg. Bd. 3: Das Bistum Brandenburg Teil 2/ hrsg. von Fritz Bünger und Gottfried Wentz. Berlin 1941, 372–397.

6 Germania sacra 1 III, 75–88.

7 Richard *Erfurth*: Geschichte der Stadt Wittenberg. Bd. 1. Wittenberg 1910, 7; Die Slawen in Deutschland, 358–360; *Heimatbuch des Kreises Wittenberg*/ zusammengest. und bearb. von der Kommission für Heimatkunde des Pädagogischen Kreiskabinetts Wittenberg. Teil 3. Wittenberg 1959, 335 f.

8 Die Slawen in Deutschland, 364–370. Zur Diskussion über die Entwicklung des Bürgertums vgl. Brigitte *Berthold*; Evamaria *Engel*; Adolf *Laube*: Die Stellung des Bürgertums in der deutschen Feudalgesellschaft bis zur Mitte des 16. Jahrhunderts. Zeitschrift für Geschichtswissenschaft 21 (1973), 196–217; Günter *Vogler*: Probleme der Klassenentwicklung in der Feudalgesellschaft. Ebd. 21 (1973), 1182–1208.

9 Hans-Joachim *Mrusek*: Das Stadtbild von Wittenberg zur Zeit der Reformation und der Universität. In: *450 Jahre Reformation*/ hrsg. von Leo Stern und Max Steinmetz. Berlin 1967, 322 bis 340, bes. 322–326.

10 Zur Geschichte der Stadt Wittenberg im Mittelalter vgl. Georg *Stier*: Wittenberg im Mittelalter: Uebersicht der Geschichte der Stadt von ihrem Ursprung bis zum Tode Friedrichs des Weisen. Wittenberg 1855, 1–47; Erfurth: Geschichte der Stadt Wittenberg 1, 1–16.

11 Ebd. 1, 14; Mrusek a. a. O., 334. Die Urkunde zur Einstellung

12 Edith *Eschenhagen*: Wittenberger Studien: Beiträge zur Sozial- und Wirtschaftsgeschichte der Stadt Wittenberg in der Reformationszeit. Lutherjahrbuch 9 (1927), 9–118, bes. 42–58; K[arl] Ed[uard] *Förstemann*: Die Willkür und Statuten der Stadt Wittenberg. Neue Mittheilungen aus dem Gebiet historisch-antiquarischer Forschung 6 (1843) Heft 3, 28–53, bes. 35; Paul-Gottlieb *Kettner*: Historische Nachricht von dem Rathscollegio der Chur-Stadt Wittenberg. Wolfenbüttel 1734, A (4) bis B 2.

des Waffenmeisters ist *Diplomataria et scriptores historiae germanicae medii aevi...*/ hrsg. von Christian Schöttgen und Georg Christoph Kreißig. Bd. 3. Altenburg 1760, 410 (dieser Band enthält 391–524 Aktenstücke zur Geschichte des Herzogtums Sachsen von 1174 bis 1455) abgedruckt.

13 Diplomataria ... 3, 497.

14 Karl *Czok*: Die Stadt: ihre Stellung in der deutschen Geschichte. Leipzig 1969, 40; Erfurth: Geschichte der Stadt Wittenberg 1, 9.

15 Stier a. a. O., 14. 39; Diplomataria ... 3, 519–521.

16 Ebd. 3, 402–407; Erfurth: Geschichte der Stadt Wittenberg 1, 14 f.; Heimatbuch des Kreises Wittenberg 3, 369–374; Stier a. a. O., 22. 43. 38. 47.

17 Diplomataria ... 3, 404. 417 f. 422. 468 f.

18 Heimatbuch des Kreises Wittenberg 3, 344.

19 *Germania Judaica*. Bd. 2. Tübingen 1968, XXXIV–XXXVI. 101–105. 915 (vgl. auch ebd., 6); Erfurth: Geschichte der Stadt Wittenberg 1, 15; Eschenhagen a. a. O., Anm. 18.

20 Diplomataria ... 3, 495; Die Slawen in Deutschland, 370 f. 376 bis 384; Czok a. a. O., 41; Bischoff a. a. O., 219–280, bes. 269 bis 273.

21 Diplomataria ... 3, 521.

22 Zur Geschichte der Stadtkirche im Mittelalter siehe Alfred *Schmidt*; Wilhelm *Winkler*: Die Stadtkirche zu St. Marien in Wittenberg: Abriß der Geschichte und Beschreibung ihrer Bau- und Kunstdenkmäler. Wittenberg 1917, 5–8; Germania sacra 1 III, 154–160; Ingrid *Schulze*: Die Stadtkirche St. Marien zu Wittenberg. Berlin 1966, 5–9 (Das Christliche Denkmal; 70); Oskar *Thulin*: Die Lutherstadt Wittenberg und ihre reformatorischen Gedenkstätten. 7. Aufl. Berlin 1968, eine Teilausgabe von *Die Lutherstadt Wittenberg und Torgau*/ aufgenommen von der Staatlichen Bildstelle, beschrieben von Oskar Thulin. Berlin 1932.

23 Zur Verbreitung des Marienpatroziniums vgl. Herbert *Helbig:* Untersuchungen über die Kirchenpatrozinien in Sachsen auf siedlungsgeschichtlicher Grundlage. Berlin 1940, 47–83.

24 Vgl. Mark. 16, 18: «..., und wenn sie etwas Tödliches trinken, wird's ihnen nicht schaden;...»

25 Vgl. Arthur Stephen *McGrade:* The political thought of William of Ockham: personal and institutional principles. London 1974, 78–172.

26 Auf den Zusammenhang von Christusvorstellung und Marienverehrung hat hingewiesen Giovanni *Miegge:* Die gegenwärtige Situation der katholischen Mariologie. Theol. Literaturzeitung 82 (1957), 561–570. Zu einer weiteren Wittenberger Christusdarstellung siehe Johannes *Spremberg:* Die zerstörten Eingangsportale am alten Friedhof in der Dresdner Straße. Wittenberger Rundblick 2 (1956), 185–187.

27 Stier a.a.O., 30.

28 Siebmacher 1 I, 18 f.; Taf. 24–26.

29 Schmidt a.a.O., 4 f.; Germania sacra 1 III, 160.

30 Herbert *Voßberg:* Luther rät Reißenbusch zur Heirat: Aufstieg und Untergang der Antoniter in Deutschland. Berlin 1968, 53–61; Abb. zwischen den Seiten 96 und 97. (Heinrich) *Heubner:* Die Antoniterkapelle in Wittenberg. Wittenberger Rundblick 2 (1956), 42–44, hat auf eine Zeichnung der Kapelle von 1753 hingewiesen.

31 Adalbero *Kunzelmann:* Geschichte der deutschen Augustiner-Eremiten. Teil 5: Die sächsisch-thüringische Provinz und die sächsische Reformkongregation bis zum Untergang der beiden. Würzburg 1974, 272. 494; Germania sacra 1 III, 456.

32 Siehe dazu die Karte *Die wettinischen Länder 1485–1554/* bearb. von Karlheinz Blaschke. Dresden 1967; verkleinert abgedruckt Karlheinz *Blaschke:* Sachsen im Zeitalter der Reformation. Gütersloh 1970, 24 f.; *Atlas zur Geschichte.* Bd. 1: Von den Anfängen der menschlichen Gesellschaft bis zum Vorabend der Großen Sozialistischen Oktoberrevolution 1917. Gotha 1973, 50.

33 Germania sacra 1 III, 385. 161 f. Gottfried *Krüger:* Wie sah die Stadt Wittenberg zu Luthers Lebzeiten aus? Luther 15 (1933), 13–32, bes. 31, unterscheidet zwischen einem Aussätzigenhospital mit einer kleinen Kapelle und der Kapelle zum Heiligen Kreuz für ein Kranken- und Siechenhaus rechts vom Eingang des alten Friedhofs, ohne dafür Quellen anzugeben.

34 H(einrich) *Heubner:* Von den Elbbrücken. Wittenberger Rundblick 1 (1955), Heft 2, 4–6.

35 Robert *Bruck:* Friedrich der Weise als Förderer der Kunst. Straßburg 1903, bes. 35–46; Heinrich *Heubner:* Der Bau des kurfürstlichen Schlosses und die Neubefestigung Wittenbergs ...

durch die Kurfürsten Friedrich der Weise, Johann der Beständige und Johann Friedrich der Großmütige: nach den Akten im Ernestinischen Gesamtarchiv zu Weimar und den Wittenberger Ratsakten. Wittenberg 1936; Sibylle *Harksen:* Die Schloßkirche zu Wittenberg. Berlin 1966 (Das Christliche Denkmal; 71); Sibylle *Harksen:* Schloß und Schloßkirche in Wittenberg. In: 450 Jahre Reformation, 341–365: Abb. 101–114; Karl *Schmidt:* Wittenberg unter Kurfürst Friedrich dem Weisen. Erlangen 1877.

36 Zur Schloßkirche vgl. außer der in Anm. 35 angegebenen Literatur Matthaeus *Faber:* Kurtzgefaßte historische Nachricht von der Schloß- und Academischen Stiffts Kirche zu Aller-Heiligen in Wittenberg. 2. Aufl. Wittenberg 1730; Germania sacra 1 III, 98–111. 150–154.

37 Georg *Buchwald:* Allerlei Wittenbergisches aus der Reformationszeit. Luther 10 (1928), 107–112, bes. 110–112; Harksen: Schloß und Schloßkirche ..., 350, Anm. 42.

38 Diesen Altar beschreibt Faber a.a.O., 196 f.

39 Zu den beiden ersten Dürerbildern vgl. Staatliche Kunstsammlungen Dresden, Ausstellung im Albertinum: *Deutsche Kunst der Dürer-Zeit.* Dresden 1971, 122–125. 118 f.; Erna *Brand:* Die «Sieben Schmerzen Mariä» von Albrecht Dürer in der Gemäldegalerie Alte Meister in Dresden. In: Albrecht Dürer: Kunst im Aufbruch/ hrsg. ... von Ernst Ullmann. 2. Aufl. Leipzig 1973, 99–105, mit einer Rekonstruktion der Tafel Abb. 29; Tilman *Falk:* Hans Burgkmair: Studien zu Leben und Werk des Augsburger Malers. München 1968, 41 f., Abb. 19 f.

40 Paul *Kalkoff:* Ablaß und Reliquienverehrung an der Schloßkirche zu Wittenberg unter Friedrich dem Weisen. Gotha 1907; Paul *Flemming:* Zur Geschichte der Reliquiensammlung der Wittenberger Schloßkirche unter Friedrich dem Weisen. Zeitschrift des Vereins für Kirchengeschichte in der Kirchenprovinz Sachsen 14 (1917), 87–92; Germania sacra 1 III, 100–111. *Wittemberger Heiligthumsbuch/* illustr. von Lucas Cranach d. Aelt. Wittemberg in Kursachsen 1509. München 1884; der genaue Titel des Heiligtumsbuches lautet *«Dye zaigung des hochlobwirdigen hailigthums der Stifftkirchen aller hailigen zu wittenburg»;* vgl. Maria *Großmann:* Wittenberger Drucke 1502 bis 1517, ein bibliographischer Beitrag zur Geschichte des Humanismus in Deutschland. Wien 1971, 27–30; Buchwald: Allerlei Wittenbergisches ..., 108 f.

41 Zur Geschichte der Wittenberger Universität beachte besonders: Friedrich *Israel:* Das Wittenberger Universitätsarchiv, seine Geschichte und seine Bestände. Halle 1913; Walter *Friedensburg:* Geschichte der Universität Wittenberg. Halle 1917; *Urkundenbuch der Universität Wittenberg/* bearb. von Walter

Friedensburg. Bd. 1: 1502–1611. Magdeburg 1926; Walter *Friedensburg:* Von den Professoren und Studenten der Lutherhochschule zu Wittenberg. Halle 1922; *Academia Wittebergensis ab anno Fundationis MDII . . . usque ad Annum MDCLV/* hrsg. von Gottfrid Suevus. Wittebergae 1645; *Album Academiae Vitebergensis.* 6 Bde. Leipzig 1841; Halle 1894, 1905; Magdeburg 1934; Halle 1952, 1966; *Die Baccalaurei und magistri der Wittenberger philosophischen Fakultät 1503–1560.../* hrsg. von Julius Köstlin. 4 Bde. Halle 1887–1891; *Liber Decanorum:* das Dekanatsbuch der theologischen Fakultät zu Wittenberg. Halle 1918–1933; *450 Jahre Martin-Luther-Universität Halle-Wittenberg.* Bd. 1: Wittenberg 1502–1817. Halle 1952. Zur Gründung siehe Anton *Blaschka:* Der Stiftsbrief Maximilians I. und das Patent Friedrichs des Weisen zur Gründung der Wittenberger Universität. In: 450 Jahre Martin-Luther-Universität Halle-Wittenberg 1, 69–85; Hans *Hartwig:* Die Verfassung der Universität Wittenberg, ihre ursprüngliche Form und deren Grundlagen. In: Ebd. 1, 93–101.

42 Max *Steinmetz:* Die Universität Wittenberg und der Humanismus (1502–1521). In: Ebd. 1, 103–139; Maria *Großmann:* Humanism in Wittenberg, 1485–1517. Nieuwkoop 1975; Helmar *Junghans:* Der Einfluß des Humanismus auf Luthers Entwicklung bis 1518. Lutherjahrbuch 37 (1970), 37–101, bes. 86 bis 101; Maria *Großmann:* Humanismus in Wittenberg, 1486 bis 1517. Lutherjahrbuch 39 (1972), 11–30; Carl-Georg *Brandis:* Der Name Wittenberg bei den Humanisten. In: ders.: Beiträge aus der Universitätsbibliothek zu Jena. Jena 1917, 24–26.

43 Hans *Lülfing:* Universität, Buchdruck und Buchhandel in Wittenberg, vornehmlich im 16. Jahrhundert. In: 450 Jahre Martin-Luther-Universität Halle-Wittenberg 1, 377–391, bes. 378 bis 380; Großmann: Wittenberger Drucke 1502 bis 1517; Friedensburg: Geschichte der Universität Wittenberg, 76.

44 Germania sacra 1 III, 88; Ernst *Hildebrandt:* Die kurfürstliche Schloß- und Universitätsbibliothek zu Wittenberg 1512 bis 1547. Zeitschrift für Buchkunde 2 (1925), 34–42. 109–129. 157 bis 188; Großmann: Humanismus in Wittenberg..., 26–28.

45 Hans *Haussherr:* Die Finanzierung einer deutschen Universität: Wittenberg in den ersten Jahrzehnten seines Bestehens (1502 bis 1547). In: 450 Jahre Martin-Luther-Universität Halle-Wittenberg 1, 345–354.

46 Germania sacra 1 III, 377 f. 384.

47 Germania sacra 1 III, 443–447. 457–459; Roland *Werner:* Das Lutherhaus in Wittenberg. Leipzig 1971; Kunzelmann a.a.O. 5, 447 f. 494–498.

48 Germania sacra 1 III, 89–98. 114–149.

49 Kunzelmann a.a.O. 5, 499; Harksen: Schloß und Schloßkirche ..., 364; Faber a.a.O., 206 f. (beschreibt die Beschaffenheit der Katheder im 18. Jh.).

50 Friedensburg: Geschichte der Universität Wittenberg, 79–84; Harksen: Schloß und Schloßkirche ..., 361 (Altes Kollegium); Förstemann: Die Willkür ..., 23; Mrusek a.a.O., 327–329; K[arl] Ed[uard] *Förstemann:* Mitteilungen aus den Wittenberger Kämmereirechnungen. Neue Mittheilungen aus dem Gebiet historisch-antiquarischer Forschungen 3 (1836), 103–119 (104 Lectorium); Krüger: Wie sah die Stadt Wittenberg..., 16 f. 27 f.; Paul *Mannewitz:* Das Wittenberger und Torgauer Bürgerhaus vor dem dreißigjährigen Kriege. Borna 1914; Johannes *Spremberg:* Der Beyer-Hof, Markt 6. Wittenberger Rundblick 1 (1955), Heft 1, 11 f.

51 Heinrich *Kühne:* Lucas Cranach d. Ä. als Bürger Wittenbergs. Wittenberg 1972; Hans Joachim *Gronau:* Beobachtungen an Gemälden Lucas Cranachs d. Ä. aus dem ersten Wittenberger Jahrzehnt unter Berücksichtigung von Infrarot-, Röntgen- und mikroskopischen Untersuchungen. 2 Bde. Berlin 1972. Humboldt-Universität, phil. Diss. maschinenschriftlich; Eschenhagen a.a.O., 99 f. (Vermögen); Kettner a.a.O., 19–27, bes. 20. Zu Cranachs Werk siehe Johannes *Jahn:* Lucas Cranach als Graphiker. Leipzig 1955; *1472–1553 Lucas Cranach d. Ä.:* das gesamtgraphische Werk mit Exempeln aus dem graphischen Werk Lucas Cranach d. J. und der Cranachwerkstatt/ eingel. von Johannes Jahn. 2. Aufl. München 1972; Werner *Schade:* Die Malerfamilie Cranach. Dresden 1974.

52 Gottfried *Krüger:* Die Wittenberger Cranachapotheke. Luther 22 (1940), 89–91, geht davon aus, daß die Apotheke von Anfang an Schloßstraße 1 war und Cranach Haus und Apotheke zusammen kaufte. Da Pollich von Mellerstadt dieses Grundstück nicht besaß, trennte Kühne das Apothekerprivileg von der Apotheke und nimmt an, daß Cranach das Grundstück bebaute, ehe es ihm 1513 aufgelassen, d. h. rechtlich übertragen, wurde. Ich danke Herrn Heinrich Kühne für seinen erläuternden Brief vom 20. Juli 1975.

53 Eschenhagen a.a.O., 14–16. 58 f. 24; Otto *Oppermann:* Das sächsische Amt Wittenberg im Anfang des 16. Jahrhunderts, dargestellt auf Grund eines Erbbuches vom Jahre 1513. Leipzig 1897, 84 f. 90 f.

54 Eschenhagen a.a.O., 97. 40. 96. 38; Oppermann a.a.O., 6 f. (unter Umständen bearbeitet ein Bauer mehr als eine Hufe); Eschenhagen a.a.O., 36.

55 Ebd., 87–103. 19, Anm. 25 (Jahrmärkte).

56 Nicolaus *Marschalk:* Oratio habita albiori academia in alemania iam nuperrima ad promotionem primorum baccalauriorum nu-

mero quattuor et viginti anno domini mccccciii/ hrsg., übers. und eingel. von Edgar C. Reinke und Gottfried G. Krodel. Saint Louis, Mo. 1967 (zum Erstdruck vgl. Großmann: Wittenberger Drucke 1502 bis 1517, 11, Nr. 3); Andreas *Meinhardi*: Dialogus illustrate ac Augustissime urbis Albiorene vulgo Vittenberg ... Lips 1508; The Dialogus of Andreas *Meinhardi*/ hrsg. von Edgar C. Reinke. Ann Arbor, Mich. 1976; Johannes *Haußleiter*: Die Universität Wittenberg vor dem Eintritt Luthers: nach der Schilderung des Mag. Andreas Meinhardi vom Jahre 1507. Leipzig 1903; Friedensburg: Geschichte der Universität Wittenberg, 43–45; WA TR 2, 669, 11 f. (2800 b), 1532.

57 Das Zahlenmaterial wird entnommen *Historisches Ortsverzeichnis von Sachsen*/ bearb. von Karlheinz Blaschke. Teil 1–3. Leipzig 1957. Die Zahl der Besitzenden wird mit der in Wittenberg nachgewiesenen Reduktionsziffer 4 multipliziert, außerdem werden noch die Einwohner hinzugefügt, die in Wittenberg mit dieser 4 bereits erfaßt sind. Edith *Ennen*: Die europäische Stadt des Mittelalters. Göttingen 1972, 199–202.

58 WA TR 2, 669, 5–15 (2800 b).

59 *Illustrierte Geschichte der deutschen frühbürgerlichen Revolution*/ bearb. von Adolf Laube; Max Steinmetz und Günter Vogler. Berlin 1974, 31–34; Oppermann a.a.O., 46–83; Heimatbuch des Kreises Wittenberg, 347. 350 f.

60 Die umfassendste Lutherbiographie ist immer noch Julius *Köstlin*: Martin Luther: sein Leben und seine Schriften. 5., neubearb. Aufl. von Gustav Kawerau. 2 Bde. Berlin 1903. Heinrich *Boehmer*: Der junge Luther/ mit einem Nachwort von Heinrich Bornkamm. 7. Aufl. Leipzig 1955, reicht bis zu Luthers Ankunft auf der Wartburg 1521, während Heinrich *Bornkamm*: Martin Luther in der Mitte seines Lebens: das Jahrzehnt zwischen dem Wormser und dem Augsburger Reichstag/ aus dem Nachlaß hrsg. von Karin Bornkamm. Göttingen 1979, bis 1530 weiterführt. Die marxistische Darstellung von Gerhard *Zschäbitz*: Martin Luther: Größe und Grenze. Teil I: (1483–1526). Berlin 1967, hat noch keine Fortsetzung erfahren. Ins Englische, Polnische, Japanische und Portugiesische wurde übersetzt Franz *Lau*: Luther. 2., verb. Aufl. Berlin 1966.

61 Zur Problematik des Verhältnisses von frühbürgerlicher Revolution und Reformation vgl. Gerhard *Zschäbitz*: Über historischen Standort und Möglichkeiten der frühbürgerlichen Revolution in Deutschland (1517–1525/27). In: Studien über die Revolution/ hrsg. von Manfred Kossok. 2., durchges. Aufl. Berlin 1971, 35–45; zu Inhalt und Geschichte des Begriffes «deutsche frühbürgerliche Revolution» vgl. die Rezension von Günter *Mühlpfordt* Deutsche Literaturzeitung 96 (1975), 586 bis 592; Gesamtdarstellung siehe Illustrierte Geschichte der

deutschen frühbürgerlichen Revolution, bes. 7–30. 42–47. 351 bis 363.

62 WA TR 5, 77, 9–11 (5349), 1540; WA 10 III, 10, 12 f.; Schmidt; Winkler a.a.O., 19; Nikolaus Müller: Die Wittenberger Bewegung ... (vgl. unten Anm. 81), 63 f., Anm. 4, weist einen vom Wittenberger Rat bezahlten Prädikanten seit Mitte des 15. Jh. nach, ohne m. E. die Rechtsverhältnisse richtig darzustellen; Georg *Buchwald*: Lutherana: Notizen aus Rechnungsbüchern des Thüringischen Staatsarchivs Weimar. Archiv für Reformationsgeschichte 25 (1928), 1–98, bes. 71–83, hat zusammengetragen, wer bei Luthers Predigten vom 25. Februar 1523 bis 12. April 1545 in der Schloßkirche zugehört haben könnte, wo Luther schon vor dem Thesenanschlag 1517 predigte (WA 51, 539, 1–10). WA TR 2, 188, 4–6 (1702), 1532.

63 Luther hat für den ersten Band seiner lateinischen Schriften in der Wittenberger Lutherausgabe 1545 eine Autobiographie bis ungefähr 1519 verfaßt, wobei er auch von seinem neuen Verständnis der Gerechtigkeit Gottes berichtet (WA 54, 185, 12–186, 20). Seine Entwicklung im Verständnis der Buße zeigt er auf WA 1, 525, 4 – 526, 14, 1518.

64 Helmar *Junghans*: Das Wort Gottes bei Luther während seiner ersten Psalmenvorlesung. Theol. Literaturzeitung 100 (1975), 161–174.

65 H. G. *Voigt*: Die entscheidendste Stunde in Luthers religiöser Entwicklung, ihre Örtlichkeit, Zeit und Bedeutung. Zeitschrift des Vereins für Kirchengeschichte der Provinz Sachsen 24 (1928), 32–70; ders.: Luthers Wittenberger Turm. Ebd. 26 (1930), 165–175; WA TR 2, 509, 10–12 (2540 a), 1532.

66 WA 15, 37, 11–13, 1524; WA TR 2, 211, 20–24 (1769), 1532; 2, 600, 5–7 (2679), 1532; 4, 675, 9–11 (5126), 1540.

67 Erwin *Iserloh*: Luthers Thesenanschlag, Tatsache oder Legende? Trierer theol. Zeitschrift 70 (1961), 303–312; Wiesbaden 1962, hat den Thesenanschlag bestritten und eine heftige Diskussion ausgelöst, die zu dem Ergebnis geführt hat, daß der Aushang an der Tür der Schloßkirche zwar mangels Quellen nicht zu beweisen, aber wahrscheinlich ist; vgl. Heinrich *Bornkamm*: Thesen und Thesenanschlag Luthers. Berlin 1967; Franz *Lau*: Die gegenwärtige Diskussion um Luthers Thesenanschlag. Lutherjahrbuch 34 (1967), 11–59 = In: Erbe und Verpflichtung/ hrsg. von Franz Lau. Berlin 1967, 11–72.

68 WA 2, 36–40. Am 17. November 1520 wiederholt Luther abermals vor Notaren diese Appellation: WA 7, 75–82.

69 WA Br 1, 270, 11–14; WA 6, 406, 21 – 415, 6; 615, 17–23; 420, 12–20; 7, 183, 2 – 186, 28.

70 Zur Universitätsreform vgl. Friedensburg: Geschichte der Universität Wittenberg, 107–147; Steinmetz: Die Universität Wit-

tenberg und der Humanismus, 125–131; Kurt *Aland:* Die Theologische Fakultät Wittenberg und ihre Stellung im Gesamtzusammenhang der Leucorea während des 16. Jahrhunderts. In: 450 Jahre Martin-Luther-Universität Halle-Wittenberg 1, 155 bis 237, bes. 166–169. Den Studentenzustrom veranschaulicht Gottfried *Langer;* Charlotte *Prokert;* Walther *Schmidt:* Vom Einzugsbereich der Universität Wittenberg: kartographische Darstellung und Ortsregister. Teil 1: 1502 bis 1648. Halle 1967.

71 Friedensburg: Geschichte der Universität Wittenberg, 147 bis 152. 189; Eschenhagen, a.a.O., 19. 40.

72 Ebd., 21–23; Heinrich *Kühne:* Das Wittenberger Rathaus. Leipzig 1965.

73 Lülfing a.a.O., 381–386; Johannes *Luther:* Der Wittenberger Buchdruck in seinem Übergang zur Reformationspresse. In: Lutherstudien zur 4. Jahrhundertfeier der Reformation/ veröffentlicht von den Mitarbeitern der Weimarer Lutherausgabe. Weimar 1917, 261–282; Hans *Volz:* Hundert Jahre Wittenberger Bibeldruck 1522–1626. Göttingen 1954, 11–83. 135. 149 bis 155; ders.: Die Arbeitsteilung der Wittenberger Drucker zu Luthers Lebzeiten. Gutenbergjahrbuch 1957, 146–154; Johannes *Luther:* Die Schnellarbeit der Wittenberger Buchdruckerpressen in der Reformationszeit. Zentralblatt für Bibliothekswesen 31 (1914), 244–264.

74 Erwin *Arndt:* Luthers deutsches Sprachschaffen. Berlin 1962; Gerhard *Kettmann:* Zur schreibsprachlichen Überlieferung Wittenbergs in der Lutherzeit. Beiträge zur Geschichte der deutschen Sprache und Literatur 89 (Halle 1967), 76–120; ders.: Zur Soziologie der Wittenberger Schreibsprache in der Lutherzeit. Muttersprache 78 (1968), 353–366; ders.: Aufbau und Entwicklung der kursächsischen Kanzleisprache in der Lutherzeit. Beiträge zur Geschichte der deutschen Sprache und Literatur 89 (Halle 1967), 121–129; Hans *Volz* Einleitung in: Die gantze Heilige Schrifft Deudsch, Wittenberg 1545/ letzte zu Luthers Lebzeiten erschienene Ausgabe hrsg. von Hans Volz. 2. Aufl. München 1972, 118*–137*; H. *Bach:* Handbuch der Luthersprache: Laut- und formenlehre in Luthers Wittenberger drucken bis 1545. Bd. 1: Vokalismus. Kopenhagen 1974.

75 Eschenhagen a.a.O., 78–87; Friedensburg: Geschichte der Universität Wittenberg, 180–184; Haussherr a.a.O., 350–354. Zu den Verhältnissen in Wittenberg vgl. z. B. Urkundenbuch der Universität Wittenberg 1, Nr. 209 (Denkschrift der akademischen Kommission vom 5. September 1538). 213 f. (Kurfürst Johann Friedrich an die Universität am 19. und 21. Oktober 1538). 217 (Aufzeichnung der kurfürstlichen Räte über Verhandlungen mit Universität und Rat der Stadt Wittenberg Ende Oktober 1536); WA TR 3, 117, 5–14 (2958 b), 1533.

76 Hermann *Barge:* Luther und der Frühkapitalismus. Gütersloh 1951; Hermann *Werdermann:* Luthers Wittenberger Gemeinde wiederhergestellt aus seinen Predigten. Gütersloh 1929; WA TR 4, 329, 29 – 332, 9 (4472), 1539; WA 51, 331–424, An die Pfarrherrn, wider den Wucher zu predigen, 1540; WA TR 3, 117, 5–14 (2958b); 4, 552, 20 – 554, 34 (4857n), Wider die hurn und speckstudenten, 13. Mai 1543; 3, 341, 22–25 (3473), 1536; 2, 615, 29 – 616, 10 (2724a), 1532; 1, 221, 5–7 (496), 1533: «Euangelion ist zu Wittenberg, wie der regen ins Wasser fellt;...» – vgl. 3, 500, 37–40 (3663); G[ustav] *Kawerau:* Aus dem Wittenberger Universitätsleben. Archiv für Reformationsgeschichte 17 (1920), 1–10.

77 WA TR 4, 168, 4–10 (4146), 1538; 5, 660, 18–24 (6436); WA Br 11, 148–152 (4139); 160–165 (4143). Luther lobt die Stadt in einem Gedicht als Bildunterschrift einer Ansicht von Wittenberg, mutmaßlich aus dem Jahre 1545 (WA 35, 594, 1–25). Er befürchtet die Bestrafung der Stadt nach seinem Tod WA TR 2, 246, 1 (1882), 1534; 263, 4 f. (1917); 3, 321, 1–4 (3453); für die Stadt das Schicksal Jerusalems WA TR 4, 326, 22–37 (4466), 1539; stimmt eine Wehklage an WA TR 5, 504, 20–506, 39 (6134).

78 WA 2, 754, 19 – 757, 21, 1519; 6, 452, 27 – 453, 2, 1520; Nikolaus *Müller:* Die Wittenberger Bewegung 1521 und 1522 (vgl. Anm. 81), 5–12.

79 WA 6, 262, 19–29, 1520; 6, 467, 17–26, 1520; Eschenhagen a.a.O., 25 f.

80 WA Br 2, 249, 12 f. (368); *Die Reformation im zeitgenössischen Dialog:* 12 Texte aus den Jahren 1520 bis 1525/ bearb. und eingel. von Werner Lenk. Berlin 1968, 77, 31–35.

81 Wichtigste Literatur zur sog. Wittenberger Bewegung: Hermann *Barge:* Andreas Bodenstein von Karlstadt. 2 Bde. Photomech. Nachdruck der Ausgabe Leipzig, 1905. Nieuwkoop 1968; Karl *Müller:* Luther und Karlstadt. Tübingen 1907; Nikolaus *Müller:* Die Wittenberger Bewegung 1521 und 1522. 2. Aufl. Leipzig 1911; Erhard *Fuchs:* Karlstadts radikal-reformatorisches Wirken und seine Stellung zwischen Müntzer und Luther. Wissenschaftliche Zeitschrift der Martin-Luther-Universität, Halle-Wittenberg: Gesellschafts- und sprachwissenschaftliche Reihe 3 (1953/54), 523–552; Ulrich *Bubenheimer:* Scandalum et ius divinum. Zeitschrift der Savigny-Stiftung für Rechtsgeschichte, Kanonistische Abteilung 90 (1973), 263–342; James S. *Preus:* Carlstadt's ordinaciones and Luther's liberty: a study of the Wittenberg movement 1521–22. Cambrigde, Mass. 1974. – WA Br 2, 370, 1 – 372, 93 (424).

82 Germania sacra 1 III, 450–453; Adolar *Zumkeller:* Martin Luther und sein Orden. Analecta augustiniana 25 (1962), 254 bis 290, bes. 272. 278–281; Kunzelmann a.a.O. 5, 501 f.

83 Nikolaus Müller: Die Wittenberger Bewegung ..., 48 (18); 39 f. (16).

84 Ebd., 117 (53); 163 (68).

85 Von der Austeilung von Brot und Wein am Weihnachtstag 1521 berichtet in der Schloßkirche ebd., 135 (62); in der Pfarrkirche ebd., 170 (73); in der Schloßkirche und der Pfarrkirche ebd., 127 (58); Germania sacra 1 III, 485; Kunzelmann a.a.O. 5, 510; Margarete *Stirm*: Die Bilderfrage in der Reformation. Gütersloh 1977, 24–58.

86 *Die Wittenberger und Leisniger Kastenordnung 1522, 1523/* hrsg. von Hans Lietzmann. 2. Aufl. Berlin 1935, 4–6 (Kleine Texte für Vorlesungen und Übungen; 21).

87 K[arl] *Pallas:* Die Wittenberger Beutelordnung vom Jahre 1521 und ihr Verhältnis zu der Einrichtung des Gemeinen Kastens im Jahre 1522/ aus dem Nachlaß von Nikolaus Müller hrsg. Zeitschrift des Vereins für Kirchengeschichte in der Provinz Sachsen 12 (1915), 1–45. 100–137; 13 (1916), 1–12; Text der Beutelordnung ebd. 12 (1915), 7–11 und WA 59; Förstemann: Die Willkür und Statuten..., 33; WA 6, 450, 22 – 451, 19.

88 WA TR 4, 64, 20 – 65, 3 (3998), 1538; 5, 679, 32 – 680, 6 (6470); WA 12, 11–30, Ordnung eines gemeinen Kastens, 1523; siehe auch oben Anm. 86.

89 Ernst *Kähler:* Karlstadts Protest gegen die theologische Wissenschaft. In: 450 Jahre Martin-Luther-Universität Halle-Wittenberg 1, 299–312; O[tto] *Albrecht:* Studien zu Luthers Schrift «An die Ratsherren aller Städte deutsches Lands, daß sie christliche Schulen aufrichten und halten sollen. 1524». Theol. Studien und Kritiken 60 (1897), 687–777, bes. 730–732; Nikolaus Müller: Die Wittenberger Bewegung ..., 206 (98).

90 Helmar *Junghans:* Freiheit und Ordnung bei Luther während der Wittenberger Bewegung und der Visitationen. Theol. Literaturzeitung 97 (1972), 95–104; zur Ärgernisfrage vgl. Bubenheimer a.a.O., 286–326; WA Br 2, 448–470 (454–457).

91 Emil *Fischer:* Zur Geschichte der evangelischen Beichte. Bd. 2: Niedergang und Neubelebung des Beichtinstituts in Wittenberg in den Anfängen der Reformation. Neudruck der Ausgabe Leipzig 1903. Aalen 1972; Albrecht a.a.O., 731; Friedensburg: Geschichte der Universität Wittenberg, 158–164; WA Br 3, 49, 1 – 50, 38 (596), 1523; WA 15, 27–53.

92 WA 6, 347, 17–27; 621, 10 f.; 627, 22–28; 629, 4–12; 621, 26–31. K[arl] *Pallas:* Urkunden, das Allerheiligenstift betreffend, 1522–1526. Archiv für Reformationsgeschichte 12 (1915), 1–46. 81–131; Germania sacra 1 III, 111–114; WA 19, 72 bis 113, Deutsche Messe und Ordnung Gottesdiensts, 1526; Helmar *Junghans:* Ist die lutherische Agende zeit-, orts- und gemeindegemäß? Lutherjahrbuch 42 (1975), 11–32; Amts-

blatt der Evangelisch-Lutherischen Landeskirche Sachsens 1976, B 5–10. 13 f.; Amtsblatt der Evangelisch-Lutherischen Kirche in Thüringen 29 (1976), 50–52. 55–60. Zu Luthers Verhalten im Bauernkrieg vgl. Gottfried *Maron*: «Niemand soll sein eigener Richter sein»: eine Bemerkung zu Luthers Haltung im Bauernkrieg. Luther 46 (1975), 60–75.

93 *Die Registraturen der Kirchenvisitationen im ehemals sächsischen Kurkreis/* bearb. von Karl Pallas. 1. Teil: Die Ephorien Wittenberg, Kemberg und Zahna. Halle 1906, 1–25.

94 WA TR 5, 317, 12 – 318, 3 (5677), 16. Februar 1546.

95 Werner: Das Lutherhaus in Wittenberg; WA TR 3, 46, 25 f. (2877), 1533; WA Br 6, 257, 1 – 258, 58 (1902); Helmar *Junghans:* Luthers Hausmarke. Herbergen der Christenheit 1975/76 (1976), 223–226; zu den Portalen Mannewitz a.a.O., 44–54 (er unterscheidet für die Wittenberger Portale drei Phasen: bis 1540 spätgotische Portale, 1540 bis 1570 Hervortreten von Renaissanceschmuck, nach 1570 reine Renaissanceportale) und Mrusek a.a.O., 330; Buchwald: Lutherana, 60.

96 WA TR 3, 641, 17 – 642, 2 (3826), 1538; Ferdinand *Doelle:* Das Wittenberger Franziskanerkloster und die Reformation. Franziskanische Studien 10 (1923), 279–307; Germania sacra 1 III, 383–388.

97 Heubner: Die Antoniterkapelle in Wittenberg; Friedensburg: Geschichte der Universität Wittenberg, 220 f.; Voßberg a.a.O., 158. 60 f.

98 Heinrich *Kühne:* Aus der Geschichte des Wittenberger Melanchthonhauses. In: Philipp Melanchthon: Humanist, Reformator, Praeceptor Germaniae. Berlin 1963, 291–300, bes. 293–296, im Sonderdruck. Berlin 1963, 5–9; Mannewitz a.a.O., 28–32; Abb. 19–23; Mrusek a.a.O., 329.

99 WA 15, 51, 23 – 53, 3; Hildebrandt a.a.O., 176–184; Heinrich *Kühne:* Magister Lucas Edenberger und sein Bücherankauf für die Wittenberger Schloßbücherei. Marginalien 33 (1969), 15 bis 28; Heubner: Der Bau des kurfürstlichen Schlosses..., 21; Harksen: Schloß und Schloßkirche..., 346, Anm. 18.

100 Bernhard *Kummer:* Reformatorische Motive in der Kunst Cranachs, seines Sohnes und seiner Schule. Jena 1958. – Jena, theol. Diss. 1958; Oskar *Thulin:* Luther in den Darstellungen der Künste. Lutherjahrbuch 32 (1965), 9–27, bes. 10–21; Kühne: Lucas Cranach der Ältere..., 27 f. (Druckerei).

101 Schade a.a.O., 86–91, weist diese Arbeiten und auch den weiter unten behandelten Wittenberger Altar mehr Lucas Cranach d. J. zu.

102 Oskar *Thulin:* Cranach-Altäre der Reformation/ mit Aufnahmen von Charlotte Heinke-Brüggemann. Berlin 1955, 9–32. Als Karl V. 1547 mit Gefolge in die Stadt kommt, sollen zwei spa-

nische Offiziere mit dem Degen die Darstellung Luthers auf der Predella durchstoßen und dabei gerufen haben: «Diese Bestie wütet auch tot immer noch» («*Er lebt*»: D. Martin Luther in der Sage/ gesammelt und bearb. von Richard Erfurth. Leipzig 1938, 33 f.; *Sagen und Geschichten des Kreises Wittenberg*. Wittenberg 1973, 23).

103 Heubner: Der Bau des kurfürstlichen Schlosses . . ., 32–59. 65 f. 78–98; Mrusek a.a.O., 334–337.

104 WA TR 2, 472, 15–22 (2466), 1532; 3, 47, 37 – 48, 3 (2880a), 1533; WA Br 6, 122, 1 – 124, 57 (1826); WA TR 6, 265, 23 f. (6912); 5, 232, 19–22 (5552): «Wir krigen nicht mitt wallen, wie itzt vnser fursten, die der Elben nur zu schaffen machen, sondern wier haben einen stetigen krige fide et oratione [mit Glauben und Gebet]. Wer sein religionem auff den wall fundiret, der hat religionem vbell studiret.» Georg *Buchwald*: Zur Wittenberger Stadt- und Universitäts-Geschichte in der Reformationszeit: Briefe aus Wittenberg an M. Stephan Roth in Zwickau. Leipzig 1893, 41 (41).

105 Heubner: Der Bau des kurfürstlichen Schlosses . . ., 60–65. 72–74.

106 Johan *Bugenhagen*: Wie es vns zu Wittemberg in der Stadt gegangen ist / in diesem vergangenen Krieg . . . Wittemberg 1547.

107 Kühne: Magister Lucas Edenberger . . ., 19.

108 Eschenhagen a.a.O., 104; Walter *Friedensburg*: Wittenberg, Stadt und Universität zur Zeit der Reformation. Luther 10 (1928), 1–13, bes. 10.

109 Kühne: Lucas Cranach der Ältere . . ., 34.

110 Friedrich *Schneider*: Melanchthons Entscheidung nach der Katastrophe von Mühlberg (24. April 1547) zwischen der neu zu gründenden Universität Jena und seiner langjährigen akademischen Wirkungsstätte in Wittenberg. In: 450 Jahre Martin-Luther-Universität Halle-Wittenberg 1, 313–322; Urkundenbuch der Universität Wittenberg 1, 299 f., Nr. 301.

111 Theodor *Wotschke*: Wittenberger Berichte aus der Interimszeit. Zeitschrift des Vereins für Kirchengeschichte in der Provinz Sachsen 10 (1913), 5–41.

112 Harsken: Die Schloßkirche zu Wittenberg, 16.

113 Nikolaus *Müller*: Die Funde in den Turmknäufen der Stadtkirche zu Wittenberg. Zeitschrift des Vereins für Kirchengeschichte in der Provinz Sachsen 8 (1911), 94–118. 129–180; 9 (1912), 7–50, bes. 8 (1911), 98–100.

114 *Wittenberger Ordiniertenbuch/* hrsg. von Georg Buchwald. Bd. 1–2: 1537–1572. Leipzig 1894–1895; *Zum Wittenberger Ordiniertenbuch/* hrsg. von Georg Buchwald. Archiv für Reformationsgeschichte 29 (1932), 67–79; Schmidt; Winkler a.a.O., 18.

115 Schade a.a.O., 77–112; *Zitzlaff:* Die Begräbnisstätten Wittenbergs und ihre Denkmäler. Wittenberg 1896, 101. 59. 98 f. 101 f. 89–91; Theodor *Wotschke:* Aus Wittenberger Kirchenbüchern. Archiv für Reformationsgeschichte 29 (1932), 169–223; Johann Gottfried *Schadow:* Wittenbergs Denkmäler der Bildnerei, Baukunst und Malerei, mit historischen und artistischen Erläuterungen. Wittenberg 1825, 102–104; vgl. auch Oskar *Thulin:* Die Reformatoren im Weinberg des Herrn: ein Gemälde Lucas Cranachs d. J. Lutherjahrbuch 25 (1958), 141–145: Ill.

116 Zitzlaff a.a.O., 109–112.

117 Kühne: Das Wittenberger Rathaus.

118 Max *Senf:* Die Wittenberger Buchbinder im 16. Jahrhundert. Zentralblatt für Bibliothekswesen 28 (1911), 208–214; Hans *Leonhard:* Samuel Selfisch: ein deutscher Buchhändler am Ausgang des XVI. Jahrhunderts. Leipzig 1902, 20–26. 77–84. 96 bis 102; Hans *Loubier:* Der Bucheinband von seinen Anfängen bis zum Ende des 18. Jahrhunderts. 2., umgearb. und verm. Aufl. Leipzig 1926, 197–232, bes. 206 f.; Heinrich *Kühne:* Wittenberger Buchbinder und ihre Arbeiten für den Rat der Stadt im 16. Jahrhundert. Allgemeiner Anzeiger für Buchbindereien 79 (1966), 551; Jörg-Ulrich *Fechner:* Ein Wittenberger Rolleneinband Conrad Neidels aus dem Jahre 1545. Bibliothek und Wissenschaft 7 (1970), 1–10. Zu den einzelnen Rollen- und Plattenstempeln der Wittenberger Buchbinder vgl. Konrad *Haebler:* Rollen- und Plattenstempel des XVI. Jahrhunderts/ unter Mitwirkung von Ilse Schunke. Bd. 1. Leipzig 1928, z. B. 299–302 (Nikolaus Müller). 221–225 (Georg Kammerberger). 213–218 (Kaspar Kraft). Wie sehr dieses Standardwerk korrigiert und ergänzt werden muß, wird deutlich *Beiträge zum Rollen- und Platteneinband im 16. Jh.:* Konrad Haebler zum 80. Geburtstag am 29. Oktober 1937 gewidmet/ hrsg. von Ilse Schunke. Nachdruck der Ausgabe Leipzig 1937. Wiesbaden 1969.

119 Alfred *Schmidt:* Geschichte der Wittenberger Papiermühlen. Zeitschrift für Buchkunde 2 (1925), 19–32; Heinrich *Kühne:* Der Wittenberger Buch- und Papierhandel im 16. Jahrhundert. In: 450 Jahre Reformation, 301–321.

120 Wolfgang *Mejer:* Der Buchdrucker Hans Lufft zu Wittenberg. 2., verm. Aufl. Leipzig 1923, 22. 66.

121 Johannes *Luther:* Drucker- und Verlegernöte in Wittenberg zur Zeit des Schmalkaldischen Krieges. In: Aufsätze, Fritz Milkau gewidmet. Leipzig 1921, 229–243; Eike *Wolgast:* Die Wittenberger Luther-Ausgabe. Archiv für Geschichte des Buchwesens 11 (1971), 1–336.

122 Mejer a.a.O.; Kühne: Der Wittenberger Buch- und Papierhandel . . ., 310. 314–317.

123 Heinrich *Kühne:* Lucas Cranach d. Ä. als Verleger, Drucker und Buchhändler. Marginalien 47 (1972), 59–73; Lülfing a.a.O., 385–387.

124 Leonhard: Samuel Selfisch (105–122 Wiedergabe des Katalogs); Lülfing a.a.O., 386 f. Das Portal des Hauses von Schramm steht jetzt rechts neben dem Fridericianum.

125 Volz: Hundert Jahre Wittenberger Bibeldruck 1522–1626, 84 bis 141; Fried *Lübbecke:* Fünfhundert Jahre Buch und Druck in Frankfurt am Main. Frankfurt am Main 1948, 86 f.; Lülfing a.a.O., 389.

126 Leonhard: Samuel Selfisch, 15, Anm. 1 f.; 19, Anm.; 24, Anm.; 27, Anm. 2; Peter *Düsterdieck:* Buchproduktion im 17. Jahrhundert: eine Analyse der Meßkataloge für die Jahre 1637 und 1658. Archiv für Geschichte des Buchwesens 14 (1974), 163–220; Ephraim Gottlob *Eichsfeld:* Relation, Vom Wittenbergischen Buchdrucker-Jubiläo 1740, ... Wittenberg 1740, 91–178; Hermann *Barge:* Geschichte der Buchdruckerkunst von ihren Anfängen bis zur Gegenwart. Leipzig 1940, 321; Josef *Benzing:* Die Buchdrucker des 16. und 17. Jahrhunderts im deutschen Sprachgebiet. Wiesbaden 1963, 464 bis 476.

127 Wilhelm *Bernhardt:* Das Gymnasium zu Wittenberg von 1520 bis 1868. In: Festschrift zur Feier der Einweihung des neuen Gymnasialgebäudes zu Wittenberg am 10. Januar 1888/ hrsg. vom Lehrerkollegium. Wittenberg o. J., 35–67.

128 Friedensburg: Geschichte der Universität Wittenberg, 331 bis 333; Werner a.a.O.

129 Friedensburg: Geschichte der Universität Wittenberg, 341 f.

130 Jürgen *Moltmann:* Christoph Pezel (1539–1604) und der Calvinismus in Bremen. Bremen 1958, 60–75. 86–105; Urban *Pierius:* Geschichte der kursächsischen Kirchen- und Schulreform/ hrsg. und eingel. von Thomas Klein. Marburg 1970; Aland a.a.O., 180–203; Friedensburg: Geschichte der Universität Wittenberg, 294–321; Franz *Lau:* Die zweite Reformation in Kursachsen: neue Forschungen zum sogenannten sächsischen Kryptocalvinismus. In: Verantwortung. Berlin 1964, 137–154, bes. 142 bis 147.

131 Johannes *Frimelius:* Wittenberga A Calvinisimo graviter divexata & divinitus liberata ... Wittenberg (!) 1646; Friedensburg: Geschichte der Universität Wittenberg, 346–349; Aland a.a.O., 206–208; W[alter] *Friedensburg:* Aus den letzten Tagen des Kryptocalvinismus in Wittenberg. Archiv für Reformationsgeschichte 12 (1915), 296–300, wo indirekt das Abwandern der Studenten sichtbar wird; Thomas *Klein:* Der Kampf um die zweite Reformation in Kursachsen: 1586–1591. Graz 1962, bes. 73–79. 81–83. 96–103. 137–147; Lau: Die zweite Refor-

mation . . ., 147–154; *Führer durch die Lutherstadt Wittenberg und ihre Umgebung.* Leipzig 1938, 49.

132 Giordano *Bruno:* Gesammelte Werke. Bd. 6. Jena 1909, 91. 262–264; Friedensburg: Geschichte der Universität Wittenberg, 340, Anm. 4; Bruno a.a.O. 6, 168; Klein a.a.O., 137 bis 142; Lau: Die zweite Reformation . . ., 152 f.

133 Vgl. Die *Leuenberger Konkordie.* Die Zeichen der Zeit 27 (1973), 468–471.

134 Gottfried *Adam:* Der Streit um die Prädestination im ausgehenden 16. Jahrhundert: eine Untersuchung zu den Entwürfen von Samuel Huber und Aegidius Hunnius. Neukirchen-Vluyn 1970; Friedensburg: Geschichte der Universität Wittenberg, 395–409.

135 Ebd., 357–361; Zitzlaff a.a.O., 33; Heubner: Von den Elbbrücken. Wittenberger Rundblick 1 (1955) Heft 4, 56–58.

136 *Empfindungen eines Fremdlings bey dem Bombardement von Wittenberg den 13. October 1760.* o. O. 1761; Christian Siegismund *Georgi:* Wittenbergische Klage-Geschichte, ... Wittenberg 1761; Heinrich *Heubner:* Wie es Kursachsens Hauptstadt Wittenberg im Siebenjährigen Krieg erging. Wittenberg 1935; Friedensburg: Geschichte der Universität Wittenberg, 520–524; Nikolaus Müller: Die Funde in den Turmknäufen . . ., 9 f. 39 f.

137 Ebd., 12; Harksen: Die Schloßkirche zu Wittenberg, 16 f.; Ingrid *Schulze:* Die Wittenberger Schloßkirche als Sakralbau und nationale Gedenkstätte im 18. und 19. Jahrhundert. Wissenschaftliche Zeitschrift der Martin-Luther-Universität, Halle-Wittenberg: Gesellschafts- und sprachwissenschaftliche Reihe 18 (1969), Heft 6, 91–107.

138 Nikolaus Müller: Die Funde in den Turmknäufen . . ., 16 f.

139 Heimatbuch des Kreises Wittenberg 3, 458–460; Ferdinand *Grautoff:* Auf sächsischen Landstraßen in den Jahren 1810/ 1811. Leipziger Kalender 1904, 53–64, bes. 58 f. (Lutherhaus); Karl Ludwig *Nitzsch:* Zwei Predigten, bei der Rückkehr der Pfarrgemeinde zu Wittenberg aus der dasigen Schloßkirche in die Stadtkirche gehalten. Wittenberg 1812; Erich *Blunck:* Wiederherstellung der Stadtkirche zu Wittenberg. Jahrbuch der Denkmalpflege in der Provinz Sachsen und Anhalt (1931), 38 bis 41: Ill.

140 Friedensburg: Geschichte der Universität Wittenberg, 619 bis 622; Urkundenbuch der Universität Wittenberg 2: 1611–1813. Magdeburg 1926–1927, 604–634, Nr. 1067–1070; Heimatbuch des Kreises Wittenberg 3, 467–470; Harksen: Die Schloßkirche zu Wittenberg, 17; Karl Immanuel *Nitzsch:* Predigten in den Jahren 1813 und 1814 zu Wittenberg größtentheils während der Belagerung der Stadt gehalten. Wittenberg 1815, 54. 140. 194.

141 Friedensburg: Geschichte der Universität Wittenberg, 623 bis

627; Bernhard *Weißenborn:* Die Wittenberger Universitäts-bibliothek (1547–1817). In: 450 Jahre Martin-Luther-Universität Halle-Wittenberg 1, 355–376; *Die Rettung der Wittenberger Universitäts-Bibliothek durch deren ersten Custos M. Gottlob Wilhelm Gerlach.* Halle 1859.

142 Ernst Ludwig *Kirchner:* Die wirtschaftliche Entwicklung der Lutherstadt Wittenberg von 1870 bis 1914. Leipzig 1936, bes. 11. 20. 23; Richard *Erfurth:* Geschichte der Stadt Wittenberg. Bd. 2. Wittenberg 1927, 152. 143 f. 153 f. Über den Verlauf einer Führung in neuerer Zeit, es handelt sich um nordamerikanische Methodisten, berichtet anschaulich Christa *Johannsen:* Lutherstadt Wittenberg zwischen gestern und morgen. Berlin 1967, 17–33.

143 Friedrich *Loofs:* Die Jahrhundertfeier der Reformation an den Universitäten Wittenberg und Halle, 1617, 1717 und 1817. Zeitschrift des Vereins für Kirchengeschichte der Provinz Sachsen 14 (1917), 1–68; *Historische Nachricht von der Wittenbergischen Gedächtnißfeyer des vor zweyhundert Jahren seeligverstorbenen Hrn. D. Mart. Luthers.* Wittenberg 1746; Christian Siegismund *Georgi:* Annales academiae Vitembergensis ... ab anno MDCLV vsque ad annvm MDCCLV ... vsque ad annvm MDCCLXXII continvati. Vitembergae 1775, 33 f. 37. 21–26 (1667); *ders.:* Wittenbergische Jubel-Geschichte, ... wegen des, am 25. September im Jahre 1555, geschlossenen Religions-Friedens, ... Wittenberg 1756; Erfurth: Geschichte der Stadt Wittenberg 1, 48–53 (1602. 1702. 1802).

144 Erfurth: Geschichte der Stadt Wittenberg 1, 90–92 (1858. 1860). 111 (1872). 97 (1867), 180 f. (1910). 136–142 (1883). 149 (1885). 165 f. (1897); 2, 82–90 (1917).

145 Ebd. 2, 113–115 (1920). 117–119 (1921). 120–122 (1922). 138 f. (1925). 149 (1926).

146 Ebd. 1, 85 f. 197; 2, 130–132. 122–124. 100 f. 125; 1, 151.

147 Heinrich *Heubner:* Die Geschichte des Luthersbrunnen. Wittenberger Rundblick 3 (1957), 84–91.

148 Kurt *Tworke:* Zum 125. Geburtstag der Luthereiche. Wittenberger Rundblick 1 (1955) Heft 1, 12 f.; Erfurth: Geschichte der Stadt Wittenberg 2, 136.

149 Joachim *Menzhausen:* Die entwicklungsgeschichtliche Stellung der Standbilder Gottfried Schadows. Leipzig 1963, 130–145; Wilhelm *Weber:* Luther-Denkmäler: frühe Projekte und Verwirklichung. In: Denkmäler im 19. Jahrhundert/ hrsg. von Hans-Ernst Mittig und Volker Plagemann. München 1972, 183–215; Ill.; Heinrich *Bornkamm:* Luther im Spiegel der deutschen Geistesgeschichte. 2., neu bearb. und erw. Aufl. Göttingen 1970, 19–31; Schadow: Wittenbergs Denkmäler der Bildnerei, ... 119–125; F. B. *Westermeier:* Doctor Martin Luther's Denkmal

zu Wittenberg, und die Feyer zur Einweihung desselben am 31ten October 1821. Magdeburg 1821.

Die Inschriften lauten: «Glaubet an das Evangelium St Marc I V XV» (Südseite); «Ists Gottes Werk, so wirds bestehn, Ists Menschen Werk, wirds untergehn» (Westseite); «Eine veste Burg ist unser Gott» (Ostseite); «Von dem Mannsfeldschen Verein für Luthers Denkmal durch gesammelte Beiträge begründet, und durch König Friedrich Wilhelm III. errichtet.» (Nordseite). Schadow teilte die Meinung seiner Zeitgenossen, Luther habe sein Lied «Ein feste Burg ist unser Gott» auf seiner Wormsreise gedichtet, tatsächlich tat er es später, wahrscheinlich 1528.

Irma *Weber:* Zum Lutherdenkmal in Wittenberg. Bildende Kunst 15 (1967), 538–541.

150 *Aufruf zur Errichtung eines Denkmals für Philipp Melanchthon an alle Evangelische in und außerhalb Deutschlands.* Zeitschrift für historische Theologie 27 (1857), 459–462; Erfurth: Geschichte der Stadt Wittenberg 1, 92 f. 96; Richard *Erfurth:* Führer durch die Lutherstadt Wittenberg und ihre Umgebung. Wittenberg 1927, 78–80.

Die Inschriften lauten: «Ich rede von deinen Zeugnissen vor Königen und schäme mich nicht, Ps. 119, 46» (Südseite); «Seid fleißig, zu halten die Einigkeit im Geiste durch das Band des Friedens, Eph. 4, 3» (Westseite); «Quum animos ad fontes contulerimus, Christum sapere incipiemus. Melanchthon» (Wenn wir unsere Seelen an die Quellen gebracht haben, fangen wir an, Christus zu schmecken – Ostseite); «Dem Lehrer Deutschlands die evangelische Kirche. König Wilhelm legte den Grundstein als Prinz-Regent den 19. April 1860.» (Nordseite).

151 Erfurth: Geschichte der Stadt Wittenberg 1, 90 f. 111. 149. 151; *Gedenktafeln in der Lutherstadt Wittenberg.* Wittenberger Rundblick 2 (1956), 111–116. 144–146. 173 f. 198–200. 219 bis 222; 3 (1957), 14 f. 39–41. 61–63. 82–84. 108 f. 142 f. 174 f.

152 Erfurth: Geschichte der Stadt Wittenberg 1, 59. 147 f.; Kühne: Aus der Geschichte des Wittenberger Melanchthonhauses, 297 f., im Sonderdruck 10 f.

153 Erfurth: Geschichte der Stadt Wittenberg 1, 63 f.; Karl *Hörold:* Der Wittenberger Lutherblock – ein Briefmarkenkuriosum: wie das Mütter- und Säuglingsheim «Maria Brautzsch» in Kropstädt entstand. Wittenberger Rundblick 2 (1956), 91 f. 123 bis 126. Dieser Block ist zwar von örtlichen Stellen genehmigt, aber im Zuge der Vereinheitlichung von der Zentralverwaltung für Post- und Fernmeldewesen nicht bestätigt worden, die den noch unverkauften Rest verbrennen läßt.

154 Erfurth: Geschichte der Stadt Wittenberg 1, 126 f. 176 f.

155 Ebd. 1, 56. 165.

156 Ebd. 1, 136. 171; *Das Paul-Gerhard-Stift Wittenberg zur Feier*

*des fünfundsiebzigsten Jahrestages seines Bestehens am 4. Oktober 1958.*

157 Erfurth: Geschichte der Stadt Wittenberg 2, 13.

158 Werner a.a.O.; [Julius] *Jordan:* Zur Geschichte der Sammlungen der Lutherhalle 1877–1922. Wittenberg 1924, 1–29; Erfurth: Geschichte der Stadt Wittenberg 1, 138–141. 1883 wird der Säulengang gebaut, der das Lutherhaus mit dem Augusteum verbindet (Erfurth: Die Lutherstadt Wittenberg . . ., 37).

159 Erfurth: Die Geschichte der Stadt Wittenberg 1, 90; Schulze: Die Wittenberger Schloßkirche . . ., 95 f.

160 F[erdinand] von *Quast:* Die Thüren der Schloßkirche zu Wittenberg. Christliches Kunstblatt (1859), 49–56.

161 F[riedrich] *Adler:* Die Schloßkirche in Wittenberg: ihre Baugeschichte und Wiederherstellung. Berlin 1895; H[ugo] *Wagner:* Die Schloßkirche in Wittenberg in Vergangenheit und Gegenwart. Wittenberg 1892; Leopold *Witte:* Die Erneuerung der Schloßkirche zu Wittenberg, eine That evangelischen Bekenntnisses. 2. Aufl. Wittenberg 1894; Harksen: Die Schloßkirche zu Wittenberg, 18–23; Erfurth: Geschichte der Stadt Wittenberg 1, 157–163 (Augenzeugenbericht der Einweihfeier); Schulze: Die Wittenberger Schloßkirche . . ., 98–107.

162 Kühne: Aus der Geschichte des Wittenberger Melanchthonhauses, 298 f., im Sonderdruck 11 f.

163 *Auszug aus der Ortssatzung über die Erhaltung der nationalen Kulturdenkmäler der Lutherstadt Wittenberg vom 15. Mai 1956.* Wittenberger Rundblick 2 (1956), 154–157; Heinrich *Kühne:* Denkmalpflege in der Lutherstadt Wittenberg. Glaube und Gewissen (1964), 129–131; Ludwig *Deiters:* Die Deutsche Demokratische Republik bewahrt die Denkmale der Nationalkultur: über die Pflege der Reformationsgedenkstätten. In: 450 Jahre Reformation, 366–376.

164 Kühne: Das Wittenberger Rathaus; Heinrich *Petry:* Das Rathaus der Lutherstadt Wittenberg: Wiederherstellung und Umbau. Deutsche Bauzeitung 61 (1927) Konstruktion und Ausführung, 145–151, mit Grundrissen im Maßstab 1:400.

165 Blunck a.a.O., 38–41.

166 Gerhard *Brendler;* Heinrich *Kühne:* Die Neugestaltung des Wittenberger Melanchthonhauses. Neue Museumskunde 13 (1970), 5–12: 8 Ill.; Kühne: Aus der Geschichte des Wittenberger Melanchthonhauses, 299 f., im Sonderdruck 13.

167 Jordan: Zur Geschichte der Sammlungen der Lutherhalle . . ., 5 f., Anm. 9; 44–97; Julius *Jordan:* Aus der Lutherhalle. Luther 1 (1919), 41–45; *ders:* Aus der Lutherhalle. Lutherjahrbuch 1 (1919), 133–157; 2/3 (1920/21), 109–135; 4 (1922), 97 bis 126; *ders.:* Die Sammlungen der Lutherhalle. In: *Lutherstadt Wittenberg*/ hrsg. von G[eorg] Berthold, eingel. von H[er-

mann] Wendorf. Leipzig 1927, 18–20; Oskar *Thulin:* Das wissenschaftliche Prinzip der Lutherhalle in Wittenberg. Lutherjahrbuch 15 (1933), 176–198; *ders.:* Die Lutherhalle in der Lutherstadt Wittenberg. Berlin 1938; *ders.:* Die Wittenberger Lutherhalle. Luther 25 (1954), 132–135; *ders.:* Die Lutherhalle heute, ihre Gestalt und die Arbeit in ihr. Luther 36 (1965), 93–96: Ill.; *ders.:* Bilder der Reformation: aus den Sammlungen der Lutherhalle in Wittenberg. 2. Aufl. Berlin 1956: Ill.

168 *Philipp Melanchthon:* Humanist, Reformator, Praeceptor Germaniae. Berlin 1963; Helmut *Meier;* Gerd *Voigt:* Die Melanchthon-Ehrung der Deutschen Demokratischen Republik (19. bis 21. April 1960). Zeitschrift für Geschichtswissenschaft 6 (1960), 1167–1172; *Philipp Melanchthon:* Forschungsbeiträge zur vierhundertsten Wiederkehr seines Todestages dargeboten in Wittenberg 1960/ hrsg. von Walter Elliger. Berlin 1961; *Kirchliche Melanchthonfeiern in Wittenberg.* Evang. Nachrichtendienst Ost 13 (1960) Nr. 16, 12–14.

169 *Weltwirkung der Reformation:* Internationales Symposium anläßlich der 450-Jahr-Feier der Reformation in Wittenberg vom 24. bis 26. Oktober 1967; Referate und Diskussionen/ hrsg. von Max Steinmetz und Gerhard Brendler. 2 Bde. Berlin 1969; Klaus *Vetter:* Internationales Symposium «Weltwirkung der Reformation». Zeitschrift für Geschichtswissenschaft 16 (1968), 86–89; *Reformation 1517–1967:* Wittenberger Vorträge/ hrsg. von Ernst Kähler. Berlin 1968; *450 Jahre Reformation.* Evang. Nachrichtendienst in der DDR 20 (1967) Nr. 44, 2–17.

Sowohl die staatlichen als auch die kirchlichen Veranstaltungen wurden jeweils von Repräsentanten der DDR und der Kirchen besucht. Vgl. *Im Dienst für den Frieden.* Neue Zeit 23 (31. Oktober 1967) Nr. 245, 1 f.; *Die Lehre für uns:* Ja zum Fortschritt. Ebd. (1. November 1967) Nr. 255, 1 f.; *Luthers reformatorische Tat und ihre Bedeutung:* die Rede des Stellvertreters des Vorsitzenden des Staatsrates Gerald Götting auf dem Festakt in Wittenberg. Ebd., 3 f.

Der Vorsitzende des «Komitees für die zentralen Veranstaltungen anläßlich des 450. Jahrestages der Reformation», Gerald Götting, vereinigte in dem von ihm herausgegebenen Band «*Reformation und Revolution*» (Berlin 1967) neun Beiträge, in denen es besonders um die Auswirkungen der Reformation auf die Gesellschaft geht. Herbert *Trebs* (Martin Luther heute: Größe und Grenze des Reformators in sozialhistorischer Sicht. Berlin 1967) sieht in den von Luther «ausgelösten und mit herbeigeführten Veränderungen im religiösen, politischen, juristischen, philosophischen und kulturellen Bereich» das Revolutionäre, wodurch der «überlebte feudale Überbau» weggeräumt wurde (133).

170 *Cranach-Komitee der Deutschen Demokratischen Republik:* Lucas Cranach: Künstler und Gesellschaft = Referate des Colloquiums mit internationaler Beteiligung zum 500. Geburtstag Lucas Cranachs d. Ä. Staatliche Lutherhalle Wittenberg 1.–3. Oktober 1972. Wittenberg 1973.

171 *Wittenberg 1848–1973:* Berichtsband; Diakonische Tagung 21. bis 23. September 1973. Berlin 1974. Seit diesem Jubiläum hängt an der Südwand der Schloßkirche ein Wichernporträt.

172 Michael *Krille:* Lucas Cranach: Zeit, Leben, Werk. Weimar: Buchdruckerei, 1972. 44 S.: Ill. & Ausstellungskatalog.

173 Elfriede *Starke:* Zur Dialogausstellung «Grafik zum Bauernkrieg». Standpunkt 3 (1975), 329 f.: Ill.

### Anmerkung zur Abbildung 10

174 Eduard *Fuchs:* Die Juden in der Karikatur. München 1921, 114–130; vgl. Abb. 6. 9. 15. 16. 20. 40. 50. 58. 82 und zwischen den Seiten 8 und 9; Isaiah *Shachar:* The Judensau. London 1974; Martin *Luther:* Vom Schem Hamphoras und vom Geschlecht Christi. Wittenberg 1543 (WA 53, 579–648; siehe bes. 594, 23 – 599, 6).

Außer der in den Anmerkungen genannten Literatur vgl. [Friedrich] *Belding:* Chronik der Lutherstadt Wittenberg. Magdeburg 1929 – einfache Übersicht –; wegen Inschriften Georg *Stier:* Inscriptiones Vitebergae latinae: die lateinischen Inschriften Wittenbergs. 1. Abt.: Die metrischen Inschriften. Wittenberg 1853; *ders.:* Corpusculum inscriptionum Vitebergensium. Wittenberg 1860; wegen Bildmaterial Karl *Fanselau;* Hellmut *Opitz:* Lutherstadt Wittenberg/ Text von Heinrich Kühne. Leipzig 1967; Cornelius *Gurlitt:* Die Lutherstadt Wittenberg. Berlin 1902; Gottfried *Krüger:* Die Lutherstadt Wittenberg im Wandel der Jahrhunderte in zeitgenössischen Bildern. Wittenberg 1939; *Lutherstadt Wittenberg/* hrsg. von G[eorg] Berthold, eingel. von H[ermann] Wendorf. Leipzig 1927; Oskar *Thulin:* Wittenberger Lutherstätten. 6. Aufl. Berlin 1969; Karlheinz Blaschke: Wittenberg = die Lutherstadt/ mit Fotos von Volkmar Herre. Berlin 1977; Die Denkmale der Lutherstadt Wittenberg/ bearb. von Fritz Bellmann; Marie-Luise Harksen und Roland Werner mit Beiträgen von Peter Findeisen, Hans Gringmuth-Dallmer, Sibylle Harksen und Erhard Voigt. Weimar 1979.

## Personenregister

Zwilling, Gabriel (um 1487–1558) 111
113–114

Zwingli, Ulrich (1484–1531) 186
*Abb. 102 17\*,29*

## Register der Gebäude, Denkmäler und Gedächtnisstätten

## Bildnachweis

*Fotos auf Tafeln:* Klaus G. Beyer, Weimar Abb. 33. 52; Deutsche Fotothek, Dresden Abb. 18. 23–24 (Ludwig). 25 (Kramer). 26. 27–29 (Kramer). 30–32 (Steuerlein). 36. 38. 41–42. 43–44 (Rabisch). 45. 46 (Rabisch). 47. 49 (Kramer). 56 (Nagel). 63. 66 (Thonig); Deutsche Staatsbibliothek, Berlin Abb. 51; Volkmar Herre, Leipzig Abb. 12. 14. 54. 58–59. 104; Hochschul-Film- und Bildstelle der Martin-Luther-Universität Halle-Wittenberg, Halle Abb. 7. 19; Institut für Denkmalpflege, Arbeitsstelle Halle Abb. 16–17. 50. 53. 83. 88; Wilfried Kirsch, Lutherstadt Wittenberg Abb. 1–6. 11. 13. 15. 20. 22. 34. 55. 57. 60–61. 69–73. 82. 85–87. 90 bis 91. 93–103; Kunsthistorisches Museum, Wien Abb. 35; Kunstsammlungen zu Weimar Abb. 48; Lutherhalle, Lutherstadt Wittenberg Abb. 8–10. 21. 39–40. 50. 64–65. 67 (Müller). 68. 74–80. 89. 92; Nationalgalerie, Praha Abb. 62; Sanssouci, Potsdam Abb. 81; Staatliche Kunsthalle, Karlsruhe Abb. 37; Stadtgeschichtliches Museum, Lutherstadt Wittenberg Abb. 84.

*Quellen für Abbildungen im Text:* Friedrich Adler: Die Schloßkirche in Wittenberg. Berlin 1895, 1 Abb. 17*; Kunstsammlungen zu Weimar Abb. 18*; Lutherhalle, Lutherstadt Wittenberg Abb. 5*. 9*. 11*; Paul Mannewitz: Das Wittenberger und Torgauer Bürgerhaus vor dem dreißigjährigen Krieg. Borna 1914 Abb. 7* (Seite 11. 13). 10* (Seite 27); Alfred Schmidt; Wilhelm Winkler: Die Stadtkirche zu St. Marien in Wittenberg. Wittenberg 1917, 26 Abb. 3*; Johann Siebmacher's großes und allgemeines Wappenbuch. Nürnberg. Bd. 1 I (1856). 4 I (1885). 5 I 1 (1881) Abb. 2*; Stadtarchiv der Lutherstadt Wittenberg, Urbarium Abb. 4*. 12*; Universitätsbibliothek der Karl-Marx-Universität, Leipzig Abb. 8* (Biblia 210; WA DB 2, 272–275 Nr. *11²). 13*. 14*.

In den heutigen Straßenverlauf sind innerhalb des bis 1873 von einer Befestigung umgebenen Gebietes nach dem «1. Special-Grund-Riß circa 1623» (veröffentlicht Lutherjahrbuch 9 [1927], 16f.) die Befestigung und die öffentlichen Gebäude des 16. Jh. sowie die Denkmäler eingezeichnet. In dem Verzeichnis der Straßen sind die nicht mehr gebräuchlichen Namen *kursiv* gedruckt, so daß sich ablesen läßt, welche Bezeichnungen die heutigen Straßen trugen bzw. auf welche der heutigen Straßen sich die ältere Benennung bezieht. In den früheren Jahrhunderten wird häufig -gasse statt -straße verwendet.

Am Stadtgraben

August-Bebel-Straße (südliche Hälfte) = südliche Hälfte der Johann-Friedrich-Böttger-Straße = mittlerer Teil der *Grünen Straße*

Breitscheidstraße = nördlicher Teil der *Sandstraße*

Bürgermeisterstraße

*By der Arcken* = östlicher Teil von *Hinter der Mauer* = *Post-* bzw. Fleischerstraße östl. der Kupferstraße

*Claußstraße* = *Nikolausstraße* = Puschkinstraße

Collegienstraße = *Lange Straße* = südliche Hälfte der *Neumarktstraße* vor Bebauung im 16. Jh.

*Coswiger Straße* = Dr.-Richard-Sorge-Straße

Dörffurtstraße = nordwestlicher Teil der *Grünen Straße*

Dr.-Richard-Sorge-Straße = *Coswiger Straße*

Dr.-Wilhelm-Külz-Straße = *Neustraße*

Elbstraße

*Elsterende* = im 15. Jh. an der Nordseite bebaute Mittelstraße; später (so 1644) nur Straße vor der Ostmauer nördlich des Elstertors (Straße der Deutsch-Sowjetischen Freundschaft)

Feuergasse

*Fleischergasse* = Fleischerstraße zwischen Dr.-Wilhelm-Külz-Straße und Kupferstraße

Fleischerstraße = *Fleischergasse* und östlicher Teil von *Hinter der Mauer* = *Poststraße*

*Große Brüderstraße* = Juristenstraße

*Große Friedrichstraße* = Straße der Deutsch-Sowjetischen Freundschaft

*Grüne Straße* = Dörffurtstraße, südliche Hälfte der Johann-Friedrich-Böttger-Straße und nördliche Hälfte der Lutherstraße

*Heiliggeistplatz* = lag am Elstertor vor Heiliggeistkapelle

*Hinter der Mauer* = Jahnstraße von Marstall- bis Juristenstraße sowie Mauer- und Fleischerstraße

Holzmarkt

Jahnstraße = *Ziegen-, Ritter-, Priester-* bzw. *Pfaffenstraße* und westlicher Teil von *Hinter der Mauer* = später verlängerte *Pfaffenstraße*

Johann-Friedrich-Böttger-Straße (südliche Hälfte) = südliche Hälfte der *August-Bebel-Straße* = mittlerer Teil der *Grünen Straße*

*Jüdenstraße* = Rosa-Luxemburg-Straße

Juristenstraße = *Große Brüderstraße*

Kirchplatz

*Kleine Brüderstraße* = Klosterstraße

Klosterstraße = *Kleine Brüderstraße*

Kupferstraße

*Lange Straße* = nur an der Südseite bebaute *Neumarkt-* bzw. Collegienstraße

Lutherstraße (nördliche Hälfte) = südlicher Teil der *Grünen Straße*

Markt

Marstallstraße = *Neue Gasse*

Mauerstraße = *Hinter der Mauer* von Juristen- bis Dr.-Wilhelm-Külz-Straße

Mittelstraße = im 15. Jh. Elsterende = nördlicher Teil der *Neumarktstraße* nach Bebauung im 16. Jh.

*Neue Gasse* = Marstallstraße

*Neumarktstraße* = Mittel- und Collegienstraße vor der beide Straßen trennenden Bebauung

*Neustraße* = Dr.-Wilhelm-Külz-Straße